ÇİVİSİ ÇIKMIŞ DÜNYA
Uygarlıklarımız Tükendiğinde

Amin Maalouf 1949'da Lübnan'da doğdu. Ekonomi ve toplumbilim okuduktan sonra gazeteciliğe başladı; 1976'dan beri Paris'te yaşıyor. Çeşitli yayın organlarında yöneticilik ve köşe yazarlığı yapmış olan Maalouf, bugün vaktinin çoğunu kitap yazmaya ayırmaktadır.
Çok iyi bildiği Asya ve Akdeniz çevresi kültürlerinin söylencelerini yapıtlarında başarıyla işleyen Maalouf, ilk kitabı *Les Croisades vues par les Arabes* (1983, *Arapların Gözünden Haçlı Seferleri,* YKY) ile tanındı ve bu kitabın çevrildiği dillerde de büyük bir başarı kazandı. 1986'da yayımlanan ve aynı yıl Fransız-Arap Dostluk Ödülü'nü kazanan ikinci kitabı (ilk romanı) *Léon l'Africain* (*Afrikalı Leo,* YKY) ise bugün bir "klasik" kabul edilmektedir.
Maalouf'un 1988'de yayımlanan ikinci romanı *Samarcande* da (*Semerkant,* YKY) coşkuyla karşılandı ve pek çok dile çevirildi. *Les Jardins de Lumière* (1991, *Işık Bahçeleri,* YKY) ve *Le Ier Siècle après Béatrice* (1992, *Béatrice'ten Sonra Birinci Yüzyıl,* YKY) adlı romanlarının ardından, 1993'te yayımlanan romanı *Le Rocher de Tanios* (*Tanios Kayası,* YKY) ile Goncourt Ödülü'nü kazanan yazarın, *Les Echelles du Levant* (*Doğu'nun Limanları,* YKY) adlı romanı 1996'da, *Les Identités Meurtrières* (*Ölümcül Kimlikler,* YKY) adlı deneme kitabı 1998'de çıktı. Maalouf 2000'de *Le Périple de Baldassare*'ı yayımladı (*Yüzüncü Ad - "Baldassare'nin Yolculuğu",* YKY). Finlandiyalı müzisyen Kaija Saariaho'nun bestelediği opera için yazdığı *Uzaktan Aşk* (2002, YKY) Maalouf'un ilk librettosudur. *Origines* (*Yolların Başlangıcı,* 2004, YKY) yazarın son romanıdır. 2006 yılında ise Maalouf'un ikinci librettosu *Adriana Mater* (YKY) yayımlanmıştır.

Orçun Türkay 1976'da İstanbul'da doğdu. İstanbul Saint Joseph Lisesi ve İstanbul Üniversitesi Fransız Dili ve Edebiyatı Bölümü'nü bitirdi. Çeşitli yayınevlerine, kuruluşlara çevirmenlik ve editörlük yapıyor. Duras, Michaux, Blanchot, Bonnefoy, Lévi-Strauss, Starobinski gibi yazarlardan metinler çevirdi. Ayrıca Yapı Kredi Yayınları'nın "Genel Kültür Dizisi"nden çıkmış çevirileri bulunuyor.

Öyküleri: *Peri Masalları* (YKY, 2004); *Zavallı* (YKY, 2008).

Amin Maalouf'un
YKY'deki kitapları:

Afrikalı Leo (*1993*)
Semerkant (*1993*)
Tanios Kayası (*1995*)
Doğu'nun Limanları (*1996*)
Ölümcül Kimlikler (*2000*)
Yüzüncü Ad - "Baldassare'nin Yolculuğu" (*2000*)
Uzaktan Aşk (*2002*)
Işık Bahçeleri (*2004*)
Yolların Başlangıcı (*2004*)
Béatrice'ten Sonra Birinci Yüzyıl (*2005*)
Adriana Mater (*2006*)
Arapların Gözünden Haçlı Seferleri (*2006*)
Çivisi Çıkmış Dünya (*2009*)

AMIN MAALOUF

Çivisi Çıkmış Dünya

Uygarlıklarımız Tükendiğinde

Çeviren:
Orçun Türkay

Deneme

İSTANBUL

Yapı Kredi Yayınları - 2914
Edebiyat - 874

Çivisi Çıkmış Dünya / Amin Maalouf
Özgün adı: Le dérèglement du monde
Çeviren: Orçun Türkay

Kitap editörleri: Ersel Topraktepe - Korkut Erdur
Düzelti: Korkut Tankuter

Kapak tasarımı ve fotoğrafı: Nahide Dikel

Baskı: Mas Matbaacılık A.Ş.
Hamidiye Mah. Soğuksu Cad. No: 3 Kağıthane-İstanbul
Telefon: (0 212) 294 10 00 e-posta: info@masmat.com.tr
Sertifika No: 12055

Çeviriye temel alınan baskı: Le dérèglement du monde, Editions Grasset & Fasquelle, 2009
1. baskı: İstanbul, Mayıs 2009
ISBN 978-975-08-1618-5

Yapı Kredi Kültür Sanat Yayıncılık Ticaret ve Sanayi A.Ş.
Yapı Kredi Kültür Merkezi
İstiklal Caddesi No. 161 Beyoğlu 34433 İstanbul
Telefon: (0 212) 252 47 00 (pbx) Faks: (0 212) 293 07 23
http://www.yapikrediyayinlari.com
e-posta: ykykultur@ykykultur.com.tr
İnternet satış adresi: http://alisveris.yapikredi.com.tr
http://www.yapikredi.com.tr

İÇİNDEKİLER

Marlène ile Salim Nasr için
Ve Paolo Viola'nın anısına (1948-2005)

Man has survived hitherto
Because he was too ignorant to know
how to realize his wishes.
Now that he can realize them,
he must either change them
*or perish.**
William Carlos Williams (1883-1963)

* İnsan buraya dek hayatta kaldı / çünkü arzularını gerçekleştirebilmek için / fazla bilgisizdi. / Şimdi gerçekleştirebiliyorken, / onları değiştirmek zorunda, / yoksa ölüp gidecek.

Pusulasız bir halde girdik yeni yüzyıla.

Daha ilk aylardan başlayarak, dünyanın hepten çivisinin çıktığını düşündüren kaygı verici olaylar meydana geliyor; üstelik bunlar birçok alanda birden gerçekleşiyor – entelektüel dünyanın, finans dünyasının, iklimin, jeopolitiğin, etiğin çivisi çıkmış durumda.

Şurası da bir gerçek ki arada sırada umulmadık, yararlı dönüşümlere de tanık olunuyor; o zaman da açmaza sürüklendiklerini fark eden insanların, öyle ya da böyle, sanki bir mucize eseriyle bu açmazdan çıkmanın yollarını bulacağına inanmaya başlanıyor. Ama bunun hemen sonrasında bambaşka, daha karanlık, daha sıradan insani itkileri açığa vuran başka kargaşalar açığa çıkıyor ve türümüzün manevi yetersizliğinin eşiğine varıp varmadığı sorgulanıyor yine; tabii eğer hâlâ ilerlemeyi sürdürüyorsa; ya da birbiri ardında sıralanan onca kuşağın kurmaya çabaladığı şeyi yeniden tartışma konusu edebilecek şekilde gerilemeye başlamadıysa.

Burada söz konusu olan ne bir binyıldan diğerine geçerken hissedilen akıldışı sıkıntılar, ne de değişimden ödü patlayanların ya da değişim hızından korkanların ezelden beri ortaya attıkları, durmaksızın yineledikleri lanetler. Benim derdim bambaşka; Aydınlanma Çağı'nın bocaladığını, zayıfladığını ve kimi ülkelerde sona ermek üzere olduğunu gören bir Aydınlanma yanlısının; bir zamanlar özgürlüğün, dünyanın tamamına yayılmakta olduğuna inanan, şimdiyse ona yer olmayan bir dünyanın biçimlendiğini gören, eli kolu bağlı biçimde fanatizmin, şiddetin, dışlamanın ve umutsuzluğun yükselişine tanık olan bir özgürlük tutkununun; her şeyden önce de, aslında sadece, pusuda bekleyen yok oluşa boyun eğmek istemeyen bir yaşam âşığının endişeleri benimkiler.

Hiçbir yanlış anlama olmasın diye ısrarla belirtiyorum: Şimdiki zamana burun kıvıranlardan değilim ben. Çağımızın bize sağladığı şeylerin hayranıyım, son icatları yakından takip edip zaman kaybetmeden gündelik yaşamıma katıyorum onları; tıp ve bilgi-işlem alanlarında kaydedilen ilerlemeler nedeniyle, önceki bütün kuşaklardan çok daha ayrıcalıklı bir kuşağa dahil olduğumun bilincindeyim. Ama gelecek kuşakların da modern yaşamın meyvelerinin tadını çıkarabileceğinden emin olmadan, onların rahatlıkla tadına varamıyorum.

Kaygılarımda aşırıya mı kaçıyorum? Buna pek inanmıyorum ne yazık ki. Hatta, tersine, çoğu doğrulanıyormuş gibi görünüyor gözüme, ilerleyen sayfalarda göstermeye çalışacağım şey de bu; amacım belgelerle doldurulmuş bir dosya sunmak değil, ne de özsaygıyla hareket edip bana ait bir savı savunmak; ben tehlike var diye bağırıyorum ve bu duyulsun istiyorum sadece; öncelikli niyetim çağdaşlarımı, "yol arkadaşlarımı", bindiğimiz geminin artık dalgalı denizde akıntıya kapıldığına, yolunun, yönünün, görüş alanının, pusulasının bulunmadığına ve batmasını engellemek için acilen bir atılım yapılması gerektiğine inandırmak için doğru sözcükleri bulmak. Denizde önümüzü görerek seyredip, birtakım engellerden kaçınarak ve işleri zamana bırakarak şu hızımızı korumamız yeterli olmayacak. Zaman müttefikimiz değil bizim, yargıcımız. Şu an zaten cezamızın erteleme sürecini yaşıyoruz.

Kendiliğinden denize ilişkin imgeler geliyorsa akla, belki de, öncelikle kaygılarımı şu basit ve sert saptamayla açmalıyım: İnsanlık, evriminin günümüzdeki evresinde, tarihte eşine rastlanmayan yeni tehlikelerle karşı karşıya ve bunlar yepyeni küresel çözümler gerektiriyor; yakın gelecekte bu çözümler bulunmazsa uygarlığımızı büyük ve güzel kılan şeylerden geriye hiçbir şey kalmayacak; kaldı ki, bugüne dek, insanların farklılıklarını aşacağını, düş gücüne dayanan çözümler geliştireceğini, ardından onları hayata geçirmek adına birleşip seferber olacağını ummamızı sağlayabilecek pek az ipucu var; hatta belirtilere bakılırsa dünyanın çivisinin çıkması sürecinde ileri bir evreye gelindiği ve bir gerilemenin önüne geçmenin artık güç olduğu düşünülebilir.

İlerleyen sayfalarda, çeşitli düzen bozuklukları ayrı bölümler halinde ve sistemli bir şekilde ele alınmayacak. Ben daha çok bir fırtınanın ertesi günü, daha şiddetli başka bir fırtına geliyorum derken, bir bahçede gezinen gece bekçisi gibi davranacağım. Adam elinde bir lamba, sakınımlı adımlarla ilerliyor; sık bir ağaç kümesine, ardından bir başkasına ışık tutuyor, ağaçların arasında bir yol keşfediyor, geri dönüyor, kökünden sökülmüş yaşlı bir ağacın üstüne eğiliyor; sonra bir burna yöneliyor, lambasını söndürüp panoramayı bütünüyle görmeye çalışıyor.

Kendisi ne bitkibilimci, ne tarımbilimci ne de peyzaj mimarı; bu bahçedeki hiçbir şey de onun değil. Ama sevdiği insanlarla birlikte burada yaşıyor ve bu toprağa etki edebilecek her şey onu yakından ilgilendiriyor.

I

Aldatıcı Zaferler

1

Berlin Duvarı'nın yıkılmasıyla dünyada bir umut rüzgârı esmişti. Batı ile Sovyetler Birliği arasındaki gerginliğin sona ermesi, yaklaşık kırk yıldır insanlığı tehdit eden bir nükleer felaket tehlikesini ortadan kaldırmıştı; inanıyorduk ki, bundan böyle demokrasi yavaş yavaş yaygınlaşacak, en sonunda da bütün dünyaya yayılacak; yerkürenin çeşitli ülkeleri arasındaki duvarlar kalkacak ve insanların, malların, imgelerin ve düşüncelerin dolaşımı engellerle karşılaşmaksızın gelişebilecek, böylece bir gelişme ve refah çağı başlayacaktı. Bu cephelerin her birinde, başlangıçta, birtakım dikkate değer ilerlemeler kaydedildi. Ama ne kadar ileriye gidersek, pusulayı da o kadar şaşırıyorduk.

Bu açıdan bakıldığında, Avrupa Birliği simgesel bir örnek oluşturuyor. Birlik için, Sovyet blokunun parçalanması bir zaferdi. Kıta Avrupası'nda yaşayan halklara sunulan iki yol arasında, birinin tıkanmış olduğu ortaya çıkmışken, öteki ufka kadar açılıyordu. Eski Doğu Avrupa ülkelerinin hepsi Birliğin kapısını çaldı; Birliğe alınmayanlar da hâlâ üyeliğin düşünü kuruyorlar.

Öte yandan, tam da Birliğin zafere ulaştığı anda, onca halk, sanki bir yeryüzü cennetiymiş gibi, hayran hayran, gözü kamaşmış biçimde ona doğru ilerlerken, Avrupa ne yapacağını şaşırıverdi. Birliğe daha kimi alacaktı? Ne amaçla? Peki ya kimi dışlayacaktı? Hangi nedenle? AB, bugün, geçmişte olduğundan daha fazla, kimliğini, sınırlarını, gelecekteki kurumlarını, dünya üstündeki yerini sorguluyor; yanıtlarından da hiç emin değil.

Nereden geldiğini, bu halklarda birleşme gereksiniminin doğmasına ne tür trajedilerin yol açtığını bilse de, hangi yöne gitmesi gerektiğini artık kestiremiyor. Amerika Birleşik Devletleri'ninkine benzer, onu oluşturan ulusların yurtseverliklerini aşan ve kendi içinde eriten bir "Kıta Avrupası yurtseverliği"nin hayat verdiği; yalnızca ekonomik ve diplomatik olarak değil, siyasal ve askeri açılardan da dünya çapında önemli bir güç konumunda görülen bir federasyona mı dönüşmeli? Böylesi bir rolü, getireceği sorumluluklarla ve fedakârlıklarla üstlenmeye hazır mı acaba? Yoksa daha çok egemenliklerinin üstüne titreyen uluslar arasındaki esnek bir ortaklıkla yetinmeli ve küresel planda bir destek gücü olmayı mı sürdürmeli?

Kıta Avrupası iki düşman cepheye bölünmüşken, bu ikilemler gündemde değildi. Sonrasında, durmaksızın gündeme taşınmaya başladı. Hayır, ne büyük savaşlar ne de "demir perde" dönemlerine dönecek değiliz elbet. Ama burada söz konusu olanın siyasetçiler arasında ya da siyasetbilimciler arasında patlak veren bir tartışma olduğunu düşünmek yanlış olur. Söz konusu olan Kıta Avrupası'nın yazgısıdır.

Kanımca yalnızca Avrupa halkları için değil, herkes için büyük önem taşıyan bu soruyu ileride uzun uzadıya ele alacağım. Burada, özellikle açıklayıcı olması için bu soruya değindim; çünkü bu, bütün halinde ve her bir bileşeni içinde insanlığı etkisi altına alan o kaybolma, yönünü şaşırma, çığırından çıkma halinin bir göstergesidir.

Doğrusu, yerkürenin çeşitli bölgelerine baktığımda, yine de en az Avrupa için endişeleniyorum. Çünkü, bence, insanlığın yüzleşmek zorunda olduğu meydan okumaların şiddetini ötekilerden daha iyi ölçüyor; çünkü çözümler getirebilmek amacıyla bu meydan okumalarla mücadele edebilecek insanlara ve mercilere sahip; çünkü birleştirici bir tasarının ve güçlü etik kaygıların taşıyıcısı durumunda, her ne kadar kimi zaman bu tasarıyı ve kaygıları gönülsüzce üstlendiği izlenimini yaratsa da.

Başka yerlerde, ne yazık ki, bunun yanından bile geçilmiyor. Arap-İslam âlemi bir daha çıkamamazcasına tarihsel bir "kuyu"ya gömüldükçe gömülüyor; bütün dünyaya karşı, Batılılara, Ruslara, Çinlilere, Hintlere, Yahudilere vb. ayrıca her şeyden önce kendisine karşı öfke duyuyor. Afrika ülkeleri, ender istisnalar dışında, iç savaşlarla, salgın hastalıklarla, iğrenç kaçakçılıklarla, iyice yaygınlaşan rüşvetle, kurumların yozlaşmasıyla, toplumsal dokunun parçalanmasıyla, yüksek işsizlik oranlarıyla, umutsuzlukla boğuşmak durumunda. Rusya yetmiş yıllık komünizmden ve sonrasındaki kargaşa halinden kurtulmakta zorlanıyor; liderler yeniden eski güçlerine kavuşmanın hayalini kurarken, halk hâlâ korkuyor. ABD'ye gelince, en önemli küresel rakibini alt ettikten sonra, kendisini tüketen ve yolunu şaşırtan devasa bir girişime sürüklendi: Tek başına, neredeyse tek başına, boyun eğmez bir dünyaya boyun eğdirmeye çalışıyor.

Göz alıcı bir tırmanış yaşayan Çin'in bile endişelenmek için nedenleri var; çünkü bu yüzyılın başında, izleyeceği yol belli gibi görünse de –toplumsal ve ulusal bütünlüğünü korumaya özen göstererek ekonomik gelişimini aralıksız sürdürmek–, gelecekte kendisine düşecek büyük siyasal ve askeri güç rolü ciddi belirsizliklerle dolu, hem kendisi hem komşuları hem de dünyanın geri kalanı için. Asya devi elinde hâlâ az çok güvenilir bir pusula tutuyor, ama büyük bir hızla, elindeki aletin artık işe yaramayacağı bir bölgeye yaklaşıyor.

Şu ya da bu şekilde, dünyadaki halkların tümü bir karışıklık yaşıyor. Zengin ya da yoksul, küstah ya da uysal, işgalciler, işgal altındakiler, kısacası hepimiz aynı dayanıksız sala binmişiz, hep birlikte suya gömülmek üzereyiz. Gelgelelim, yükselen denizi hiç dert etmeden birbirimize sövüp saymayı, kavga etmeyi sürdürüyoruz.

Bize doğru yükselirken, önce düşmanlarımızı batırsa, bu yıkıcı dalgayı alkışlayabiliriz bile.

2

Ama ilk örnek olarak Avrupa Birliği'nin adını anmamın başka bir nedeni daha var. Çünkü bu örnek, tarihçilerin yakından tanıdığı ve her insanın yaşamı boyunca gerçekliğine tanık olduğu bir olayı, bir başarısızlığın önünde sonunda beklenmedik bir mutluluğa, başarının da belaya dönüşebileceği olgusunu iyi yansıtıyor; Soğuk Savaş'ın sona ermesi, tam da bu türden yanıltıcı olaylardan biri bana kalırsa.

Avrupa'nın zaferinin ona yolunu şaşırtması, içinde yaşadığımız dönemin tek çelişkisi değil. Aynı şekilde, Batı'nın kendi üstünlüğünü pekiştirmesi beklenen zaferinin aksine gerilemesini hızlandırdığı; kapitalizmin zaferinin onu tarihinin en beter bunalımına sürüklediği; "korku dengesi"nin sonunun "korku"dan bir türlü kurtulamayan bir dünya yarattığı; ayrıca açıkça baskıcı ve anti-demokratik bir Sovyet sisteminin çöküşünün demokrasi tartışmasını bütün dünyada gerilettiği ileri sürülebilir.

Öncelikle bu son nokta üstünde duracağım. İki blok arasındaki gerilimin sona ermesiyle, bölünmelerin temel olarak ideolojik olduğu ve tartışmanın hiç eksik olmadığı bir dünyadan, bölünmelerin temel olarak kimliğe ilişkin olduğu ve tartışmaya pek yer olmayan bir dünyaya geçtiğimizin altını çizmek istiyorum. Herkes ötekilerin karşısında kendi aidiyetlerini haykırıyor, başkalarını kendince dışlıyor, yandaşlarını seferber ediyor, düşmanlarını şeytanlaştırıyor, söyleyecek daha ne var? Bugünün rakiplerinin o kadar az ortak değerleri var ki!

Soğuk Savaş dönemindeki entelektüel havayı özlemle anmıyorum o kadar da; o savaş her yerde soğuk da değildi üstelik, tersine Kore'den Afganistan'a, Macaristan'dan Endonezya'ya, Vietnam'dan Şili ve Arjantin'e dolaylı yoldan sayısız çatışmaya yol açtı, on milyonlarca insanın hayatına mal oldu. Ne var ki dünya bu savaştan çıktığında "daha aşağı bir düzeyde" buldu kendini; yani bununla demek istediğim, daha az evrenselliğe, daha az akılcılığa, daha az laikliğe; kazanılan görüşlere karşı, miras aldığı aidiyetleri güçlendirmeye; dolayısıyla da daha az özgürce tartışmaya yöneldi.

Marksizm yandaşları ile rakipleri arasındaki gerilim sürerken bütün dünya koskocaman bir anfitiyatro gibiydi. Gazetelerde, üniversitelerde, iş yerlerinde, fabrikalarda, kafelerde, evlerde, insanların çoğu bir araya gelip, fısır fısır, şu ya da bu ekonomi modelinin, filanca felsefi düşüncenin, falanca toplumsal düzenin yararları ya da zararları üstüne bitmek tükenmek bilmeyen tartışmalara giriyorlardı. Komünizm yenilgiye uğrayıp insanlık için inandırıcı bir seçenek olmaktan çıkalı beri, bu tartışmalar amacını yitirdi. Acaba onca insan, bu yüzden mi bozguna uğramış ütopyalarından vazgeçip bir topluluğun güven verici çatısı altına sığınmaya kalktı? Aynı şekilde kesinkes tanrıtanımaz olan Marksizm'in yaşadığı siyasal ve manevi çöküşün, kökünü kazımaya çalıştığı inanç ve dayanışmalara yeniden değer kazandırdığı da varsayılabilir.

Şurası bir gerçek ki Berlin Duvarı'nın yıkılışından bu yana, dinle bağlantılı olanlar başta olmak üzere aidiyetlerin iyice şiddetlendiği; farklı insan topluluklarının birlikte yaşamasının her gün biraz daha güçleştiği ve demokrasinin sürekli kimlik pazarlıklarına bağlı olduğu bir dünyada yaşıyoruz.

İdeolojiden kimliğe kaymanın bütün dünya üstünde feci etkileri oldu, en çok da uzun zaman boyunca azınlıkta kalan ve baskı altında tutulan köktendinciliğin, çoğu toplumda olduğu gibi diyasporada da entelektüel bir ağırlık kazandığı Arap-Müslüman kültür alanında; bu akım, tırmanışı boyunca, şiddetle Batı karşıtı bir çizgi benimsemeye başladı.

1979'da Ayetullah Humeyni'nin başa geçmesiyle başlayan bu değişim, Soğuk Savaş'ın sona ermesiyle birlikte iyiden iyiye yoğunlaştı. İki blok arasındaki gerilim sürerken, İslamcı hareketler, genelde, kapitalizmden daha kesin biçimde komünizme karşı düşmanlık sergiliyorlardı. Kuşkusuz Batı'dan, Batı siyasetinden, yaşam tarzından ve değerlerinden hiç hoşlanmıyorlardı; ama Marksistlerin militan tanrıtanımazlığı bunları daha yüzeysel düşmanlar haline getiriyordu. Buna koşut olarak, İslamcıların yerel rakipleri, özellikle Arap ulusalcıları ile sol partiler bu yönelimi tersinden izliyor ve Sovyetler Birliği'nin müttefiki ya da müşterisi haline geliyorlardı. Kendileri için yıkıcı sonuçlar doğuracak, ama bir şekilde tarihlerinin onlara dayattığı bir taraf tutuştu bu.

Arap-İslam âleminin modernlik yanlısı seçkinleri, kuşaklardan beri, bu çözümsüz sorunu boşuna çözmeye uğraşıyorlardı: Cava'dan Fas'a kadar ülkelerine hükmeden ve kaynaklarını denetim altında tutan Avrupalı güçlerin hegemonyasına boyun eğmeden nasıl Avrupalılaşabilirlerdi? Bağımsızlık savaşlarını İngilizlere, Fransızlara ya da Hollandalılara karşı vermişler ve ne zaman ülkeleri ekonomilerinin kilit sektörlerini denetim altına almaya kalksa, karşılarında Batılı petrol şirketlerini –ya da Mısır'da görüldüğü üzere, Süveyş Kanalı'ndaki Fransız-İngiliz Şirketi'ni– bulmuşlardı. Avrupa kıtasının doğusunda, hızlandırılmış sanayileşmeyi öven, "halkların dostluğu" sloganını haykıran ve sömürge güçlerine karşı sıkı bir direniş sergileyen güçlü bir blokun ortaya çıkışı, birçoklarına bu ikilemin çözümü olarak gözüktü.

Bağımsızlık savaşı sırasında, böylesi bir eğilim akıllıca ve umut verici görünüyordu. Geriye dönüp bakıldığında, sadece bela getirdiğini görmek gerek. Arap-İslam âleminin seçkinleri ne gelişme ne ulusal özgürlük ne demokrasi ne de toplumsal modernlik elde edebileceklerdi; Sovyet rejiminin dünya çapındaki yükselişini sağlamış hiçbir şeyi içermeyen, onun ne enternasyonalist söylemine, ne 1941-1945 arasında Nazizm'in bozguna uğratılmasındaki büyük katkısına ne de birinci derecede bir askeri güç oluşturma becerisine sahip olan, ama ondaki en beter aksaklıklara –yabancı düşmanlıklarına, güvenlik güçlerinin şiddete başvurmasına, herkesin bildiği üzere etkisiz kalmış ekonomi yönetimlerine, bir parti, bir grup ve bir başkan adına iktidarın devrilmesine– sadakatle öykünen yerel bir tür Stalinist ulusalcılık dışında hiçbir şey sağlayamamışlardı. Saddam Hüseyin'in "laik" rejimi, bu açıdan, aydınlatıcı bir örnekti.

Bugün, Arap toplumlarının yüzyıllık körlüğünü ya da Batılı güçlerin yüzyıllık açgözlülüğünü kınamak gerekip gerekmediği konusu artık pek önem taşımıyor. İki taraf da kendi savlarını savunuyor; bu konuya geri döneceğim. Kesin olan ve bugünün dünyasında ağır basan şu ki, on yıllardır Arap-İslam âlemindeki gizil modernlik yanlısı, laik insanlar Batı'ya karşı mücadele ettiler; bu yüzden de, çıkışı olmayan bir yolda, maddi manevi anlamda yollarını şaşırdılar; Batı da çoğunlukla korkunç bir şekilde ve kimi zaman da dinsel hareketlerin desteğiyle onlarla savaştı.

Burada söz konusu olan, gerçek bir ittifak değildi, ortak güçlü bir düşmana karşı taktik bir birliktelikti yalnızca. Ama bunun sonunda, Soğuk Savaş'ın bitiminde, İslamcılar kazananların arasında yer aldı. Gündelik yaşam üstündeki etkileri her alanda gözle görünür bir hal aldı, derinleşti. Ondan sonra, nüfusun büyük bölümü kendini onların arasında görmeye başladı, bağımsızlık savaşı kaynaklı hareketlerin ve solun geleneksel anlamda sözcüsü olduğu bütün toplumsal ve ulusal istemleri benimsedikleri ölçüde bu durum daha da güçlendi. Çoğunlukla muhafazakâr biçimde yorumlanan dinsel kuralların somut uygulamalarına dayanan İslamcı söylem, siyasal açıdan köktenci –daha eşitlikçi, daha Üçüncü Dünyacı, daha devrimci, daha ulusalcı– olacaktı; ve 20. yüzyılın son yıllarından başlayarak, kararlı biçimde Batı'ya ve onun himayesindekilere karşı bir tavır sergiledi.

Şu son noktadan hareketle, akla bir karşılaştırma geliyor: Avrupa'da, İkinci Dünya Savaşı sırasında, Nazizm'e karşı ittifak eden sağ demokratlar ile komünistler 1945'ten sonra düşman olmuşlardı; aynı şekilde, Soğuk Savaş'ın sonunda, Batılılar ile İslamcıların acımasızca çatışacağı tahmin edilebilirdi. Fitili tutuşturabilecek bölge açıkça belliydi: Afganistan. İşte orada dünün müttefikleri Sovyetlere karşı son savaşlarını verdiler; işte orada, zafer kazanmalarından sonra, yüzyılın son on yılı içinde aralarında bir kırılma gerçekleşti; ve işte oradan, 11 Eylül 2001'de, ABD'ye ölümcül bir düello çağrısı yapıldı. Bunu da herkesin bildiği zincirleme tepkiler izledi: istilalar, isyanlar, idamlar, kıyımlar, iç savaşlar. Ve sayısız suikastlar.

3

Batı'nın, yalan yanlış biçimde Müslümanlık adına hareket ettiğini ileri süren bir avuç teröristle karşı karşıya olduğu ve bunların eylemlerinin inananların çoğu tarafından kınandığı düşüncesi gerçeği her zaman yansıtmıyor. Mart 2004'te Madrid'de olduğu gibi, tüyler ürpertici kıyımların İslam âleminde tiksinti, rahatsızlık uyandırdığı, oradan samimi kınamaların geldiği bir gerçek. Ama bugünün insanlığını oluşturan "küresel kabileler"e yakından bakıldığında, onların suikastlara, silahlı çatışmalara ya da siyasal bilek güreşlerine karşı ender olarak buna benzer tepkiler verdikleri görülüyor: Bazılarının öfkelendiği şeyleri, başkaları onaylıyor, mazur görüyor, hatta kimi zaman alkışlıyor.

Açıkça görüldüğü üzere, iki farklı "rakip" algısı çevresinde belirginleşen iki değişik tarih yorumuyla karşı karşıyayız. Müslümanlık, kimilerine göre, Batı'nın salık verdiği evrensel değerleri benimseyemez; kimilerine göre de, Batı her şeyden önce evrensel egemenlik isteğine göre hareket edecek ve Müslümanlar da ellerinde kalan kısıtlı olanaklarla buna direnmeye çalışacak.

Her "kabile"ye kendi dilinde kulak verebilen, bunu yapmayı yıllardır alışkanlık haline getirmiş biri için, şu sahne hem aydınlatıcı hem etkileyici hem de acıklı. Çünkü, birtakım ön koşullar ortaya konduktan sonra, bütün olaylar "başkaları"nın fikrine gereksinim duyulmadan tutarlı biçimde yorumlanabilir.

Sözgelimi, içinde yaşadığımız dönemin başındaki belanın "İslam âleminin barbarlığı" olduğu ön doğru olarak kabul edilirse eğer, Irak örneği bu düşünceyi güçlendirir yalnızca.

Korku yönetimiyle yaklaşık otuz yıl hüküm süren, kendi halkının kanını döken, petrolden gelen parayı askeri ya da lüks harcamalara saçıp savuran; komşularını işgal eden, devletlere meydan okuyan, Arapların alkışlarıyla yalancı pehlivanlıklara soyunan, sonra da gerçek bir mücadele vermeden alaşağı edilen, eli kanlı bir zorba vardı; ardından, bakınız işte, bu adam devrildikten sonra, ülke karmaşaya sürüklendi, bakınız işte, çeşitli tarikatlar birbirlerini katletmeye başladı, sanki şöyle demek isteniyormuş gibi: Görüyorsunuz ya, böylesi bir halkı zapt etmek için ancak bir diktatör gerekir!

Bunun tersine, ön dayanak olarak "Batı'nın hayasızlığı" düşüncesinin benimsenmesi halinde, olaylar aynı oranda tutarlı biçimde açıklanabilir: Başlangıç olarak, bütün bir halkı yoksulluğa sürükleyen, diktatörün purolarına dokunmadan yüz binlerce çocuğun hayatına mal olan bir ambargo; ardından, kamuoyuna ve uluslararası kurumlara aldırmadan sahte bahanelerle kararlaştırılan ve petrol kaynaklarına el koymayı kısmen de olsa hedefleyen bir istila; Amerikalıların zaferinden sonra, Irak ordusuyla devlet aygıtı arasında zamansız ve keyfi bir çözülme, kurumların içinde belirgin bir tarikatçılığın kurulması, sanki ülkenin kalıcı bir istikrarsızlık içine sürüklenmesi bile bile yeğlenmiş gibi; bunlara ek olarak, Ebu Gureyb Hapishanesi'ndeki zulüm, sistemli işkence, ardı arkası gelmeyen aşağılamalar, "yan hasarlar", cezasız kalmış sayısız suç, yağma, yolsuzluk...

Bazıları için, Irak örneği İslam âleminin demokrasiye uzak olduğunu gösteriyor; bazıları için de Batı tarzı "demokratikleştirme"nin gerçek yüzünü açığa vuruyor. Saddam Hüseyin'in filme çekilen idamında bile Amerikalıların acımasızlığı kadar Araplarınki de göze çarpıyor.

Bana göre, iki söylem de hem doğru hem yanlış. Her biri onu zaten ezbere bilen ve karşı söyleme kulak asmayan yandaşlarının önünde, kendi yörüngesinde dönüp duruyor. Benim de, kökenlerim gereği, yaşamımda izlediğim yol gereği, her iki söylemden de yararlandığım varsayılıyor, oysa günbegün ikisinden de daha fazla uzaklaştığımı hissediyorum.

Bu uzaklaşma -ya da eski bir deyişle söylemem gerekirse "bigâne" olma- duygusu kimliğimin bileşenleri arasında bir eleştiri dengesi kurmak istememden kaynaklanmıyor; içinde bulunduğumuz yüzyılın başlangıcını bizlere zehir eden -ve bu arada doğduğum ülkenin harap olmasına da neden olan- kültürel inatlardan tiksinmeme de bağlı değil sadece. Benim eleştirim bu iki "uygarlık alanı"nın yüzyıllık uygulamalarına yönelik; korkarım onların varoluş nedenlerini de kapsıyor. Bu saygıdeğer uygarlıkların sınırına vardığını; dünyaya artık yıkıcı öfkelerinden başka bir şey vermediklerini; bir yandan da tıpkı insanlığı bölen bütün özel uygarlıklar gibi manevi anlamda iflas ettikleri ve artık onları aşmanın zamanının geldiğini düşünüyorum temel olarak. Ya bu yüzyılda herkesin kendisiyle özdeşleştirebileceği, aynı evrensel değerlerle bütün haline getirilen, insanlık serüveninde güçlü bir inancın rehberlik ettiği ve bütün kültürel çeşitliliklerimizle zenginleşecek bir uygarlık kurmayı başarırız ya da ortaklaşa bir barbarlığın içinde yok olup gideriz.

Bugün Arap âleminde eleştirdiğim şey, ondaki manevi bilincin eksikliği; Batı'da eleştirdiğim şeyse, manevi bilincini bir egemenlik aracına dönüştürme eğilimidir. Bunlar çok ağır suçlamalar, üstelik bana iki kat daha fazla acı veriyor; ama bağıra bağıra geliyorum diyen gerilemenin kökenlerine karşı savaş açma iddiasındaki bir kitapta bunlara değinmeden edemem. Birilerinin söyleminde etik bir kaygı ya da evrensel değerlere bir gönderme arıyoruz ama boşuna; ötekilerin söyleminde de, tamam bu kaygılar, bu göndermeler var, ama seçilerek ve sürekli bir siyasetin hizmetinde saptırılarak kullanılıyor. Bunların sonucunda da Batı, manevi inandırıcılığını durmadan yitiriyor, ona karşı olanlarsa bu inandırıcılıktan bütünüyle yoksun durumda.

Bununla birlikte, "benim" iki kültürel evrenimin bunalımlarını aynı planda değerlendirmiyorum. Binyıl, üç yüzyıl ya da elli yıl öncesiyle karşılaştırıldığında, Batı'nın kimi alanlarda hâlâ devam eden, hatta hızlanan, göz alıcı ilerlemeler kaydettiği yadsınamaz. Oysa Arap âlemi bugün dibe vurmuş durumda; evlatlarını, dostlarını ve aynı şekilde tarihini utandırıyor.

Buna verilebilecek son derece aydınlatıcı bir örnek, insanların birlikte yaşamasını sağlama yetisi: Benim gençliğimde, Ortadoğulu cemaatler arasındaki ilişkiler, eşitlikçi ve kardeşçe olmasa da, en azından nazik ve incelikliydi. Şiiler ile Sünniler birbirlerine kimi zaman kuşkuyla bakıyorlardı bakmasına ama iki cemaat arası evliliklere sık rastlanıyor ve Irak trajedisinin artık sıradanlaştırdığı gündelik karşılıklı kıyımlar akıldan bile geçmiyordu.

Hıristiyan azınlıklara gelince, onların durumu asla harika olmadı, ama her rejimde genel olarak ayakta kalmayı, hatta gelişmeyi başarıyorlardı; Müslümanlığın başlangıcından beri, hiçbir zaman bu derece toplum dışına itilmiş, ezilmiş, hatta bugün Irak'ta ve birtakım başka ülkelerde görüldüğü üzere, yaşadıkları yerleri terk etmek zorunda hissetmemişlerdi kendilerini; yüzyıllardır yaşadıkları topraklarında yabancı haline gelen bu topluluklar önümüzdeki yirmi yıl içinde yitip gidecekler ve bu, ne onların Müslüman yurttaşlarında ne de Batılı din kardeşlerinde büyük bir üzüntüye neden olacak.

Arap âlemindeki Yahudi topluluklarının ortadan kaldırılması işi zaten tamamlandı; yalnızca bazı yerlerde, yetkililerin ve halkın hâlâ küçük düşürmeye ve işkence etmeye çalıştığı bir avuç cesur Yahudi kaldı, o kadar.

İşlerin bu hale gelmesinde Amerika ile İsrail'in bir sorumluluğu yok mu, diye sorulabilir bana. Var, kuşkusuz; ama bu, Arap âlemi için, değersiz bir mazeret. Bugün gözümüzün önündeki Irak örneğini alalım yine. Amerikan işgalcilerinin istikrarsız tutumunun bu ülkede cemaatler arası şiddete katkıda bulunduğuna inanıyorum; hatta, böylesi bir ahlaksızlık bana dehşet verici gelse de, Washington'daki ve birtakım başka yerlerdeki, ne türlü felaketlere yol açabileceklerini bilmeyen büyücü çıraklarının bu kan gölünden kendilerine çıkar sağladıklarını bile kabul edebilirim. Ama bir Sünni militan, Şii ailelerin gittiği bir pazar yerini havaya uçurmak üzere bomba yüklü bir kamyonun direksiyonuna geçince ve bu katil, bazı fanatik vaizler tarafından "direnişçi", "kahraman" ve "şehit" olarak adlandırılınca, başkalarını suçlamak artık hiçbir işe yaramaz, asıl vicdan muhasebesi yapması gereken, Arap âlemidir. Neyin savaşını vermektedir? Hâlâ hangi değerleri savunmaktadır? İnançlarına nasıl bir anlam yüklemektedir?

Peygamber'in şu sözü bilinir: "İnsanların en iyisi, insanlara en çok yararı dokunandır"; bugün bireylerin, liderlerin, halkların kendi içlerinde sorgulamaları gereken güçlü bir söz bu: Başkalarına ve kendimize ne getirmekteyiz? "İnsanlara nasıl yarar" sağlıyoruz? Dinde yeri olmayan aykırılıkların en büyüğü, intihara götüren umutsuzluktan başka kılavuzumuz var mı?

4

Benim diye nitelediğim öteki uygarlığa, Batı uygarlığına gelirsek, onda bu tür düzensizliklere rastlanmıyor, çünkü hâlâ, insanlığın bütünü için, model ya da en azından başvuru kaynağı olmayı sürdürüyor. Gelgelelim, bugün o da, kendine göre, davranışlarına etki eden ve dünyanın çivisinin çıkmasına katkıda bulunan tarihsel bir açmaz içinde.

Bu yüzyıl başında, dönüp dönüp açığa çıkan ve hâlâ çözülme yolunda gözükmeyen bir "Doğu sorunu" varsa, bir de "Batı sorunu" olduğu yadsınamaz; Arapların yaşadığı trajedi, dünya ulusları arasındaki yerlerini kaybetmelerinden ve onu bir daha ele geçiremeyeceklerini düşünmelerinden ileri gelirken; Batılıların trajedisi, her yönüyle üstlenemedikleri, buna karşılık yakalarını da sıyıramadıkları, dünya çapındaki bir role soyunmuş olmalarından kaynaklanıyor.

Doğal olarak, Batı, insanlığa diğer uygarlıkların tamamından daha fazla şey verdi. Atina "mucize"sinden beri, iki bin beşyüz yıldır, özellikle de son altı yüzyılda, hiçbir bilgi, yaratıcılık, üretim ya da organizasyon alanı yok ki bugün Avrupa ve onun Kuzey Amerika uzantısının damgasını taşımasın. İyisiyle kötüsüyle Batı bilimi, bilimin Kendisi oldu kısaca; Batı tıbbı tıbbın Kendisi; Batı felsefesi de felsefenin Kendisi; en özgürlükçü olanlarından en totaliter olanlarına kadar, çeşitli Batı öğretilerinin yansımalarına en uzak ülkelerde bile rastlanıyor. Batı etkisine karşı mücadele eden insanlar bile Batı'nın icat edip dünyanın geri kalanında yaygınlaştırdığı maddi ya da entelektüel araçlarla yapıyorlar bunu öncelikle.

Soğuk Savaş'ın bitimiyle, Batılı güçlerin salt üstünlüğü yeni bir istikrar dönemine girmiş gibiydi. Onların ekonomik, siyasal ve toplumsal sistemleri üstünlüğünü kanıtlamıştı, bunların bütün dünyaya yayılması bekleniyordu; kimileri daha o günlerde "tarihin sonundan" söz ediyorlardı; öyle ki bütün dünya bundan böyle mücadeleden zaferle çıkmış Batı'nın kalıbına sessiz sedasız biçimde uyacaktı.

Ama tarih ideologların düşlediği gibi yumuşak başlı ve bilge bir bakire değildir.

Örneğin, ekonomik alanda, Batılı modelin zaferi, tuhaf biçimde, Batı'nın zayıflamasına yol açtı.

Güdümcülüğün boyunduruğundan kurtulan Çin, ardından Hindistan birden kalkınma atılımına girdiler; ölçülü ama dünya dengelerini kalıcı biçimde değiştirmek üzere olan kişiler tarafından, gürültüsüz patırtısız biçimde, iki devrim gerçekleştirildi.

1978'de, Mao Zedong'un ölümünden iki yıl sonra, iktidar Kültür Devrimi'nin tasfiyelerinden mucize eseri yakasını kurtarmış, yetmiş dört yaşında ufak tefek bir adama kaldı: Deng Xiaoping; kendisi daha önce ortak mal olan toprakların bazı köylülere dağıtılmasını sağladı ve bu köylülerin ürünlerinin bir bölümünü satmalarına izin verdi. Elde ettiği sonuç inandırıcıydı; üretim, köylere göre, ikiye, üçe, dörde katlandı. Çinli lider, bir adım daha atarak, köylülerin hangi ürünleri ekeceklerini artık kendilerinin belirlemesine karar verdi; oysa o zamana dek, bunu yerel yetkililer belirliyordu. Üretim daha da arttı. İşte her şey böyle başladı. Küçük hamlelerle, yankı uyandıran açıklamalar olmaksızın, insanlar sokaklara dökülmeden, eski verimsiz sistem yavaş yavaş parçalandı. Hem yavaş yavaş hem de hiç kuşkusuz ülkenin nüfus boyutlarına bağlı çarpan etkisi nedeniyle ışık hızında. Sözgelimi, yetkililer köylerdeki küçük aile işletmeleri –bakkallar, dükkânlar, onarım atölyeleri vb.– üstündeki yasağı kaldırdıklarında, yirmi iki milyon işletme açıldı, bunlarda yüz otuz beş milyon kişi çalışıyordu. Çin söz konusu olduğunda, sürekli bir rekorlar kitabının sayfalarını karıştırdığı izlenimine kapılıyor insan; Şanghay'daki gökdelen sayısı da buna verilecek örneklerden biri: 1988'de on beş gökdelen varken, yirmi yıl sonra bunların sayısı yaklaşık beş bine ulaştı, New York ile Los Angeles'taki gökdelenlerin toplamından daha fazla demek oluyor bu.

Ama aşırı gelişmeye bağlı olmayan ve hatta aşırı gelişmenin daha güçleştirdiği durumlar vardır, tıpkı brüt iç üretim artışı gibi; bu artış otuz yıl boyunca, ortalama yüzde on civarında seyretti ve bu da Çin ekonomisinin sırasıyla Fransız, İngiliz, ardından da Alman ekonomilerini 21. yüzyılın ilk on yılı içinde geride bırakmasını sağladı.

Hindistan'daki güdümcülüğün parçalanması da aynı şekilde sessiz sedasız şekilde gerçekleşti ve bir o kadar şaşırtıcı sonuçlar doğurdu. Temmuz 1991'de, hükümet ülkeyi iflasın eşiğine getiren büyük bir mali krizle karşı karşıya kalmıştı. Maliye Bakanı Manmohan Singh, işletmelerin hareket kabiliyetlerini sınırlayan kısıtlamaları esnetmeye karar verdi. Ülkede o zamana dek, her ekonomik etkinlik için önceden izin alınmasını şart koşan, son derece zorlayıcı yasalar bulunmaktaydı: dışalım izni, kambiyo izni, yatırım izni, üretim artışı izni vb. Ekonomi, önündeki engellerden kurtulmaya başladıkça, kalkınma atılımı başladı...

Birkaç kısa paragrafta değindiğim bu durum, bütün insanlık için, tarihteki en heyecan verici, en büyük ve en beklenmedik ilerlemelerden birini oluşturuyor aslında; "Üçüncü Dünya" olarak adlandırmayı alışkanlık haline getirdiğimiz kesimin yarısını temsil eden, dünyanın en kalabalık nüfuslarına sahip iki ülke az gelişmişlikten kurtulmaya başlarken; başka Asya ve Latin Amerika ülkeleri de aynı ilerleme yoluna girmiş görünüyorlar; sınai Kuzey ile yoksul Güney arasındaki geleneksel ayrım yavaş yavaş ortadan kalkıyor...

Doğu'nun büyük uluslarının ekonomik uyanışı, zaman geçtikçe bürokratik sosyalizmin iflas ettiğinin en göz alıcı sonucu olarak görülecek kuşkusuz. İnsanlık serüveni açısından bakıldığında, buna yalnızca sevinilebilinir; Batı açısından bakıldığındaysa, bu sevince korku karışır, çünkü bu yeni sanayi devleri, yalnızca ticari ortaklar olmakla kalmayıp çekinilmesi gereken rakipler, gizil hasımlardır.

Düşük maliyetli, ancak niteliksiz bir işgücü sağlayan Güney'e ilişkin geleneksel düşünceden uzaklaşıldı bile. Çinli ve Hintli işçiler artık çok fazla rağbet görmüyorlarsa da ve bu durum bir süre daha sürecekse de, bu işçiler gitgide daha nitelikli oluyor, çok daha istekliler. Batı'da, kimi zaman kültürel ya da etnik önyargılarla üstü kapalı biçimde sık sık yinelendiği gibi yaratıcı mı değiller? Bugün hâlâ öyleyse bile, Güneyli erkekler ile kadınların kendilerinden daha emin olmaları, kendilerini daha özgür hissetmeleri, toplumsal hiyerarşilere ve entelektüel konformizmlere daha az takılmaları halinde, bunun değişeceğini öngörmek gerekir; bunlar gerçekleştiğinde, bir ya da iki kuşak içinde, öykünmeden uyarlamaya, oradan da yaratıcılığa geçilir. Bu büyük halkların tarihi, yaratıcılık konusundaki becerilerini açığa vurmaktadır: Porselen, barut, kâğıt, dümen, pusula, aşı ve sıfırın icadı bunun kanıtıdır; bu Asya toplumları, kendilerinde eksik olan şeyi de, yakın zamanlarda Batı okulunda edindiler, ya da ediniyorlar; keyfiliği de, tutuculuğu da bir kenara bırakıp, bozgunlardan, küçük düşmelerden, yoksulluktan ders çıkararak, en sonunda geleceğe meydan okumaya hazır görünüyorlar.

Batı kazandı, kendi modelini başkalarına da benimsetti; ama tam da bu zaferi yüzünden, kaybetti.

Hiç kuşkusuz burada evrensel, yaygın, örtük, bütün dünya uluslarının ruhunu kuşatan Batı ile özel, coğrafi, siyasal, etnik Batı'yı; Avrupa ile Kuzey Amerika'nın beyaz uluslarının Batı'sını birbirinden ayırmak gerek. Asıl bu son sözünü ettiğimiz Batı'dır açmazda olan. Bunun nedeni, başkalarının uygarlıklarının onunkini geride bırakması değil, başkalarının onun uygarlığını benimsemesi ve böylelikle şimdiye dek Batı'nın özgünlüğünü ve üstünlüğünü oluşturan şeyden onu yoksun bırakmasıdır.

Zaman içinde, Sovyet sisteminin Güney ülkelerine çekici gelmesinin, çelişkili biçimde Batı'nın gerilemesini geciktirdiği söylenecektir belki. Çin, Hindistan ve Üçüncü Dünya'nın başka güdümcü ülkeleri, etkisiz bir ekonomik modelin tutsağı olarak kaldıkları sürece, Batı'nın ekonomik üstünlüğü için bir tehdit oluşturmuyorlardı – üstelik bu şekilde onunla mücadele ettiklerini sanırken; "beyaz adam"ın tahtını gerçek anlamda sarsmaya başlamaları için bu yanılsamadan kurtulmaları, kararlı biçimde dinamik kapitalizm yoluna girmeleri gerekti.

Sonuç olarak, Batı ulusları, başarılı sonuçlar veren bir ekonomik sisteme yalnızca kendilerinin sahip olduğu bir dönemde, farkında olmadan bir altın çağ yaşıyorlardı; çevrelerinde yaratmak için ellerinden geleni artlarına koymadıkları küresel rekabette, kendi ekonomilerinin duvarlarını –neredeyse imalat sanayisinin tümü ve hizmet sektörünün gittikçe büyüyen bir bölümü– yıkmaya mahkûm olmuş gibiler şimdi.

Bir şekilde iki ateş –kısaca Asya ve Amerika– arasında kalan Avrupa için durum daha hassas. Demek istediğim şu: Avrupa, yükselişte olan ülkelerin ticari rekabeti ile ABD'nin –etkileri havacılık ve askeri amaçlı sanayilerin tümü gibi ileri sanayi sektörlerinde hissedilen– stratejik rekabeti arasında kalmış durumda. Buna bir de, Avrupa'nın, temel olarak Ortadoğu ve Rusya'da bulunan petrol ve gaz tedarik ettiği kaynakları denetleyememesine bağlı ciddi engeli de ekleyelim.

Asya'nın büyük uluslarının ekonomik kalkınma atılımına girmesinin bir başka önemli sonucu da, yüz milyonlarca insanın şimdiye dek dışında tutuldukları bir tüketim tarzına erişmesi oldu.

Sergilenen bazı aşırılıklara herkes gülebilir, kızabilir ama bu halkların zengin ülkelerin uzun zamandan beri sahip olduğu buzdolabı, çamaşır makinesi, bulaşık makinesi ve buna benzer ürünlere; aile arabası ve bireysel bilgisayar; sıcak su, temiz su, bolca besin; ayrıca tıbbi tedavi, öğrenim, eğlence, yolculuk vb. şeylere sahip olmasına kimse karşı çıkamaz.

Bu halkları bunlardan yoksun bırakmaya bugün kimsenin ahlaki açıdan hakkı yok, yarın da kimsenin –ne siyasetçilerin ne süper güçlerin ne de başkasının– elinden gelmeyecek zaten bu. Yeter ki, bütün dünyada, bu halkları yeniden yoksulluğa ve tutsaklığa sürüklemek için kanlı ve saçma zorbalıklar ortaya çıkmasın, bilmiyorum on yıllardır bu halklardan yapmaları istenen şeyi –daha iyi çalışmak, daha çok para kazanmak, yaşam koşullarını iyileştirmek ve tüketmek, tüketmek, tüketmek– kim engelleyebilir?

Benimki de dahil olmak üzere birbirini izleyen birçok kuşak için ve özellikle aramızdan Güney bölgelerinde doğanlar için, az gelişmişliğe karşı verilen mücadelenin bağımsızlık mücadelesinin devamı olması mantık gereğiydi. Karşılaştırıldığında bağımsızlık savaşı daha bile kolay görünüyor; yoksulluğa, cahilliğe, savsaklamaya, toplumsal uyuşukluğa karşı verilen çetin savaş yüzyıllarca sürecek gibi duruyordu. En kalabalık ulusların gözlerimizin önünde ekonomik açıdan kalkınmaları bir mucizeydi adeta, kendi adıma buna hâlâ büyük bir hayranlık besliyorum.

Bunları söylerken, daha az öznel bir not olarak şunu da eklemem gerekir ki, Çin'deki, Hindistan'daki, Rusya'daki, Brezilya'daki orta sınıfların, bütün dünyada olduğu gibi, baş döndürücü bir biçimde büyümesi, dünyanın şu anki işleyişiyle pek de ayak uyduramayacağı bir gerçeklik. Yakında üç ya da dört milyar insan, kişi başına, Avrupalılar ya da Japonlar kadar –Amerikalılardan söz etmiyorum bile– tüketime başlarsa, doğal olarak hem ekolojik hem de ekonomik alanda büyük kargaşalar yaşanacaktır. Bunun uzak bir gelecek değil, çok yakın bir gelecek, hatta neredeyse şimdi olduğunu söylememe gerek var mı? Doğal kaynaklar üstündeki baskı –özellikle petrol, tatlı su, hammaddeler, et, balık, tahıl vb.– ile üretim alanlarının denetimi mücadelesi; kimilerinin ellerindeki doğal zenginlikleri korumak için canla başla çabalaması, kimilerinin de onların kaynaklarını ele geçirmek için uğraşması; bunlar birçok kanlı çatışmaya yol açabilecek türden şeyler.

Hiç kuşkusuz bu gerilimler, insanların daha az tükettikleri, daha az ürettikleri ve kaynakların tükeneceğinden daha az korktukları bir küresel ekonomik durgunluk sürecinde yumuşayacaktır. Ama bu görece dinginlik süreci, ne yazık ki, krizden doğan gerilimlerle "dengelenecektir". Herhangi bir ulus ekonomik gelişme umutları aniden frenlenirse nasıl davranır? Böylesi bir hayal kırıklığı ne tür toplumsal bunalımlara, ne tür ideolojik ve siyasal kargaşalara, savaşlarla oyalama yöntemlerine yol açar? Bununla karşılaştırabileceğimiz tek olay, 1929'da toplumsal felaketlere, fanatizmin zincirinden boşanmasına, yerel çatışmalara, dünya çapında karışıklıklara neden olan Büyük Bunalım'dır.

Aşırılığa kaçmadan, uç senaryoların gerçekleşmeyeceği umulabilir. Ama insanlığı değiştirecek sarsıntıların ve kargaşaların yaşanacağı kesindir; insanlık kuşkusuz daha güçsüz, yaralı, sarsılmış, ama belki de daha olgun, daha yetişkin, daha bilinçli bir halde bu krizi atlatıp dayanıksız salı üstünde yeni bir ortak serüvene atılacaktır.

5

Dünya ekonomisinde Batı'nın görece payının, Soğuk Savaş'ın sona ermesinden başlayarak güçsüzleşmesi, şimdiden hepsi öngörülemeyecek ciddi sonuçlar getirmekte.

Bunlardan en endişe verici olanı, Batılı güçlerde, özellikle de Washington'da, ne ekonomik üstünlükle ne de manevi yetkeyle korunması olanaklı olan şeyi, askeri üstünlükle koruma eğiliminin gittikçe büyümesi.

Soğuk Savaş'ın bitişinin en çelişkili ve en sapkın sonucu bu belki de; barış ve uzlaşma getireceği varsayılan ama birbiri ardına gelen bir sürü çatışmanın izlediği bir olay; Amerika hoyratça bir savaştan bir diğerine geçiyor, sanki savaş son çare olmaktan çıkmış, küresel yetkenin "yönetim yöntemi"ne dönüşmüş durumda.

11 Eylül 2001'de yapılan kanlı saldırılar bu sapmayı açıklamaya yetmiyor; onu güçlendirdikleri, kısmen meşrulaştırdıkları doğru, ama sapma ondan öncesinde de büyük ölçüde başlamıştı zaten.

ABD, Aralık 1989'da, Berlin Duvarı'nın yıkılmasından altı hafta sonra, General Noriega'ya karşı Panama'ya askeri müdahalede bulundu; bir polis baskını havasında gerçekleştirilen bu müdahale bir bildiri değeri taşımaktaydı: Bundan böyle herkes bu dünyayı kimin yönettiğini ve kimlerin sadece boyun eğmek zorunda olduğunu bilmesi gerekiyordu. 1991'de, Birinci Irak Savaşı; 1992-1993'te, Somali'deki hazin serüven; 1994'te, Başkan

Jean-Bertrand Aristide'i iktidara geçirmek için Haiti'ye yapılan müdahale; 1995'te, Bosna Savaşı; Aralık 1998'de, Irak'a karşı düzenlenen "Çöl Tilkisi" adlı yoğun bombardıman harekâtı; 2001'den sonra, Afganistan Savaşı; 2003'ten sonra, İkinci Irak Savaşı; 2004'te, bu kez Başkan Aristide'i görevinden almak için Haiti'ye düzenlenen yeni sefer... Kolombiya'daki, Sudan'daki, Filipinler'deki, Pakistan'daki ve başka yerlerdeki, cezalandırma amacı güden bombardımanları ve daha küçük çaplı diğer askeri harekâtları saymıyorum bile.

Aklı başında bir izleyici, bütün bu müdahalelerde, birtakım kabul edilebilir gerekçeler olduğunu, geri kalanlarınsa bahaneden başka bir şey olmadığını anlar. Ama bunların bu şekilde yinelenmesi bile kendi içinde kaygı verici. Dünyayı "yönetme yöntemi" mi demiştim? Yeni yüzyılın ilk yıllarında, birçok kez, asıl gerçeğin çok daha berbat olabileceğini, bu harekâtların "örnek olsun diye" yürütüldüğünü düşündüm, tıpkı dünün sömürge imparatorluklarının her türlü başkaldırı düşüncesini ortadan kaldırmak amacıyla, yönetimleri altındaki yerli halkların yüreklerine korku salarken yaptıkları gibi.

Bu askeri harekâtların en tartışma götürür olanlarından bazıları Başkan George W. Bush'la ilişkilendirilecek; Amerikalı seçmenlerin Barack Obama'yla demokratları iktidara getirmesinin nedeni de kısmen Irak Savaşı. Kaldı ki bu müdahaleci sapmanın bir yönetimin siyasal seçimlerine ne ölçüde bağlı olduğu ve ne ölçüde ABD'nin dünyadaki konumuyla ilişkili olduğu bilinmiyor; çünkü ülkenin dünya ekonomisindeki ağırlığı ciddi biçimde geriliyor, borçlar durmadan artıyor, eldeki olanaklar açıkça tükeniyor, buna karşın ülkenin yadsınamaz bir askeri üstünlüğü bulunuyor. Ülke öteki alanlarda güçsüzleşmesini telafi etmek için bu önemli kozdan yararlanma eğilimine nasıl karşı koyabilirdi ki?

ABD başkanının duyarlılığı ya da siyasal inançları ne olursa olsun, ABD artık dünya üstündeki etkisini yumuşatamaz; ne başta petrol olmak üzere ekonomisi için vazgeçilmez olan kaynakların denetimini yitirebilir; ne ona zarar vermek isteyen güçlerin özgürce hareket etmelerine izin verebilir; ne de günün birinde onun üstünlüğünü yadsıyabilecek düşman güçlerin ortaya çıkışını hiçbir şey yapmadan izleyebilir. Dünya sorunlarını yakından ve güç kullanarak yönetmekten vazgeçerse, büyük olasılıkla zayıflamaya ve yoksullaşmaya başlar.

Sistemli müdahaleciliğin gerilemeyi engellemek için uygun çare olduğu anlamına gelmiyor bu; yüzyılın ilk yıllarının bilançosuna bakıldığında, onun daha çok gerilemeyi hızlandırdığı görülüyor. Peki, başka türlü bir siyaset tersi bir etki yaratabilir miydi? Denemek gerekir tabii ama ne zaman bir iktidar etkisini yumuşatsa, rakiplerinin kendiliklerinden buna verdikleri tepki, minnet duymaktansa ona göz açtırmayıp saldırmak yönünde olur. Batılılar Brejnev'in Sovyetler Birliği'ne, Gorbaçov'unkinden daha çok saygı göstermiş; Gorbaçov'unkini ise aşağılamış, yağmalamış, dağıtmışlar ve bunun sonucunda Rus halkında büyük bir kızgınlığa yol açmışlardı. İranlı devrimciler de Başkan Carter'a karşı acımasız davranmışlardır, çünkü başkan saldırgan bir siyaset izlemekte tereddüt etmiştir.

Bunları söylememin nedeni, Batı'nın dünyanın geri kalanıyla yaşadığı ikilemin, Washington'ın uluslararası sahnedeki tutumunu birdenbire değiştirmesi durumunda da mucizevi biçimde çözülmeyecek olmasıdır. Hâlâ kurtarıcı bir canlanma umuluyorsa, böylesi bir değişim vazgeçilmez olsa da, bunun belirleyici olacağını söylemek olanaksızdır.

Bazı analistler "sert güç" ile "yumuşak güç" ayrımı yapıp, bununla bir devletin her seferinde silahlı kuvvetlerine başvurmasına ihtiyaç olmadan, farklı şekillerde yetkesini kullanabileceğini göstermek istiyorlar. Stalin bu gerçeği anlayamamıştı, o kadar ki Papa'nın "kaç tümeni" olduğunu sormuştu. Öte yandan, Sovyetler Birliği dağılırken, askeri açıdan rakiplerini tamamen ortadan kaldırabilecek olanaklara büyük ölçüde hâlâ sahipti. Ama zafer ile yenilgi zırhlı birliklerin, megatonlarca bombanın ya da füze başlıklarının sayısının belirlediği şeyler değildir. Bunlar etkenlerden yalnızca biridir, kuşkusuz büyük bir güç için vazgeçilmezdir bu etken, ama kesinlikle yeterli değildir. Her türlü çatışmada –bireyler, gruplar, devletler arasındaki çatışmalarda–

birçok etken devreye girer, bunların kimisi fiziksel güçle, kimisi ekonomik kapasiteyle, kimisi de manevi etkiyle ilgilidir. Sovyetler Birliği konusunda, onun manevi açıdan değerini yitirdiği, ekonomik anlamda da güçsüzleştiği açıktır, bu da o olağanüstü askeri gücünü etkisiz kılmıştır.

Batı'ysa, bunun tersine, Soğuk Savaş'tan çıkarken, üç alanda da ezici bir üstünlük sağlamıştı: Askeri alanda, özellikle Amerika sayesinde; ekonomi alanında, Avrupa'nın olduğu gibi ABD'nin de teknolojik, sınai ve mali üstünlüğü sayesinde; manevi anlamda da en tehlikeli düşmanını, komünizmi alt eden toplum modelinin etkisiyle. Bu çokbiçimli üstünlük aslında onun ustalıkla, kimi zaman ikna yöntemine başvurarak, kimi zaman da sopa göstererek, kendisine karşı çıkan rakiplerinin cesaretlerini kırarak, ama diğer herkese azgelişmişlikten ve zorbalıktan kurtulmalarını sağlayacak önemli avantajlar sağlayarak dünyayı yönetmesini sağlayabilirdi.

Bundan dolayı, silaha başvurmanın artık çok sıra dışı bir durum olduğunu ve Batı'nın üstünlüğünü koruması için, ekonomik sisteminin ve toplum modelinin kusursuzluğunu ileri sürmesinin yeterli olacağını öngörmek akla yatkın geliyordu. Ne var ki bunun tersi oldu. Batı'nın ekonomik üstünlüğü Asyalı devlerin yükselişiyle aşındı ve silaha başvurmak sıradan bir şey haline geldi.

Manevi üstünlük konusunda da bir aşınma söz konusu; bu da oldukça çelişkili bir durum, çünkü Batı modelinin artık bir rakibi yok ve Avrupa ya da Kuzey Amerika tarzı yaşam sadece Varşova'da ya da Manila'da değil, Tahran'da, Moskova'da, Kahire'de, Şanghay'da, Madras'ta, Havana'da ve daha birçok yerde, hiç olmadığı kadar revaçta; gelgelelim, "merkez" ile "merkezdışı" arasında gerçek bir güven sorunu bulunmakta.

Kökü, Batılı güçler ile dünyanın geri kalanı arasında son yüzyıllarda kurulan sağlıksız ilişkilere dayanan ve bugün insanların farklılıklarını yönetememelerine, ortak değerler oluşturamamalarına, gelecek üstüne kafa kafaya verip düşünememelerine, dolayısıyla da tırmanan tehlikelerle yüzleşememelerine neden olan bir sorun bu.

6

Batı'nın, komünizme karşı kazandığı zaferden bütünüyle yararlanamamasının bir başka nedeni de refahını kültürel sınırlarından öteye taşıyamamasıdır.

Örnek olarak, İrlanda'nın, İspanya'nın, Portekiz'in ya da Yunanistan'ın kısa süre içinde kalkınıp hızla Orta ve Batı Avrupa'ya uzanmalarını sağlayan Avrupa Birliği'nin neredeyse mucizevi etkileri, bir türlü, incecik Cebelitarık Boğazı'ndan geçip Akdeniz'in öteki yakasına ulaşamadı; şimdi de orada, görünmez olsa da, daha kısa bir süre önce Avrupa'yı bölen duvar kadar gerçek, acımasız ve tehlikeli bir duvar yükseliyor.

Kuşkusuz İslam âleminin bin yıldır içinde bulunduğu bunalımın da bunda kısmen etkisi var; hatta büyük olasılıkla en belirleyici etken de bu. Ama bu bunalımın tek neden olmadığı da su götürmez. Çünkü Yeni Dünya'ya, Müslümanlığın asla kök salmadığı o geniş topraklara bakıldığında, benzer bir durumla karşılaşılıyor: ABD orada refahını komşusu Meksika'ya doğru, Rio Grande'nin güneyine ulaştırmayı beceremiyor; hatta kendini korumak için bir duvar örme gereği duydu ve bu somut bir duvar; bütün Latin Amerika'nın ondan kuşku duymasına, ona karşı kin beslemesine yol açıyor, oysa Latin Amerika –anımsatmaya gerek var mı?– en az Avrupa ya da Kuzey Amerika kadar Hıristiyan.

Bu da gerçek ve trajik olmalarına karşın, İslam âleminin eksikliklerinin her şeyi açıklamadığını düşündürüyor bana. Batı dünyasının kendine özgü tarihsel körlükleri ve kendine özgü etik kusurları var. Son yüzyıllarda başkalarının egemenliğinde kalmış halklar, onu genellikle, bu kusurlar ve körlüklerle tanıdı. Şili'de ya da Nikaragua'da ABD'den; Cezayir'de ya da Madagaskar'da Fransa'dan; İran'da, Çin'de ya da Ortadoğu'da İngiltere'den; Endonezya'da Hollanda'dan söz edildiğinde, akla gelen ilk adlar ne Benjamin Franklin ne Condorcet ne Hume ne de Erasmus.

Bugün Batı'da bir sabırsızlık hareketi var, şöyle deniyor: Bırakalım artık kendimizi suçlamayı! Bırakalım kendimizi eleştirmeyi! Dünyanın bütün acıları sömürgecilerin hatasından kaynaklanmıyor ya! Anlaşılır bir tepki bu, üstelik benim gibi Güney ülkelerinde doğmuş olup yurttaşlarının, karşılaştıkları her acıda sömürge dönemini suçlamalarına öfkelenen birçok kişinin tepkisi de ekleniyor buna. Sömürge döneminin özellikle Afrika'da uzun süreli sarsıntılar yarattığı yadsınamaz; ama bağımsızlıklar çağı kimi zaman daha belalı oldu ve ben, kendi adıma, olup biten her şeyde işine geldiği gibi sömürgecilik bahanesini ileri süren birçok yetersiz, kokuşmuş ya da zorba liderlere zerre kadar saygı beslemiyorum.

Doğduğum ülkeye, Lübnan'a gelince, gerek 1918'den 1943'e dek süren Fransız mandasının, gerek Osmanlı varlığının 1864'ten 1914'e dek süren son evresinin, bağımsızlıktan sonra gelen çeşitli rejimlerden daha zararsız olduğuna inanıyorum. Bunu yazıya dökmek siyasal açıdan yanlış belki ama ben olayları bu şekilde görüyorum. Öte yandan aynı şey başka pek çok ulusta da gözlemlenebilir; nezaket gereği, yalnızca benimkini anmakla yetineceğim.

Ama Üçüncü Dünya ülkeleri liderlerinin başarısızlığının mazereti olarak sömürgeciliğin gösterilmesi artık kabul edilebilir bir şey olmasa da, Batı ile eski sömürgeleri arasındaki sağlıksız ilişkiler sorunu hâlâ büyük bir önem taşıyor ve buna, kapris yaparak, öfkeli bir biçimde homurdanarak ya da omuz silkerek boş verilemez.

Kendi adıma, Batı uygarlığının diğer uygarlıklardan daha fazla evrensel değer ürettiğine inanıyorum hâlâ; ama onları başkalarına gerektiği gibi aktarmayı başaramadı. Bugün bütün insanlığın bedelini ödediği bir kusur bu.

Bunun en basit açıklaması, öteki halkların böylesi bir "aşı"ya hazır olmamalarıydı. Kuşaktan kuşağa, yüzyıldan yüzyıla aktarılan, artık tartışılmayan ve asıl gerçek olarak görülen bir düşünce bu. Tarihteki en yakın örneğine Irak'ta rastlandı. Bize söylendiğine göre, "Amerikalıların hatası, demokrasi istemeyen bir halka demokrasiyi dayatmak istemesiydi!" Tümce kesin bir yargı içeriyordu sanki ve herkes –Washington aleyhtarları kadar savunucuları da– ondan yararlandı; bazıları böylesi bir girişimin bir yanılgı olmasıyla alay ederken, bazıları da ondaki naif soyluluğu övdü. Bütün duyarlılıkları birleştiren ve bütün entelektüel tarzlara uyum gösteren bu yerleşik düşüncenin sinsiliği buradaydı işte. Başka halklara saygı duyanlara, saygıdeğer görünüyordu; ama başkalarını aşağılayanlar, hatta ırkçı olanlar da önyargılarını desteklediğini düşünüyorlardı tümcenin.

Bu sav gerçekçi bir değerlendirme gibi görünüyor; ama benim bakış açımdan, gerçekliğin saptırılmasından başka bir şey değil. Irak'ta olup biten şey, aslında, ABD'nin demokrasi hayali kuran bir halka demokrasiyi getirememesidir.

Iraklılar ne zaman oy verme fırsatı yakalasalar, yaşamları pahasına da olsa milyonlarcası sandık başına gidiyor. İntihar saldırılarının ve bomba yüklü araçların tehdidi altında, seçim sandıklarının önünde kuyruk oluşturmayı kabul edecek başka bir halk var mı? Bu halkın mı demokrasiyi istemediği söyleniyor? Gazetelerde, radyolarda ya da televizyonlarda durmadan bu söylenip duruyor ve hiç kimse ya da hemen hemen hiç kimse biraz zaman ayırıp Irak'a yakından bakmıyor.

Savın öteki yarısı, ABD'nin Irak'a demokrasi getirmek istemesi de bana aynı oranda tartışmaya açık geliyor. 2003'te Amerikalıların bu ülkeyi işgal etme kararlarına etki edebilecek az çok inandırıcı birtakım nedenler sıralanabilirdi: Terörizme katkıda bulunduklarından kuşkulanılan yönetimlere ve terörizme karşı mücadele; bir "haydut devlet"in kitle imha silahları geliştirmesinin getirdiği endişe; Körfez monarşilerini tehdit eden ve İsrail'i kaygılandıran bir siyasetçinin işini bitirme arzusu; petrol alanlarını denetim altına alma isteği vb. Hatta kimileri Başkan

Bush'un, babasının yarıda bıraktığı bir işi tamamlamak istediği yönünde, psikanalitik yananlamlar taşıyan tezler ileri sürdüler. Ama ciddi gözlemcilerden, savaş kararının alındığı toplantıların şu son yıllarda hacimli bir külliyat oluşturan tutanaklarını en ince ayrıntılarına kadar incelemiş tanıklardan ve araştırmacılardan hiçbiri, işgalin gerçek gerekçesinin, Irak'a demokrasi getirmek olabileceğini düşündürecek herhangi bir şey aktarmadı.

Asıl niyetin ne olduğunu sorgulayıp durmak hiçbir işe yaramaz, ama şu da iyi görülmelidir ki, işgalin ilk haftalarından başlayarak, Amerikan yetkilileri dinsel ya da etnik aidiyetleri temel alan bir temsil sistemini uygulamaya koymuşlardır ve bu da kısa süre içinde ülke tarihinde daha önce eşine rastlanmamış şiddet olaylarının birbiri ardına gelmesine yol açmıştır. Lübnan'ı ve başka yerleri yakından gözlemlediğim için, cemaatçiliğin demokrasinin gelişmesini hiç de kolaylaştırmadığına –aslında sadece ürkek bir örtmece bu– tanıklık edebilirim. Cemaatçilik yurttaşlık düşüncesinin bile yadsınmasıdır ve böyle bir temel üstüne uygar bir siyasal sistem inşa edilemez. Bir ulusu oluşturan çeşitli öğeleri, bir yandan her yurttaşın temsil edildiğini hissetmesi için incelikli, esnek ve örtük biçimde göz önünde bulundurmak ne kadar önemliyse; ulusu kalıcı biçimde düşman aşiretlere bölen bir kota sistemi kurmak da o kadar zararlı, hatta yıkıcıdır.

Büyük Amerikan demokrasisinin Irak halkına bu şekilde zehirli bir armağan verip tarikatçılığı benimsemesini sağlaması utanç kaynağıdır, ayıptır. Bilmeden yapıldıysa, üzüntü vericidir; hayâsız bir hesapla yapıldıysa, suçtur.

İşgalin öncesinde ve bütün çatışmalar boyunca, özgürlükten ve demokrasiden çok söz edildiği doğru. Bu tür sözlere en eski çağlardan beri, dünyanın her yerinde rastlanmıştır; askeri bir operasyonun amaçları ne olursa olsun, onun adalet adına, uygarlık adına, Tanrı ve peygamberleri adına, ezilenler adına ve elbette, meşru müdafaa ve barış aşkı adına yürütüldüğünü söylemek yeğlenir. Asıl gerekçelerinin intikam, açgözlülük, fanatizm, hoşgörüsüzlük, egemen olma isteği ya da muhaliflerini susturma arzusu olduğunu söylemek hiçbir liderin işine gelmez.

Gerçek niyetleri soylu maskelerin altına gizlemek propagandacıların işidir, onların yalanlarını ortaya çıkarıp maskelerini düşürmek amacıyla eylemleri değerlendirme rolü de özgür yurttaşlara düşer.

Kaldı ki, ABD'de de, 11 Eylül 2001 saldırılarının ardından, "demokrasinin yayılması"na kısa bir süre destek verildi. İntihar komandolarının uyruklarını keşfeden bazı yetkililer, Arap âleminin demokratik ve modernleştirici rejimler tarafından yönetilmesi halinde, Amerika'nın daha az tehlike altında olacağı ve tek erdemleri Washington'ın siyasetine uymak olan karanlıkçılara ve otokratlara şimdiye dek destek olunmasının hata olduğu düşüncesini yaydılar. Bu "müşteri"lerden, koruyucularının saygı gösterdiği kimi değerleri de paylaşmalarını istemek gerekmiyor muydu?

Bu –"Büyük Ortadoğu", ardından "Yeni Ortadoğu" gibi güçlü sloganlara yansıyan– destek süreci üstüne çok şey söylenebilir. Dolayısıyla, bu süreçle daha fazla oyalanmayacağım, ama yeri gelmişken sahnelenen bu oyun karşısındaki şaşkınlığımı dile getirmekten de kendimi alamıyorum: Batı demokrasilerinin en önde geleninin, her şeye karşın, 21. yüzyılın eşiğinde, Mısır'da, Arabistan'da, Pakistan'da ve İslam âleminin geri kalanında demokratik rejimlerin ortaya çıkmasını sağlamanın iyi bir fikir olup olmayacağını düşünmesine inanamıyorum! Öncelikli özellikleri "istikrar" olan ve istikrarlarını hangi yöntemlerle sağladıklarına pek dikkat etmeyen iktidarları hemen hemen her yerde yüreklendirdikten sonra; muhafazakârlıklarına hangi ideolojinin temel oluşturduğuyla ilgilenmeden en muhafazakâr siyasetçileri destekledikten sonra; başta Asya'da ve Latin Amerika'da olmak üzere, en baskıcı polis ve güvenlik örgütlerini kurduktan sonra; işe bakın ki büyük Amerikan demokrasisi en sonunda demokrasi kartını oynamanın iyi bir fikir olup olmadığını şimdi sorguluyor.

Ama bu güzel düşünce kısa süre içinde unutulup gitti; pek inandırıcı olmayan az sayıda girişimden sonra, Abraham Lincoln'ün ülkesi bütün bunların çok tehlikeli olduğu; ortadaki nefretin artık aşağı yukarı her yerde özgür seçimlerde en köktenci öğelerin iktidara gelmesini sağlayacak kadar büyüdüğü; dolayısıyla eski usullere dönülmesi gerektiği sonucuna vardı.

Demokrasinin daha beklemesi gerekecek.

7

Amerika Dışişleri Bakanı Colin Powell, Irak işgalinden önceki aylar boyunca, sık sık çok güç durumlara düşüyordu; bir yandan bütün dünyayı bu savaşın kesinlikle olması gerektiğine ikna etmeye çalışırken, bir yandan da özel görüşmelerinde başkanını kesinkes oraya gidilmemesi gerektiğine ikna etmeye uğraşıyordu.

13 Ocak 2003'te, Beyaz Saray'da baş başa yapılan bir görüşmede, başkana uyarı olarak şöyle dediği söyleniyordu: *"You break it, you own it"*. Eskiden bazı dükkânların benimsediği bu kurala göre, müşteri dükkândaki bir nesneyi kırarsa kırdığı ürünün parasını sanki onu satın alıyormuş gibi ödemek zorundadır. "Kırarsanız, sizin olur". Powell aslında Başkan Bush'a açıkça şöyle diyordu: "Yirmi beş milyon kişi sizin olacak. Onların bütün umutları, bütün istekleri ve bütün sorunları sizin olacak. Bütün bunlar sizin olacak!"

Colin Powell'ın uyarısı Irak'ı kırmaya hazırlananlar için geçerli değildi yalnızca. Jamaikalı göçmen bir aileden gelip, önce Amerikan genelkurmay başkanı, ardından da dışişleri bakanı olan Powell bu çarpıcı özdeyişle, kazananların tarihsel sorumluluğunu tanımlamış ve Batılı güçlerin yüzyıllık ikilemine parmak basmıştı: Batılı güçler bütün dünya üstünde hegemonyalarını kurduktan, var olan siyasal, toplumsal ve kültürel yapıları yerle bir ettikten sonra, fethettikleri topraklardaki halkların geleceğini manevi açıdan ellerinde tutuyorlardı; onlara karşı nasıl davranmaları gerektiği konusunda ciddi biçimde düşünmeleri gerekirdi; kendi yurtlarındaki kuralları onlara uygulayarak, sömürgelerini yavaş yavaş evlat edinir gibi kendi içlerine mi çekecekler, yoksa onlara sadece egemen olup, ezerek boyun mu eğdirecekler?

Çocuk kendisini evlat edinen bir anne ile üvey anne arasındaki farkı bilir. Halklar da kurtarıcılar ile işgalciler arasındaki farkı bilir.

Yerleşik düşüncenin aksine, Batılı güçlerin yüzyıllık hatası dünyanın geri kalanına kendi değerlerini benimsetmeye çalışmaları değil, tam tersine, egemenlikleri altına aldıkları halklarla olan ilişkilerinde kendi değerlerine göre davranmaktan sürekli olarak kaçınmasıdır. Bu ikircillik ortadan kaldırılmadığı sürece, aynı hatalara düşme tehlikesiyle karşı karşıya kalınır.

Bu değerlerin ilki evrenselliktir, insanlığın bir bütün olduğu düşüncesidir. Farklı farklı öğelerden oluşmasına karşın bir bütün olduğu düşüncesi. Dolayısıyla, ötekilerin o değerleri benimsemeye hazır olmadığı yönündeki daimi bahaneyle temel ilkelerden ödün verilmesi bağışlanamaz. Avrupa için başka, Afrika, Asya ya da İslam âlemi için başka insan hakları yoktur. Yeryüzündeki hiçbir halk kölelik, despotluk, zorbalık, cahillik, karanlıkçılık için ya da kadınların köle olması için yaratılmamıştır. Bu temel gerçeklik ne zaman yadsınsa, insanlığa ihanet edilmiş olur, kendine ihanet edilmiş olur.

Aralık 1989'da, Budapeşte'de Çavuşesku karşıtı gösteriler başladığında Prag'daydım. Kısa süre önce Romanyalı halkla kendiliğinden gelişen bir dayanışma hareketiyle, "kadife devrim"le bağımsızlığına kavuşan Çek başkentinde de başladı gösteriler çok geçmeden. Katedralin yakınlarında, bir panonun üstüne, biri İngilizce olarak şöyle yazmıştı: "Çavuşesku, Avrupa'da sana yer yok!" Adsız yazarın öfkesi haklıydı ama kurduğu tümce beni derinden sarsmıştı; bir diktatöre hangi kıtada yer olduğunu sormak isterdim kendisine.

O adamın safça ifade ettiği şey aslında çok yaygın bir tutum ne yazık ki. Avrupa'da katlanılamayan bir diktatör, sanatını Akdeniz'in öteki yakasında konuşturmaya başladığı zaman ahbaplık edilebilir hale geliyor. Bu, başkalarına duyulan saygının işareti mi? Kuşkusuz diktatörlere karşı duyulan saygının; ve o diktatörleri çeken halklara karşı olduğu gibi, demokrasilerin taçlandırdığı varsayılan değerlere de karşı bir horgörünün işareti.

Peki ama tek gerçekçi tutum bu değil mi, diye karşılık verecektir kimileri. Ben buna inanmıyorum. Bu kötü davranış başarılı bir iş bile değil. Batı için, manevi inandırıcılığını tehlikeye düşürmek, dünyadaki yerini de tehlikeye düşürmek demektir; güvenliğini, istikrarını ve refahını da tehlikeye düşürmek demektir. Dün, bunun zarara uğramadan yapılabileceğine inanılıyordu; bugünse bütün bunların bedelinin ödeneceği, en eski faturaların bile kesileceği biliniyor. Zamanaşımı, hukukçuların icat ettiği bir kavramdır; halkların belleğinde, zamanaşımı diye bir şey yoktur. Daha doğrusu: Yakasını kurtaran –yoksulluktan, gerilemeden, marjinalleştirilmekten kurtulan– halklar en sonunda bağışlayabilirler, öte yandan korkularını bütünüyle bir kenara bırakmazlar; yakasını kurtaramayanlarsa, sonsuza dek bunu düşünüp dururlar.

Bu, temel soruyu bir kez daha sormama yol açıyor: Acaba Batılı güçler gerçekten eskiden sahip oldukları topraklara kendi değerlerini yerleştirmeye çalıştılar mı? Ne yazık ki hayır. Hindistan'da olsun, Cezayir'de ya da başka bir yerde olsun, yönetimleri altındaki "yerliler"in özgürlüğü, eşitliği, demokrasiyi, girişim ruhunu ya da hukuk devletini övmelerini asla kabul etmediler; hatta bu değerleri talep ettiklerinde onlara sürekli olarak baskı uyguladılar.

Öyle ki sömürge ülkelerinin seçkinlerinin elinde, sömürgecinin bunu istememesine karşın, bu değerleri kendiliklerinden ele geçirmekten ve onları sömürgeciye karşı döndürmekten başka seçenek kalmadı.

Sömürge çağının ayrıntılı ve serinkanlı bir incelemesi, Avrupalılar arasında her zaman sıra dışı kişiler –siyasetçiler, askerler, misyonerler, entelektüeller, Savorgnan de Brazza gibi birtakım kâşifler– bulunduğunu gösterir; onların tutumları cömert, dürüst, hatta kimi zaman kahramancadır ve inançlarının ilkelerine olduğu kadar, uygarlıklarının ideallerine de kesinkes uygundur. Sömürgeleştirilen ülkelerde zaman zaman onların anıları korunur; Kongoluların Brazzaville adını değiştirmemeleri de bu şekilde açıklanabilir kuşkusuz.

Ama bu bir istisnaydı. Batılı güçlerin siyaseti, genel olarak, açgözlü şirketler, sömürgelerde yaşayan ve ayrıcalıklarını kaptırmak istemeyen Avrupalılar tarafından belirlenmekteydi ve bu siyaset için "yerliler"in ilerlemesinden daha korkutucu bir şey yoktu. Arada sırada, kendi yurdundan gelen bir siyasetçi başka bir siyaseti salık verirse, onu etki altında bırakmaya, ona rüşvet vermeye, gözünü korkutmaya çalışılıyordu; ayak direrse, kendisini görevinden almanın yolları aranıyordu; hatta idealist olarak değerlendirilen bir memurun gizemli biçimde öldürüldüğü bile olmuştu. Çok büyük olasılıkla Brazza'nın başına gelen de buydu...

Güney ülkelerinde, sık sık Batı'nın, en modernlik yanlısı seçkinleri "bile" kendine yabancılaştırdığı söyleniyor. Öyle eksik bir değerlendirme ki bu, yanıltıcı olabiliyor. Bence şöyle demek gerek: Batı "özellikle" modernlik yanlısı seçkinleri kendine yabancılaştırdı, bir yandan da gerici güçlerle sürekli olarak uzlaşma sağladı, ittifak alanları yarattı, çıkar ortaklıkları yaptı.

Batı'nın yüzyıllardan beri, dün olduğu gibi bugün de içinde bulunduğu dram, dünyayı uygarlaştırma arzusu ile ona egemen olma isteği –iki uzlaşmaz dilek– arasında sürekli bocalamasından kaynaklandı. Her yerde en soylu ilkeleri dile getirirken, o ilkeleri, ele geçirdiği topraklarda uygulamaktan titizlikle sakındı.

Siyasal ilkeler ile onların saha üstünde uygulanması arasındaki sıradan bir yetersizlik değildi bu, ileri sürülen ideallerden sistemli biçimde vazgeçilmesiydi, sonucunda da Asyalı, Afrikalı, Arap ya da Latin Amerikalı seçkinlerde ve özellikle Batı değerlerine inanmış, kanun karşısında eşitlik, ifade ya da dernek kurma özgürlüğü ilkelerini benimsemiş olan kişilerde kolay kolay yok olmayacak bir horgörü baş gösterdi. En gözüpek istemleri ortaya atan bu modernlik yanlısı seçkinler, kaçınılmaz olarak hayal kırıklığının ve öfkenin pençesine düştüler, oysa gelenekçi kişiler sömürgeci yetkeciliğine daha kolay uyum sağlıyorlardı.

Kaçırılan bu randevunun bedeli bugün çok pahalıya patlıyor. Batı'ya pahalıya patlıyor çünkü Güney ülkeleriyle arasındaki doğal arabulucularından yoksun kaldı; Doğu halklarına pahalıya patlıyor çünkü özgür ve demokratik toplumları inşa edebilecek modernleştirici kesimden yoksun kaldılar; bu kesimlere, sınır halklarına, karma uluslara, Güney ülkelerinde Batı'nın izlerini taşıyan herkese ve ayrıca Kuzey'e göçüp Güney'in izlerini taşıyan herkese, hepsinden fazla pahalıya patlıyor. Bunlar iyi bir zamanda aracı rollerini eşsiz biçimde yerine getirebilecekken, şimdi ilk kurban durumuna düşüyorlar.

8

Sözlerimde bir Doğu azınlığının öfkesini bulanlar bir ölçüde haklıdır, bir ölçüde de yanılıyordur. Ben gerçekten yok olmakta olan bir türün parçasıyım ve son nefesime kadar bin yıllık toplulukların, en eski insan uygarlıklarının bekçilerinin pılı pırtıyı toplayıp ve atalarından kalma toprakları bırakıp uzak bir ülkenin çatısı altına sığınmasını olağan karşılamayı reddedeceğim.

Kurbanların buna üzülmesi olağan bir şeydir; ama asıl endişe verici olan, buna sadece onların üzülmesidir. Azınlık sorunu yalnızca azınlıkların sorunu değildir. Söz konusu olan yalnızca birkaç milyon insanın yazgısı değildir. Söz konusu olan uygarlığımızın varoluş nedeni ve erekliliğidir; uygarlığımız maddi manevi uzun bir evrim sürecinin sonunda, böylesi etnik ve dinsel bir "temizliğe" ulaştıysa, açıkça yolunu şaşırmış demektir.

Her toplum için ve bir bütün halinde bütün insanlık için, azınlıkların yazgısı herhangi bir konu değildir; kadınların yazgısıyla birlikte, manevi ilerlemenin ya da gerilemenin en kesin belirtilerinden biridir. İnsanlar arasındaki çeşitliliğe günbegün daha çok saygı gösterildiği, her insanın seçtiği dilde kendini ifade edebildiği, inançlarının gereklerini huzur içinde yerine getirebildiği ve yetkililer ya da halk tarafından düşmanlıkla karşılaşmadan, yerilmeden serinkanlılıkla kökenlerini üstlenebildiği bir dünya, ilerleyen, gelişen, yükselen bir dünyadır. Bunun tersine, bugün dünyanın kuzeyinde olduğu gibi güneyinde de, ülkelerin çoğunluğunda tanık olunduğu üzere, kimlik gerilimleri baskın çıkarsa, insanın serinkanlılıkla kendisi olması, kullandığı dilde ya da inancında özgür olması her gün daha da güçleşirse, gerilemeden bahsetmeyelim de ne yapalım?

2007 yılı boyunca, feci sarsıntılar yaşayan ve kısa süre içinde yok olma tehlikesiyle burun buruna kalan küçücük bir azınlığın durumu beni özellikle endişelendirdi. Hâlâ Sabiiler olarak adlandırılan Mandenlerden söz ediyorum, Irak dışında yaşayan, pek az insanın varlığından haberdar olduğu, sayıları çok azalmış, çok sınırlı, çok mütevazı bir topluluktan.

Ben de bu adı ilk kez 1988'de, Maniciliğin kurucusu, MS 3. yüzyılda Mezopotamya'da yaşamış olağandışı bir kişi olan Mani üstüne araştırma yaparken duydum. Bu adamın gençliği ve öğretisinin ortaya çıkışıyla ilgili belge toplamaya çalışırken, Mani'nin ilk gençlik yıllarını bugünkü Bağdat'ın güneyinde, Dicle kıyısındaki bir hurmalıkta, Vaftizci Yahya'yı kutsayan ve onu örnek alarak suya daldırma ayinleri düzenleyen gnostik bir topluluğun arasında geçirdiğini öğrenmiştim. Bunun üstüne yüzyıllar önce yok olup gittiği düşünülebilecek bu özel topluluğun hemen hemen aynı yerde hâlâ var olduğunu, aynı ırmakta aynı vaftiz ayinlerini düzenlediğini büyük bir sevinçle keşfetmiştim. Nasıl bir mucizeydi bu? Bilemiyordum. *Kuran*'da, Yahudiler, Hıristiyanlar ya da Zerdüşt dininden olanlar gibi "Kitap ehli"ne özel bir konum kazandıran ve Sabiilere de –Arapça, *al-sabi'a,* tam da suya daldırma düşüncesini akla getiren, Sami dili kökenli olabilecek bir ad– değinen bir bölümle kısmen de olsa açıklanabilir. Bu kabulden yararlanan topluluk son on dört yüzyılda iyi kötü varlığını koruyabilmiş. Asla kolay olmamış bu mücadele; varlıkları hoşgörülse de, sürekli olarak dikkat çekmemeye çalışmak zorunda kalmışlar, gelgelelim dönem dönem işkencelere, gündelik aşağılanmalara maruz kalmalarına engel olmamış bu tavırları da.

Bütün bu dönem boyunca, bu insanlar kendilerini tanımlamak için, hem Müslüman komşularına *Kuran*'da geçen adı anımsatan "Sabiiler"i hem de –Yunanlıların *gnosis*'inin dengi– "bilgi" kavramını akla getiren Sami dili kökenli bir başka adı, "Mandenler"i kullanmışlar. Bu iki adla, inançlarını, topluluklarının birliğini koruyabilmişler; üstelik, Arapça yazıp konuşmayı görev bilmelerine karşın, uzmanların "Mandence" olarak adlandırdıkları ve Aramicenin bir türü olan –hatta, görünüşe göre, Sümer dili kökenli birtakım sözcükler de içeren– kendi dillerini de korumayı bilmişler. Şöyle bir bakıldığında, değeri bilinmemiş bir yazına sahip bir dil bu.

Bu son gnostik topluluğun günümüze dek varlığını sürdürebilmesi yirmi yıldır beni büyülüyor ve heyecanlandırıyor. Bu, sanki bugün, Fransa'nın güneyinde, ulaşımı zor bir vadiye sığınmış, din savaşlarından, artık sıradan hale gelmiş işkencelerden mucize eseri kurtulmuş ve kendi dillerinde –Oksitan– ayinlerini düzenleyen bir Katharosçu topluluk varmış gibi bir şey.

Bu örneği rasgele ele almadım. Katharosçuluğun ve Bulgaristan ile Bosna'daki Bogomilciler ya da İtalya'daki Patarini hareketi gibi Manicilikten esin almış, 10.-13. yüzyıllar arasında Avrupa'ya yayılan başka akımların kökenleri araştırıldığında, bunların hepsinin 3. yüzyılda, Mani öğretisinin oluştuğu Dicle kıyılarındaki o hurmalığa dayandığı anlaşılıyor.

Mart 2007 başında, Mandenlerin artık yok olma tehlikesiyle karşı karşıya olduğunu öğrenince nasıl öfkelendiğim kolaylıkla tahmin edilebilir; çünkü onlar da bütün Iraklılar gibi ülkenin üstüne çullanan cani çılgınlığın kurbanı olmuşlar; ayrıca dinsel fanatizmin daha önce eşine rastlanmamış şekilde zincirinden boşanması karşısında, "*Kuran*'ın kazandırdığı ayrıcalık" da onları korumaz olmuş. Müslümanlığın kutsal kitabının onlara açıkça verdiği konumu ateşli vaizler artık tanımıyormuş; Felluce'de, korku içindeki aileleri tehdit edilerek din değiştirmeye zorlanıyorlarmış; ülkenin geri kalanında olduğu gibi Bağdat'ta da Mandenler işlerinden kovulmuş, evlerinden atılmış, dükkânları yağmalanmış. "Daha önce binbir türlü badire atlattık" diye yazdı bana temsilcilerinden biri, "ama bu seferki sonumuzu getirebilir. Çok kısa bir süre içinde yok olup gidebiliriz." Zaten az olan nüfusu daha da düşmüş; 2002'de, Irak'ta olsa olsa otuz bin kadar olmalılar; dört yıl sonraysa, nüfusu altı bini aşmıyor. Toplulukları dağılmış, kovalanmış, altüst olmuş. Artık hiçbir yerde bir araya gelemiyor, ibadet edemiyorlarmış; ölülerini nereye gömeceklerini bile bilemez hale gelmişler.

Şimdi en sonunda birtakım insanlar onlara yardım etmek için harekete geçiyor; girişilen gizli bir hareketle ailelerin çoğunun –başta İsveç olmak üzere– bir yerlere sığınması sağlandı. Ama topluluğun şu haliyle varlığını sürdürme şansı pek yok. Birkaç yıl içinde, dili konuşulmaz olacak, ayinleri de bir gösteriden ibaret olacak. Binyıllık bir kültür gözlerimizin önünde ilgisizlikten yok olup gidecek.

Burada Mandenlerin durumunu anlatmak istememin nedeni, onların yaşadıkları trajedinin, uygarlığımızın nasıl yolunu şaşırdığını açıkça göstermesi. Yüzyıllar boyunca var olmuş böylesi bir topluluğun göz göre göre yok olması, çağımızın barbarlığı ve özellikle ait olduğum iki kültürel evrenin, Arap âleminin ve Batı'nın barbarlıkları üstüne çok şey söylüyor.

Arap âlemi bugün, elli yıl önce, yüzyıl önce, hatta binyıl önce hoşgördüğü şeyleri hoşgöremiyor. Kahire'de 1930'da yayımlanan bazı kitaplar bugün dine aykırı oldukları gerekçesiyle yasaklanıyor; 9. yüzyılda, Bağdat'ta Abbasi halifesinin huzurunda, *Kuran* üstüne yapılan bazı tartışmalar, bugün herhangi bir İslam şehrinde, hatta bir üniversitede bile düşünülemez hale gelmiştir. Arap dilinin en büyük klasik şairlerinden birinin, gençliğinde Irak'ı ve Arabistan'ı dolaşıp peygamber olduğunu iddia etmesi yüzünden, dünya çapında Mütenebbi, "yalancı peygamber" adıyla tanındığını düşünüyorum da! Onun zamanında, 10. yüzyılda, bu olaya insanlar omuz silkiyormuş, söyledikleriyle alay ediliyormuş, kızılıyormuş, ama bu durum, inananların şairi dinlemelerine ve ondaki yeteneğe hayran kalmalarına engel olmamış asla; bugün, büyük olasılıkla ya linç edilir ya da sorgusuz sualsiz boynu vurulurdu.

Batı'daysa barbarlık hoşgörüsüzlükten ve karanlıkçılıktan kaynaklanmıyor; oradaki barbarlığın nedeni kibir ve duyarsızlık. Amerikan ordusu Antik Mezopotamya'da lale tarlasındaki suaygırı gibi yuvarlanıyor. Özgürlük, demokrasi, meşru müdafaa ve insan hakları adına, insanlar hırpalanıyor, dayak yiyor, öldürülüyor. Yedi yüz bin insan daha öldükten sonra, belli belirsiz bir özürle ülkeden çekilecekler. Yaklaşık bir trilyon dolar, bazılarına göre bunun iki-üç katı para harcandı, ama işgal edilen ülke eskisinden de yoksul. Terörizme karşı mücadele vermek isteniyordu ama terörizm hiç bu kadar azmamıştı. Başkan Bush'un Hıristiyanlığı öne sürülüyordu ve artık her kilise haçının düşmanla işbirliği yaptığından kuşkulanılıyor. Sözde demokrasi getirilecekti, ama buna öyle bir şekilde kalkışıldı ki kavramın kendisi bile uzun süreliğine gözden düştü.

Amerika Irak sarsıntısını atlatacaktır. Irak ise Amerikan sarsıntısını atlatamayacaktır; en kalabalık tarikatlar daha yüz binlerce ölü verecek; en zayıf tarikatlarsa eski hallerine bir daha asla ulaşamayacaklar; yalnızca Mandenler ya da Yezidiler için değil, aynı zamanda sadece adları bile büyük insanlık serüveninin olağanüstü anlarını anımsatan Asur-Kaldeliler için de geçerli bu. Bugün, bütün bu azınlıkların yazgıları kesin olarak belirlenmiş durumda; en iyi olasılıkla, tarihsel güzergâhlarını uzaklarda sığındıkları topraklarda tamamlayacaklar; en kötü olasılıkla da, ülkelerinde, günümüz barbarlığının birbirine benzemez iki kıskacı arasına sıkışıp yok edilecekler.

9

Eski zamanlara, şimdiki davranışlarımız göz önünde bulundurulduğunda, hiç de haklı sayılmayacak bir küçümsemeyle bakıyoruz. Kısa bir süre önce sona eren yüzyılda hiç kuşku yok ki çok önemli ilerlemeler kaydedildi; artık daha çok sayıda insan daha uzun yaşıyor, hem de daha iyi koşullarda; elimizin altında, bundan henüz on yıl önce ya hâlâ bilimkurgu ürünü olabileceği düşünülen ya da akla hayale bile gelmeyen araçlar –ve ilaçlar– var. Ama aynı yüzyılda eski zamanların zorbalıklarından çok daha korkunç totaliter girişimler de oldu, tarihte ilk kez, uygarlığın bütün izlerini yeryüzünden silebilecek silahlar üretildi.

İnsanlığın maddi bakımdan ilerlediği ama manevi bakımdan bunu başaramadığı anlamına mı geliyor bütün bunlar? Böyle bir şeyi ileri sürmek doğru olmaz. Elbette, 20. yüzyıl boyunca her alanda yadsınamaz biçimde ilerleme sağlandı; ama aynı ritimde olmadı bu. Bilgi edinme, bilimin gelişmesi ve bunun sivil ya da askeri teknolojilere yansıtılması, zenginliklerin üretilip dağıtılması konularında yaşanan evrim, yükselen bir eğri izleyip hızlanırken; düşünce tarzları ve insan davranışları bakımından, değişken ve bütün halinde yetersiz, trajik biçimde yetersiz bir gelişme sergilendi.

Kullandığım şu son sıfat bugün yaşadığımız deneyime cuk oturuyor. Asıl sorun, düşünce tarzlarımızın ve davranışlarımızın atalarımızınkilere oranla ilerleme kaydedip kaydetmediğini bilmek değil; onların, günümüz dünyasında karşılaşılan devasa meydan okuyuşlara göğüs germemizi sağlayabilecek denli gelişip gelişmediğini anlamak.

Bu konuda verilebilecek örneklerden biri de çevre sorunu, atmosfer kirliliği ve iklimde gözlenen değişiklikler. Eskiden görmezden gelinen bu geniş alanda, dikkate değer bir bilinçlenme yaşandı, elbette bazı ülkelerde diğerlerindeki kadar belirgin değildi bu bilinçlenme, ama gerçekti, hatta göz alıcıydı; birkaç on yıl içinde, etkili önlemler alındı, atalardan kalma alışkanlıklar değiştirildi; Aralık 1952'de Londra'da, *smog*'un –*smoke* (duman) ile *fog*'dan (sis) türetilen bir sözcük– beş günde on iki bin kişinin ölümüne yol açtığını anımsarsak, alınan yolu takdir edebiliriz. Sanayileşmiş ulusların çoğunda, yetkililer artık fabrikaların çevreyi daha az kirletmesi için uğraşıyorlar ve büyük yerleşim yerlerinin yakınına inşa edilmelerini yasaklıyorlar. Bu, Soğuk Savaş'ın sona ermesinden beri, o zamana dek, bu konuda, feci bir bilançoya sahip eski "Doğu Bloku Ülkeleri"nde de yaygınlaşan, sağlıklı bir uygulama.

Bu noktada, insanın kendiyle gurur duyabileceği gelişmeler yaşandı ama bugünkü korkularımızı ortadan kaldırmada yeterli değil. Karbon yayılımı yüzünden, dünya gittikçe hızlanan ve gelecek kuşaklar için felaket sonuçlar doğurabilecek bir ısınmayla karşı karşıya kaldığında, "Bu alandaki tutumumuz annelerimizinkinden, babalarımızınkinden, dedelerimizinkinden, ninelerimizinkinden daha mı iyi?" diye sormak yersiz kaçıyor; asıl sorulması gereken soru şu: "Bu alandaki tutumumuz çocuklarımızı ve torunlarımızı tehdit eden ölümcül tehlikeyi ortadan kaldırmaya yetiyor mu yetmiyor mu?"

İkinci sorunun yanıtı olumsuzsa, ilk soruya verilecek olumlu yanıt, doğal olarak içimizi hiç de rahatlatamaz; ben şu satırları yazarken, içinde bulunduğumuz durum da ne yazık ki bu; çünkü atmosferdeki karbon yayılımı büyük ölçüde azaltılmak isteniyorsa, başta Amerikalılar, Avrupalılar ve Japonlar olmak üzere, en zengin ve güçlü halkların tüketim alışkanlıklarını kökünden değiştirmeleri ve kısa süre önce ekonomik kalkınma atılımına girişmiş büyük Güney uluslarının, özellikle Çin ve Hindistan'ın büyümelerini frenlemeyi kabul etmeleri gerekiyor.

Böylesi engelleyici ve her ulustan her yurttaştan büyük fedakârlıklar isteyen önlemlerin uygulamaya konulabilmesi için dünya çapında olağanüstü bir dayanışma atılımı gerekiyor ama yakın gelecekte bunun gerçekleşeceğine ilişkin ortada hiçbir belirti yok.

İnsanlar arasındaki çeşitlilikten ileri gelen sorunlarla yüzleşme konusunda da aynı yetersizlik gözlemleniyor.

İçinde bulunduğumuz dönemde, her kültür gündelik olarak öteki kültürlerle karşılaşırken; her kimlik kendini daha güçlü biçimde ifade etme gereksinimi duyarken; her ülkede, her kentte hassas bir birlikte yaşama düzeni kurulmak zorundayken, üstünde durulması gereken sorun, dinsel, etnik ve kültürel önyargılarımızın önceki kuşaklarınkine göre daha yoğun ya da daha zayıf olması değil; toplumlarımızın şiddete, fanatizme ve karmaşaya sapmasını engelleyip engelleyemeyeceğimizdir.

Dünyanın birçok bölgesinde durum bu ve her ne kadar, yüzyılın bu ilk yıllarında, en belirgin örneği oluştursalar da Iraklı ya da Ortadoğulu azınlıkların hali yalnızca onlara özgü değil. Binyıllık azınlıkların ayakta kalmasını sağlayamazsak, insanlar arasındaki çeşitliliği yönetmede eksik, yetersiz kaldığımız açıkça ortaya çıkar.

Eskiden daha bilge, daha dikkatli, daha hoşgörülü, daha bağışlayıcı ya da daha becerikli olduğumuz anlamına mı geliyor bu? Sanmıyorum. Her zaman kana susamış hükümdarlar, yağmacı zorbalar, yıkıcı istilalar, soykırımlar, katliamlar, toplumların kökünü kazımak için yapılan canavarca girişimler olduğunu görmek için birkaç tarih kitabı karıştırmak yeter. Bazı toplulukların her şeye karşın yüzyıllarca varlığını sürdürebilmesinin nedeni, onların yazgılarının her şeyden önce yerel olaylara bağlı olması ve dünyadaki bütün olaylardan sürekli olarak etkilenmemesiydi.

Bir köyde ciddi bir olay meydana geldiğinde, dünyanın geri kalanında bunun duyulması genellikle haftalar alıyordu, bu da olayın yankılarının kısıtlı olmasına yol açıyordu. Bugünse tersi geçerli. Öğle saatlerinde yapılan yersiz bir açıklama, hemen o akşam, açıklamanın yapıldığı yerden on bin kilometre uzakta cinayetlere yol açabiliyor. Düşmanlıkları, genelde, kasıtlı ya da bir yanlış anlamanın sonucu olarak yayılan asılsız bir söylenti tetikliyor, insanlar gerçeği öğrendiğindeyse iş işten geçmiş oluyor, sokaklar cesetlerle doluyor. Yalnızca Irak'ta değil, Endonezya'da, Lübnan'da, Hindistan'da, Nijerya'da, Ruanda'da ya da eski Yugoslavya topraklarında da son yıllarda gerçekleşen belli başlı olayları düşünüyorum bunu söylerken.

Dünyanın evriminin olağan bir sonucu değil mi bu, diye karşı çıkacaktır kimileri. Kısmen evet, kısmen hayır. İnsanların ve çatışmaların dünyaya açılması gerçekten de iletişim araçlarındaki gelişmenin olağan bir sonucu. Bunun üzülecek ve eleştirilecek yanıysa, bu teknolojik gelişmeye, canları pahasına tarihin kargaşasına itilen o halkları koruyacak bir bilincin eşlik etmemesi.

Söz konusu olan, günbegün daha da dünyaya açılan hızlı maddi gelişimimiz ile dünyaya açılımın trajik sonuçlarını doğuran manevi anlamdaki aşırı yavaş gelişimimiz arasındaki uçurumdur. Elbette, maddi gelişim ne yavaşlayabilir ne de yavaşlamalıdır. Asıl dikkate değer ölçüde hızlanması gereken ahlaki gelişimimizdir ve teknolojik gelişimimizin düzeyine acilen ulaştırılmalıdır; ancak bu, davranışlarda gerçek bir devrim yapılmasını gerektirir.

Çeşitliliğin yönetilmesi, iklimde meydana gelen değişiklikler ve diğer önemli konularda içine düştüğümüz ikilemler üstünde kitabın ilerleyen bölümlerinde uzun uzadıya duracağım. Şimdi üstümüze çullanan sorunların yoğunluğu ile onları çözmekteki beceriksizliğimiz arasında aynı yetersizliğin gözlemlendiği, ekonomik ve mali alanda karşılaşılan keşmekeşe değinmek istiyorum biraz da.

Bu konuda da asıl dert, geçmişe oranla daha çok birbirimize danışıp danışmadığımızı, birlikte düşünüp düşünmediğimizi, acil yardım fonlarını devreye sokup sokmadığımızı sorgulamak olsaydı, yanıt kuşkusuz olumlu olurdu; bir kriz patlak verdiği anda, etkisi ya da niteliği tartışılabilecek ama genellikle biraz da olsa düzen sağlayıcı önlemler alınıyor.

Bununla birlikte, ikişer ikişer, yedişer sekizer ya da yirmi kişi halinde toplanan, arkalarında yetkin danışmanlar bulunan ve güven verici basın toplantıları düzenleyen siyasetçilere istediğimiz kadar güvenelim, her sarsıntının ardından çoğunlukla daha ciddi bir sarsıntının geldiğini de kabul etmek gerekiyor. Bu da bir önceki sarsıntıya karşı alınan önlemin yeterli olmadığını düşündürüyor haliyle.

Belli birtakım "nüksetmeler"in sonucunda, insan doğal olarak bu yetersizliğin değerlendirme hatalarından değil de, küresel ekonomik sistemin gittikçe daha az "yönetilebilir" olmasından kaynaklandığını düşünüyor. Sadece tek bir nedene bağlanamayacak, ama kısmen de olsa başka alanlarda da gözlemlenen, içinde yaşadığımız döneme özgü özellikle açıklanabilecek bir güçsüzlük bu; demek istediğim şu ki, sorunlar ancak sanki geniş ve çoğul bir ulusmuşuz gibi, dünya ölçeğinde ele alınmaları koşuluyla çözülebilecekken, siyasal, hukuksal ve düşünsel yapılarımız özel çıkarlarımıza –devletlerimizin, seçmenlerimizin, işletmelerimizin, maliyelerimizin çıkarlarına– göre düşünmeye, hareket etmeye yönlendiriyor bizi. Her hükümet kendisi için iyi olanın başkaları için de iyi olduğunu düşünüyor. Her zaman öyle olmayacağını bilecek kadar açık görüşlü olduklarında bile; –korumacılık, aşırı oranda para basımı, ayrımcı düzenlemeler ya da döviz "manipülasyonu" gibi– bazı politikaların dünyanın geri kalanı üstünde olumsuz etkileri olacağına inandıklarında bile durgunluktan kurtulmak amacıyla kendileri için elverişli olan şeyi yine de yapacaklardır. Ulusların "kutsal bencilliği"nin tek sınırı bütün sistemin çökmesini engelleme zorunluluğudur.

Bir şekilde, özellikle Çinliler ile Amerikalılar arasında yeni bir korku dengesi oluşuyor bu noktada: "Beni yıkmaya çalışırsanız, sizi de beraberimde götürürüm". Bu, bütün dünyanın yazgısını bütünüyle birinin ayağının kayıp kaymamasına bağlayan ve kesinlikle gerçek bir dayanışmanın yerini tutmayacak, tehlikeli bir oyun.

Günümüzde gözlemlediğimiz ekonomik karmaşaların kökenlerinin, dünyaya etki eden ve bu alanın içinde olduğu kadar dışında da bulunan çeşitli düzensizliklere bağlı olması da bir o kadar düşündürücü. Öyle ki filanca yılda bir durgunlaşma yaşanacağını, falanca yılda da bir hareketlenme olacağını öngören verilerin yanında, etkileri elverişli biçimde önceden sezilemeyecek birçok başka etken de var.

Örneğin, petrol fiyatlarındaki aşırı çalkantılar kısmen vurgunculuktan kaynaklanıyor; ama Güney'in büyük uluslarının gitgide artan ihtiyaçlarını, Ortadoğu, Nijerya, Sahra, Kızıldeniz ya da eski Sovyetler Birliği toprakları gibi üretim ve transit bölgelerindeki siyasal belirsizlikleri ve daha nice etkeni de unutmamak gerek. Büyük ekonomik dengeleri bozmalarını engellemek için bu çalkantıların önüne geçmek isteniyorsa, kesinlikle dünya çapında vurguncuların cesaretini kıracak düzenlemeler yapmak gerekiyor; ama aynı zamanda yeryüzü kaynaklarının ortaklaşa düşünülmüş ve dürüst bir yönetimle kullanılması, bazı üretim ve tüketim alışkanlıklarının değiştirilmesi, Rusya ile Batı arasında daha sağlıklı ilişkilerin kurulabilmesi için Soğuk Savaş'ın sarsıntılarının aşılması, çeşitli bölgesel çatışmalara kalıcı çözümler bulunması vb. zorunlu. Uluslar arasında üst düzey, etkin bir dayanışma gerektiren ve ancak on yıllar içinde gerçekleşebilecek olan bu görevin ne kadar büyük olduğu ortada, oysa çalkantılar bize bugün etki ediyor.

Ne zaman bir hükümet bir soruna çare bulmaya çalışsa, bu sorunun, farklı alanlarda ortaya çıkan ve kendisinin etki alanının dışındaki binbir türlü başka soruna bağlı olduğunu görüyor. Diyelim ki ekonomik durgunlukla, enflasyonla, işsizlikle ya da çevre kirliliğiyle, uyuşturucuyla, salgın hastalıklarla, kentsel şiddetle mücadele ediyor, işte o zaman dünyanın dört bir köşesinden kaynaklanabilen her türlü sorunla –jeopolitik ve toplumbilimsel sorunlar, sağlık sorunları, kültürel ya da ahlaki sorunlar– kaçınılmaz olarak karşı karşıya kalıyor; başarıya ulaşmak için bu sorunları kesinkes çözmesi gerekli, ancak onlar üstünde neredeyse hiç sözü geçmiyor.

Ekonomi alanında, herkesin kendi çıkarı doğrultusunda hareket etmesi halinde, bütün bu girişimlerin toplamının ortak çıkar yararına olacağı akla yatkın bir gerçek olarak kabul edildi. Bencillik böylece, tuhaf biçimde, özgeciliğin gerçekçi biçimi haline gelecekti. "Zenginliğinizi arttırmaya bakın, böylece hiç uğraşmadan herkesin zenginliğini arttırmış olacaksınız". Adam Smith 18. yüzyılda, umulmadık biçimde, yetkililerin müdahalesine gerek olmaksızın ekonomik işleyişi uyumlu hale getirecek bir "görünmez el"den söz ediyordu. Bu, tahmin edileceği üzere fazlasıyla tartışma konusu olan, ama insanlık tarihinin en etkili ekonomik sisteminin temelini oluşturduğu düşünüldüğünde öyle küçümser bir tavırla bir kenara atılamayacak bir bakış açısıdır.

Ne var ki o "görünmez el"in hâlâ işleyip işlemediğine bakmak gerek; birbirleriyle uyumsuz yasalara, öngörülemez ve her yerde kendini gösterecek sayısız oyuncuya sahip toplumları birleştiren dünya çapındaki bir pazar ekonomisini makine gibi "yağlayarak", bir zamanlar bazı Batı ülkeleri için yapabildiği gibi piyasa ekonomisinin işleyişini kolaylaştırıp kolaylaştıramadığına bakmalı. Büyük olasılıkla, her şekilde, ulusların büyüyen zenginliğinin yeryüzü kaynaklarını olumsuz şekilde etkilemesini ya da atmosferi kirletmesini hiçbir "görünmez el" engelleyemez; ama siyasetçilerin görünen ellerinin de küresel gerçekliklerimizi daha iyi yönetebilecekleri de kesin değildir.

Birkaç yıl arayla, iki karşıt inanışın gözden düştüğüne tanık olduk. Öncelikle kamu iktidarlarının rolü eleştirildi; Sovyet sisteminin çöküşünün ardından, her türlü güdümcülük bazı sosyalistlerin gözünde bile sapkınlık olarak görülmeye başladı; pazar yasalarının yapıları gereği daha etkili, daha bilgece, daha akıllıca olduğu düşünüldü; hemen hemen her şeyin, sağlığın, emekliliğin, hapishanelerin ve hatta –yeni muhafazakârların Pentagon'unda– askeri gereksinimlerin büyük bir bölümünün bile özelleştirilebileceğine inanıldı; genellikle üstü kapalı ama kimi zaman da apaçık biçimde devletin, yurttaşlarının rahatını sağlamakla görevli olduğu düşüncesi eleştirildi; eşitlik ilkesinin artık geçerliliğini yitirmiş, geçip gitmiş bir zamanın kalıntısı bir kavram olduğu ve servet farklılıklarını sergilemekten utanılmaması gerektiği bile ileri sürüldü.

Ama sarkaç fazla uzağa doğru sallanmıştı, duvara çarptı ve işte şimdi de ters yöne doğru ilerliyor. Artık eleştirilen şey pazarın şaşmazlığı inancı. Devlete etkin roller biçiliyor yeniden; bu şekilde adlandırılmasına karşı çıkılsa da, yoğun ulusallaştırma hareketlerine bile rastlanıyor. Otuz yıl boyunca sürekli olarak savunulan inançlar şimdi artık sallantıda, her şey kökünden tartışılıyor; siyasal, toplumsal ya da ekonomik alanları derinlemesine etkileyecek ve kuşkusuz yalnızca bunlarla da kalmayacak bir durum bu. Gerçekten de büyük bir mali kriz, ona eşlik eden güven krizi, ona neden olan tutumlar, değerler ölçeğindeki dengesizlik, liderlerin, şirketlerin, kurumların ve onları denetledikleri varsayılanların manevi inandırıcılıklarını yitirmesi, eleştirilmeden nasıl çözülebilir ki?

Bu yüzyılın başında karşımıza çıkan en akılda kalıcı figürlerden biri, Ekim 2008'de bir Kongre Komisyonu karşısında ifade veren, eski Amerika Merkez Bankası Başkanı Alan Greenspan'di. Amerikalıların bir felaket halini alan ipotek borçlarının ve bunun yol açtığı dünya çapındaki dalgalanmaların sorumlusunun, on sekiz yıllık "saltanatı" boyunca kendisinin aldığı -ya da almadığı- kararlar olduğuna karşı çıkan Greenspan, "şaşkınlık içinde olduğunu ve derin kuşkularının bulunduğu"nu kabul etti. Eskiden borç veren organizmaların asla hissedarlarının çıkarlarını tehlikeye atmayacağına inandığını söyledi: "Riskler on yıllardır bu temel üstünde yönetilirdi, ama bütün bu entelektüel yapı geçen yaz çöktü."

Sanırım pazar mekanizmalarının içkin bilgeliğinden kuşku duyanlar bu sözleri alaya alacaklardır. Ama Greenspan'in söyledikleri burada yanılgıya düşen bir muhafazakârın hayal kırıklığını yansıtmıyor sadece. Onun vicdan azabının bana anlamlı, hatta dokunaklı gelmesinin nedeni, ekonomik oyuncuların davranışlarının birbirini tuttuğu ve bazı kurallara uyduğu; kumarbaz, vurguncu ya da hilekâr siyasetçilere ender rastlanan; bazı kesin değerlere dayanabilecek ve bir bakışta sağlıklı girişimlerin anlaşılabileceği bir dönemin sona erdiğine işaret etmesidir.

Pek çok vurgunla ve krizle dolu eski zamanları ülküselleştirmekten kaçınılmalıysa da, ulusal ekonomilerin sorumlularının artık finans yıldızlarının akrobatik hareketlerini izleyemediği ve milyarlara sahip operatörlerin siyasal ekonomiden zerre kadar anlamadığı, yaptıkları işlerin ortak refah bir yana, şirketler, işçiler, hatta kendi aileleri ya da dostları üstündeki yansımalarını dert etmediği, bizimkine benzer bir dönemin yaşanmadığını da kabul etmek gerekir.

Eski bilgelerin hayal kırıklığına uğraması kolaylıkla anlaşılıyor. İster müdahalecilikten yana olsunlar, isterse "bırakınız yapsınlar" ideolojisini desteklesinler, "ekonomi doktorları" en güvenilir tedavilerinin hayal kırıklığı yaratan sonuçlar doğurduklarını görüyorlar. Sanki her sabah, daha dün tedavi ettikleri hasta gitmiş de onun yerine bambaşka bir hasta gelmiş gibi.

10

Ama kuşkusuz bu, daha geniş, daha karmaşık ve zengini yoksulu, güçlüsü zayıfı, istisnasız bütün toplumlara etki eden bir olayın görünümlerinden biri yalnızca. Hâlâ arada sırada "tarihin hızlanması" olarak adlandırılan, ama geçen yüzyılın kitaplarında bu şekilde adlandırılan şeyi aşmış bir olay bu. Belki de zamanımızdaki olayların ritmini daha iyi yansıtabilecek başka bir kavram kullanılsa daha iyi olacak: "Anındalık". Çünkü dünyada meydana gelen olaylar artık bütün insanlığın gözleri önünde ve gerçek zamanlı olarak gerçekleşiyorlar.

Burada söz konusu olan, uzun zamandır tarihle ilişkilendirilen, kişilerin, malların, imgelerin ve düşüncelerin dolaşımını hızlandıran ve dünyanın küçüldüğü izlenimini yaratan hareket değil yalnızca. En sonunda bu harekete alıştık. Ama 20. yüzyılın son yıllarında bu konuda sergilenen eğilim dikkate değer ölçüde hızlandı; İnternet'in gelişmesiyle, elektronik postanın ve Worldwide Web "ağı"nın yaygınlaşmasıyla, her yere ulaşan "dünya çapındaki ağ"la, aynı zamanda cep telefonu gibi, bütün dünyada insanlar arasında anlık bağlar kuran, uzaklıkları ortadan kaldıran, tepkime sürelerini sıfıra indiren, olayların yankılarını fazlalaştıran; dolayısıyla da gelişimlerini daha da hızlandıran başka doğrudan iletişim araçlarıyla olayın yapısının değiştiği bile söylenebilir.

Bu da, başka dönemlerde gerçekleşmeleri on yıllar alan önemli değişimlerin, şimdi birkaç yıl, kimi zaman birkaç ay içinde olup bitmesini açıklıyor. En kötü olaylar için olduğu gibi en iyiler için de geçerli bu durum. Yüzyıllardır, hatta binyıllardır varlıklarını sürdüren kültürlerin, gözlerimizin önünde, sadece birkaç yıl içinde ortadan kaldırılmasının, bu konuda aklıma gelen ilk örnek olması kimseyi şaşırtmayacaktır; ama Sovyetler Birliği'nin çöküşü, Avrupa Birliği'nin büyümesi, Çin'in ve Hindistan'ın kalkınma atılımları, Barack Obama'nın yükselişi ve bütün dünyada, çeşitli alanlarda meydana gelen binbir türlü çarpıcı olay için de aynı şey düşünülebilir.

Hiç kuşku yok ki, 21. yüzyıl daha önce insanlığın tanık olduğu her şeyden hissedilir derecede farklı olan bir düşünsel ortamda başladı. Büyüleyici ama aynı zamanda tehlikeli bir değişim bu. Dünyanın ilerleyişiyle ilgilenenler için, "Ağ" bugün sınırsız ufuklar açıyor; insanlar artık gündelik yerel gazetelerini okumak yerine, evinden, sabah kahvesini yudumlayarak bütün dünya basınını takip edebiliyor; hele İngilizce biliyorlarsa, çünkü sayısız gazete –Alman, Japon, Çin, Türk, İsrail, İran, Kuveyt, Rus vb. gazeteleri– artık bu dilde "çevrimiçi" baskılar yayımlıyor. Ben günlerce kendimi unutabilirim o gazetelerin içinde. Hiç bıkmadan, hayranlıkla ve içimde sürekli bir düşü gerçekleştirmenin verdiği duyguyla.

Çocukluğumda, Lübnan'da, her sabah yerel gazetelerin hepsini okurdum. Babam bir gazetenin yöneticisiydi, çıkardığı gazeteyi incelik olsun diye meslektaşlarına yollar, onlar da karşılık olarak kendi gazetelerini gönderirlerdi. Gazete yığınına işaret ederek "Hangisine inanacağız?" diye sormuştum ona bir gün. Gazetesinden başını kaldırmadan, bana şöyle yanıt vermişti: "Hiçbirine ve hepsine. Hiçbiri sana bütün gerçeği aktarmaz, ama her biri kendi gerçeğini yansıtır. Hepsini okursan eğer ve ayırt etme yetisine sahipsen, işin özünü anlarsın." Radyo konusunda da babam aynı şeyi yapardı. Önce BBC, ardından Lübnan radyosu, sonra Kahire radyosu, derken İsrail radyosunda Arapça yayın yapan kanallar; kimi zaman ayrıca Şam radyosu, Voice of America, Amman radyosu ya da Bağdat radyosu. Kahvesini bitirene kadar geçen bu sürede yeteri kadar bilgilendiğini hissederdi.

Bizim yaşadığımız dönemi görebilseydi ne kadar mutlu olacağını düşünüyorum sık sık. İnsanın ülkesindeki ve dünyadaki bütün medya organlarını evde bedava olarak izleyebilmesi için bir gazetenin başında olmasına gerek yok. Dünyanın gerçekliği üstüne akıllıca, dengeli, kapsamlı bir bakış açısı edinmek isteniyorsa, bunun için gereken her şey parmakların ucunda.

Ama çağdaşlarımızın hepsi sunulan araçları aynı şekilde kullanmıyor. Herkesin derdi dengeli bir görüş oluşturmak değil. Farklı şeylere kulak vermelerine genellikle dil engel oluyor; ama bütün uluslarda çok yaygın olan ve yalnızca küçücük bir azınlığın "başkaları"nın ne dediğini öğrenmek istemesine yol açan bir ruh hali de var; pek çok insan, kulağına hoş gelen düşüncelerle yetiniyor.

Dikkatli biçimde bir kültürel evrenden bir başkasına geçen bir kişiye, sevinçle El Cezire'nin sitesinden *Haaretz*'inkine, *Washington Post*'tan İran basın ajansına geçen bir kişiye karşılık, sadece kendi yurttaşlarını ya da dindaşlarını "ziyaret eden", durmadan alışageldikleri kaynaklara başvuran, ekranlarının karşısında yalnızca kendi doğrularını destekleyecek, hınçlarını haklı gösterecek şeyler arayan binlerce kişi var.

Bu olağanüstü modern araç, kültürlerin birbirine karışmasını ve uyumlu biçimde karşılıklı ilişkiye girmelerini sağlaması gerekirken, küresel "kabilelerimiz" için bir toplanma ve seferber olma alanına dönüşüyor. Bunun nedeni, çevrilen karanlık bir dolap değil, bir hızlandırıcı ve yükselteç olan İnternet'in tarihte kimliklerin zincirinden boşandığı, "medeniyetler çatışması"nın iyice yerleştiği, tartışmaların yoldan çıktığı, sözlerde olduğu kadar davranışlarda da şiddetin baskın çıktığı, ortak noktaların yittiği bir dönemde hızla gelişmiş olması.

Bu açıdan bakıldığında, insanlar arasındaki ilişkileri altüst eden bu büyük teknolojik gelişmenin stratejik bir kargaşayla, yani dünya üstündeki iki büyük blok arasındaki çatışmanın sona ermesiyle, Sovyetler Birliği ve "sosyalist cephe"nin parçalanmasıyla, kimlik ayrılıklarının ideoloji ayrılıklarına üstün geldiği bir dünyanın ve gerçekten de bütün dünya üstünde pek iyi karşılanmayan bir "egemenlik" uygulayan tek bir süper gücün ortaya çıkışıyla aynı döneme denk gelmesi önem kazanıyor.

Britanyalı tarihçi Arnold Toynbee'nin 1973'te, ölümünden kısa bir süre önce yayımladığı, kısa, özlü bir metni zaman zaman yeniden okuyorum. Koca koca on iki ciltlik *A Study of History* adlı esaslı bir incelemeyi adadığı insanlığın yörüngesine geniş açıdan bakıp, onu üç evreye ayırıyor.

Genel çizgileriyle tarihöncesine denk gelen birinci evrede, insanların yaşamı her yerde aynı, çünkü "iletişim çok yavaşken, değişim ritmi daha da yavaş"; her yeniliğin başka bir yenilik ortaya çıkmadan bütün toplumlara ulaşacak zamanı oluyor.

Yazara göre, tarihöncesinden MS 1500'e kadar, aşağı yukarı dört bin beşyüz yıl süren ikinci evrede, değişim, aktarıma oranla çok daha hızlı, öyle ki bütün toplumlar birbirlerinden son derece farklılaşıyorlar. İşte bu evrede dinler, kavimler, farklı uygarlıklar doğuyor.

Son olarak da, 16. yüzyıldan sonra, "iletişim hızının değişim hızını geçmesiyle", "yerleşim yerimiz" bir bütün haline gelmeye başlıyor, en azından teknolojik ve ekonomik açılardan; ama Toynbee'nin gözlemlerine göre "henüz siyasal açıdan değil".

Bu yaklaşım bütün şemalaştırma girişimleriyle eşdeğerde; yakından bakıldığında, her sözcük eleştiriye açık, ama bütün halinde bakıldığında akıl için uyarıcı bir özellik taşıyor. Hele şu son on yılların ışığında değerlendirilirse. Son dönemde, hızlanma baş döndürücü, hoyrat ve ister istemez sarsıcı bir hal aldı. Tarihleri boyunca farklı yolları izleyen, kendilerine göre inançlar, diller, gelenekler, aidiyet duyguları, övünçler geliştiren toplumlar birden özerk kimliklerinin altüst olduğu, aşındığı ve tehdit altında göründüğü bir dünyada buldular kendilerini.

Buna verdikleri tepki kimi zaman şiddet dolu ve aşırıydı, tıpkı başı zaten suya batmış, umutsuz ve sağduyusuz bir durumda çırpınan, eline gelen her şeyi, kurtarıcılarını olduğu kadar ona saldıranları da kendisiyle birlikte dibe çekmeye hazır, boğulmak üzere olan biri gibi.

Soğuk Savaş'ın sona erdiği 1980'li yılların sonundan itibaren, Toynbee'nin tanımladığı bütünleşmiş bir uygarlığa doğru ilerleyen evrim, bambaşka bir hız kazandı ve hissedilir şekilde değişen bir stratejik ortamda gelişti.

Bir hükümet, Amerika Birleşik Devletleri hükümeti, dünya çapındaki yetke rolüne soyunuverdi; onun değer sistemi evrensel ilke haline geldi, ordusu küresel güvenlik gücüne dönüştü, müttefikleri bağımlı, düşmanlarıysa kanun kaçağı oldu. Bu, tarihte daha önce eşine rastlanmayan bir durum. Geçmişte de, en güçlü oldukları dönemde, üstünlük elde etmiş güçler olmuştu tabii ki; Roma İmparatorluğu gibi, bilinen dünyaya hükmetmiş ya da 16. yüzyılda İspanyol İmparatorluğu ve 19. yüzyılda Britanya İmparatorluğu gibi, kendilerine bağımlı ülkelerin üstünde, güneşin "hiç batmadığı"nın söylenmesine neden olacak kadar uzaklara yayılmıştı bunlar. Ama hiçbiri, istediğinde dünyanın her yerine müdahale etmesini sağlayacak ya da düşman güçlerin ortaya çıkmasına engel olacak teknik olanaklara sahip değildi.

Birçok kuşağa yayılabilecek bu süreç, bizler şaşkın şaşkın bakarken, birkaç kısacık yıl içinde gerçekleşiverdi. Bütün dünya artık birleşik bir siyasal uzam. Toynbee'nin "üçüncü evresi" sert ve vakitsiz biçimde sona erdi; fırtınalı, hesapları altüst edici ve son derece tehlikeli görünen dördüncü bir evre başladı.

Birdenbire, insanlar tarihte ilk kez, dünya çapında iktidar ve onun meşruiyeti sorunuyla karşı karşıya kaldı. Bu temel olaya ender olarak şu şekliyle değinilse de, satıraralarında, eleştirilerde ve en şiddetli çatışmalarda da rastlanabiliyor.

Farklı halkların bir tür "küresel hükümet"in yetkesini tanıyabilmesi için, bu hükümetin ekonomik ya da askeri gücünün kendisine sağladığından başka türlü bir meşruiyet kazanması gerekiyor onların gözünde; özel kimliklerin daha geniş bir kimlik içinde kaynaşması için, özel uygarlıkların bir dünya uygarlığında yer alabilmesi için, sürecin bir hakkaniyet bağlamında ya da en azından karşılıklı saygı ve ortak onur çerçevesinde işlemesi zorunlu.

Son satırlarda bilerek farklı görünümleri birbirine karıştırdım. Bugünkü dünyanın gerçekliği, işin bütün bu farklı yüzleri sürekli olarak akılda tutulmadan anlaşılamaz. Dünya çapındaki tek süper güç tarafından sırtlanılan baskın bir uygarlığın ortaya çıkmasından sonra, uygarlıklar ve uluslar artık soğukkanlı biçimde aşılamaz. Kendilerini kültürel açıdan yok edilme ya da siyasal açıdan marjinalleştirilme tehdidi altında hisseden halklar, kaçınılmaz olarak, onları direnişe ve şiddetli çatışmaya çağıranlara kulak verirler.

ABD, salt üstünlüğünün manevi meşruiyetine dünyanın geri kalanını ikna edemediği sürece, insanlık sıkıyönetim halinde kalacaktır.

II

Yoldan Çıkmış Meşruiyetler

1

Bu satırları yazarken, hem sıradan hem de unutulmaz bir görüntü geliyor aklıma: 2000 başkanlık seçimleri sırasında Florida'da bir seçim bürosu. Oy saymakla görevli biri, ışığı arkasına alıp bir oy pusulasını inceliyor, kâğıt üstündeki noktalara ve işaretlere bakıp oyun hangi adaya, Al Gore'a mı yoksa George W. Bush'a mı gitmesi gerektiğini anlamaya çalışıyor.

Dünya üstündeki milyonlarca kişi gibi bu sayıma ve onu izleyen adli tartışmaya takılıp kalmıştım ben de. Kuşkusuz, biraz da heyecan verici bir siyaset macerası karşısındaki izleyicinin merakıyla; ama her şeyden önce, bu seçimlerde söz konusu olan, benim ve ailemin geleceği olduğu için. O dönemde bunu çok iyi anlamıyordum, bugünse kesinkes biliyorum, Florida'daki o oy, doğduğum ülkede, Lübnan'da tarihin akışını değiştirecekti.

İlk olarak bu örneği vermek istedim, çünkü beni yakından ilgilendiriyor; daha geniş boyutlu, bütün dünyaya etkisi daha açıkça görünen başka örneklerle de başlayabilirdim söze. Sözgelimi, George W. Bush'un yerine Al Gore başkan seçilseydi, 11 Eylül 2001 saldırılarının aynı şekilde gerçekleşebileceğini öne sürmek akla yatkın geliyor; ama Washington'ın buna tepkisinin aynı olmayacağı da aynı derecede akla yatkın. Kaçınılmaz olarak "teröre karşı bir savaş" yürütülürdü; ne var ki bu kez başka öncelikler, başka sloganlar, başka yöntemler, başka koalisyonlar söz konusu olurdu. Büyük olasılıkla daha az kararlılık gösterilir, ama aynı zamanda işler bu denli kontrolden çıkmazdı; başkan ne "haçlı seferi"nden ne de "şer ekseni"nden söz ederdi, ayrıca Guantanamo'daki tutsaklar o şekilde hapsedilmezdi. Irak Savaşı büyük olasılıkla olmazdı ve bu durum, orada şimdi batağa sürüklenen halklar için olduğu kadar ABD'nin dünyanın geri kalanıyla olan ilişkilerinde de pek çok şeyi değiştirirdi. Lübnan konusunda da, Suriye ordusunun 2005'te ülkeden çekilmek zorunda kalmayacağı ve Lübnan'ın sahne olduğu çatışmaların bir başka görünüm kazanacağı da olasılıklar arasında.

Aynı şekilde, Kasım 2000'de Demokratlar kazanmış olsaydı eğer, birçok başka önemli dosyanın da –örneğin küresel ısınma, bazı genetik araştırmaların yapılabilmesi ya da Birleşmiş Milletler'in rolü– farklı şekillerde yönetileceği, bunların da dünyanın geleceği için anlamlı sonuçlar doğurabileceği varsayılabilir. Bununla birlikte, tahminleri daha ileri götürmek tehlikeli olacak. Dünyanın durumunun daha mı iyi, yoksa daha mı kötü olacağını anlamaya çalışmak da yersiz bir girişim. Kendi adıma, yıllar boyunca, çeşitli vesilelerle, Florida'daki o ünlü oyun genellikle felaket, ama kimi zaman da uğur getirdiğini düşündüm.

Her şekilde kesin olan bir şey var: O yıl Tampa ve Miami seçmenlerinin simgesel bir rakamla belirledikleri şey, yalnızca Amerikan ulusunun geleceği değil; aynı zamanda, geniş ölçüde, bütün öteki ulusların geleceğiydi.

Bunu izleyen, birbirine zıt durumlar doğuran, iki başkanlık seçimi için de aynı şey söylenebilir. 2004'te, bütün dünya Başkan Bush'un yenik düşmesini istiyordu, ama onun yurttaşları onu yeniden seçmeye karar verdiler; dünyanın geri kalanında Amerikan düşmanlığı o dönemde son kertesine vardı. 2008'deyse, bunun tersine, dünyadaki bütün uluslar Senatör Obama'ya âşık olmuştu ve Amerikalıların oyları onu işaret ettiğinde, ABD'ye, halkına, onların siyasal sistemine ve etnik çeşitliliklerini yönetme becerilerine karşı –benim gözümde kesinkes haklı– bir hayranlık seli yaşandı. Hem Obama'nın söylemine, hem onun Afrikalı kökenlerine, hem de dünyanın Cumhuriyetçilerin yönetiminden artık bıkıp usanmasına bağlı olan bu amaç birliği, yakın gelecekte öyle kolay kolay bir daha tekrarlanmaz; ne var ki, bundan böyle Amerika'daki her başkanlık seçiminin dünya çapında bir psikodram yaratacağı da su götürmez.

Asıl sorun da burada yatıyor. Hatta bana göre, zararsız, anekdotlarla kısıtlı görünümler altında, çağımıza damgasını vuran, siyasetin ve ahlakın "çivisinin çıkmışlığı"nın gizli nedenlerinden biri de bu.

Daha fazla ilerlemeden önce, söylediklerime karşı gelebilecek iki itirazı da hesaba katmalıyım.

Kuşkusuz, bana şöyle denecek: ABD Başkanı bugün güçlü; siyasal kararları bütün dünyanın yazgısını etkiliyor; bu yüzden de onu seçenler hak etmedikleri bir role soyunmuş oluyorlar, yani onların seçimleri çoğunlukla Asyalıların, Avrupalıların, Afrikalıların ve Latin Amerikalıların geleceğinde belirleyici oluyor. İdeal bir dünyada, böyle olmaması gerekir. Peki ama hiçbir çözümü olmayan bir sorun karşısında ne diye çırpınıp dursun insan? Sonuçta Kolombiyalılara, Ukraynalılara, Çinlilere ya da Iraklılara Amerikan başkanlık seçimlerinde oy hakkı verilmeyecek!

Hayır, bence de öyle, saçma bir şey olurdu böylesi; zaten benim tavsiye ettiğim şey kesinlikle bu değil. Çözüm ne o halde? Çözüm falan yok. Şu anda, hiçbir çözüm göremiyorum. Ama gerçekçi bir çözümün olmaması demek, ortada bir sorun olmadığı anlamına gelmez. Bu sorunun bütünüyle gerçek olduğuna inanıyorum ben; gelecek yıllarda sorunun ciddiyeti de gitgide daha görünür hale gelecek; şimdi bile bazı yıkıcı etkileri hissediliyor.

Kitabın sonraki bölümlerinde bu endişenin nedenlerini açıklayacağım. Ama önce, öngörülebilir bir başka itirazı da aradan çıkarmak istiyorum. İlk itiraza her zaman rastlanmıştır: "Neye yarar?"; ikincisi de ondan aşağı kalmıyor: "Zaten hep böyleydi!"

Tarihin başlangıcından beri, denecektir bana, kimi uluslar iradelerini başkalarına dayatmışlardır; güçlü olanlar karar verir, ezilenler boyun eğer; bu durumda, nesiller boyu, New York'ta, Paris'te ya da Londra'da yaşayan bir kişinin oyu Beyrut'ta, La Paz'da, Lomé'de ya da Kampala'da yaşayan birininkinden daha ağır basmıştır; günümüzde birtakım değişiklikler olduysa, bu konuda daha çok bir iyileşmeden söz edilebilir, çünkü bu zamana dek özgürlüğü kısıtlanan yüz milyonlarca insan artık düşüncelerini serbestçe ifade edebilmektedir.

Tamam, bütün bunlar doğru, ama bir yandan da aldatıcı. Eski zamanların imparatorlukları da geniş ve güçlüydü elbette. Ama dünya üstündeki etkileri zayıftı; çünkü silahları ve iletişim araçları asıl yurtlarının uzağındaki bölgeleri etkin biçimde denetlemelerini sağlayamıyordu; üstelik her zaman düşman güçleri göz önünde bulundurmaları gerekiyordu.

Bugünse, teknolojinin olağanüstü gelişimi dünyanın çok daha sıkı biçimde denetlenmesine olanak sağlıyor; siyasal iktidarın az sayıda başkentte –hatta temel olarak tek bir başkentte– toplanabilmesini sağlıyor. Bu da, tarihte ilk kez, "yargılama alanı" bütün dünyayı kapsayan bir hükümetin ortaya çıkmasına neden oluyor.

Daha önce eşine rastlanmayan bu durum, doğal olarak aynı şekilde eşsiz tutarsızlıklar ve yeni dengelere –daha doğrusu dengesizliklere– neden oluyor. İntihara sürükleyen intikam duygusuna da.

Hiç kuşku yok ki, dünyanın dokusunda, insanlar arasındaki ilişkilerin bozulmasına, demokrasinin anlamının zayıflamasına ve ilerleme yolunun puslanmasına yol açan köklü bir değişim oldu.

Bu değişimi daha yakından incelemek için, onun kökenlerini ve işleyişlerini anlamaya çalışmak için, bu ölümcül labirentte el yordamıyla bir çıkış bulabilmek için "fener" görevi görebilecek kavram, meşruiyet kavramıdır. Geçerliliğini yitirmiş, unutulmuş ve belki de bazı çağdaşlarımızın gözünde oldukça şüpheli bir hal almış ama iktidar sorunu ortaya konduktan sonra vazgeçilmez olan bir kavramdır bu.

2

Halkların ve bireylerin, insanlar tarafından var edilen ve ortak değerlerin taşıyıcısı olarak görülen bir kurumun yetkesini, aşırı zorlama olmaksızın kabul etmesini sağlayan şey meşruiyettir.

Bu, geniş kapsamlı bir tanımdır, birbirinden çok farklı gerçeklikleri içerebilir: Bir oğlun anne babasıyla, bir parti üyesinin partisiyle, bir işçinin sendikasının sorumlularıyla, bir yurttaşın hükümetiyle, bir ücretlinin ya da hissedarın şirket yöneticileriyle, bir öğrencinin öğretmenleriyle, bir inananın dinsel topluluğunun ileri gelenleriyle vb. olan ilişkileri. Bazı meşruiyetler diğerlerine oranla daha istikrarlıdır, ama bunlardan hiçbiri sürekli değildir; beceriye ya da koşullara bağlı olarak meşruiyet kazanılabilir ya da meşruiyeti kaybedilebilir.

Hatta toplumların tarihi, meşruiyet krizlerinin ritminde anlatılabilir. Bir bunalımın ertesinde, yeni bir meşruiyet çıkar ortaya, yok olup gidenin yerini alır. Ama bu yeni meşruiyetin ne kadar dayanacağı da başarılarına bağlıdır. Hayal kırıklığı yaratırsa, az ya da çok hızlı biçimde zayıflamaya başlar ve ondan yararlananlar her zaman bunun farkında olmazlar.

Sözgelimi, çarlar ne zamandan sonra meşru görülmemeye başlamıştır? Ya Ekim Devrimi'nin kredisinin tükenmesi için kaç on yıl gerekmiştir? Rusya, çağdaşlarımızın gözünde, bütün dünyaya etki eden, şaşırtıcı bir meşruiyet kaybının sahnesi olmuştur. Ama bu verilebilecek örneklerden yalnızca biridir! Meşruiyet sadece görünüşte süreklidir; söz konusu olan, ister bir insanın, bir hanedanın, isterse bir devrimin ya da bir ulusal hareketin meşruiyeti olsun, gün gelir işe yaramaz olur. İşte o zaman bir iktidar gider bir başkası gelir, gözden düşen meşruiyetin yerini de bir yenisi alır.

Dünyanın az çok uyumlu biçimde, ciddi karışıklıklar yaşamadan işleyebilmesi için, halkların çoğunluğunun başında meşru liderlerin olması gerekir; bu liderleri de, zorunlu olarak, aynı şekilde meşru olarak algılanan dünya çapındaki bir yetke "denetim altında" tutmalıdır.

Günümüzdeki durumun bu olmadığı tartışma götürmez. Hatta neredeyse tam tersi geçerli: Çağdaşlarımızın birçoğu öyle devletlerde yaşıyorlar ki siyasetçiler ne dürüst bir seçimle başa geçmişler, ne saygı duyulan bir hanedandan geliyorlar, ne amacına ulaşmış bir devrimi devam ettiriyorlar ne de ekonomik bir mucizenin mimarı olmuşlar; bu yüzden de hiçbir meşruiyetleri yoktur; üstelik bütün bunlar, halkların aynı şekilde kesinlikle meşru görmediği küresel bir gücün himayesi altında sürüp gidiyor. Bu saptama, özellikle Arap ülkelerinin büyük çoğunluğu için geçerli. Buradan hareketle, bu yüzyılın başında, akla hayale sığmaz şiddet eylemlerine kalkışan insanların bu ülkelerden çıkması rastlantı mı sadece?

Meşruiyet sorunları İslam âlemi tarihinde her zaman önemli rol oynamıştır. Bu konudaki en anlamlı örnek belki de dinsel gruplaşmalardır. Hıristiyanlıkta insanlar, İsa'nın kim olduğu, Teslis, Meryem Ana'nın günahsız gebeliği ya da duaların dile getirilişi etrafında sürekli olarak fikir ayrılığına düşer ve kimi zaman da kıyıma uğrarken, İslamdaki çatışmalar genelde haleflik-seleflik tartışmaları çevresinde gelişir.

Sünniler ile Şiiler arasındaki büyük uçurum tanrıbilimsel nedenlere değil, hilafetle ilişkili nedenlere bağlıdır. Muhammed Peygamber'in ölümünden sonra, inananların bir bölümü onun genç kuzeni ve aynı zamanda damadı olan Ali'den yana olmuştur; pek çok yandaşa, parlak bir zekâya sahip biridir Ali; onun yandaşları "Şiat Ali" (Ali taraftarları), ardından da sadece "Şia" olarak adlandırılmıştır. Ama Ali'nin halifeliğine karşı olan birçok kimse de vardır, bunlar üç kez kendi temsilcilerini "halife" olarak seçtirmeyi başarmışlardır. En sonunda Ali dördüncü halife olarak seçilir, ama düşmanları çok geçmeden ona başkaldırmış ve asla huzur içinde hüküm sürmesine izin vermemişlerdir. Dört buçuk yıl sonra da öldürülür; ardından da 680'deki Kerbela Savaşı'nda oğlu Hüseyin öldürülür, bu dram Şiiler tarafından hararetli biçimde anılmıştır her zaman. Şiilerin birçoğu yakın bir gelecekte insanların arasında Ali'nin soyundan gelen birinin, bugün bizlerden saklanan ve iktidarı yine meşru sahiplerine kazandıracak olan bir imamın yeniden ortaya çıkacağını umar – yüzyıllar geçse de üstüne gölge düşmeyen bir tür mesihçilik.

Bu hanedan kavgasına, tıpkı Hıristiyanların tanrıbilimsel kavgalarında olduğu gibi, bambaşka düşünceler de eklenir. Bir zamanlar Roma bir İskenderiye ya da Konstantinopolis Patriğinin inanışlarını sapkın olarak nitelerken, İngiltere Kralı VIII. Henry Roma Kilisesi'nden koparken ya da bir Alman hükümdarı Luther'in yanında yer alırken, genelde bütün bunlara bilinçli ya da bilinçsiz olarak, gizliden gizliye etki eden siyasal düşünceler, hatta ticari rekabetler olmuştur. Aynı şekilde, Şiiliğin savları da, o dönemki iktidara karşı olduklarını göstermek isteyen halklar tarafından benimsenmiştir bazen. Örneğin, 16. yüzyılda, kesinkes Sünni olan Osmanlı İmparatorluğu'nun en geniş topraklara sahip olduğu ve bütün Müslümanları yetkesi altında topladığını ileri sürdüğü bir dönemde, İran Şahı krallığını bir Şii kalesine dönüştürmüştür; hükümdar için bu, imparatorluğunu korumanın bir yoludur, Farsça konuşan uyruğunun Türkçe konuşan bir halkın egemenliği altına girmesini engelleyecektir. Ama İngiltere Kralı, Ekmek ve Şarap Ayini'nden ya da Araf'tan söz edip bağımsızlığını ilan ederken, Şah'ın ondan farkı, meşruiyetin asıl sahibi Peygamber ailesine olan bağlılığını ortaya koymasıdır.

Günümüzde, soyağacıyla ilişkili meşruiyetin hâlâ belli bir önemi bulunmakta; ama buna "yurtsever" ya da "savaşçı" olarak adlandırılabilecek başka bir meşruiyet daha eklendi, hatta kimi zaman onun yerini alıyor: Müslümanların gözünde, düşmanlara karşı olan savaşı yöneten, meşrudur. Aslında Haziran 1940'ta, seçildiği ya da fiili iktidarı elinde bulundurduğu için değil de işgalciye karşı mücadele meşalesini taşıdığı için Fransa adına konuşan General De Gaulle'ün durumunu andırıyor bu biraz da.

Bu karşılaştırma ister istemez yaklaşık bir değerlendirmeyi yansıtıyor; ama yine de, bence Arap-İslam âleminde son birkaç on yıldır olup biten şeyleri çözmek isteyenler için bir anahtar oluşturabilir; aslında, olup bitenler, tabii ki çok daha eskilere dayanıyor ama ben, benim yaşımda, eğitmenlerden ve gazetecilerden oluşan bir ailede, Lübnan'da doğmuş, ardından Fransa'ya göçmüş ve anayurdunu gözlemlemekten asla vazgeçmeyip anlamaya ve açıklamaya çalışmış biri, bu konuda ne söyleyebilirse onları söylemekle yetineceğim.

Dünyaya gözlerimi açalı beri, halkları ya da bütün Araplar, hatta bütün Müslümanlar adına konuşup, o "yurtsever meşruiyeti" ellerinde bulundurduklarını düşünen farklı farklı kişilerin gelip gidişine tanık oldum. Bunların en önemlisi, tartışmasız, 1952 yılından ölüm tarihi olan 1970 yılına kadar Mısır'ı yöneten Cemal Abdülnâsır'dı. Ondan uzun uzadıya söz edeceğim, çünkü kanımca bugün Arapların yaşadığı meşruiyet krizi onun zamanıyla –hızlı yükselişiyle, ardından yine hızlı biçimde başarısızlığa uğramasıyla, sonra da ani ölümüyle– tarihlendirilebilir; bu öyle bir kriz ki hem dünyanın çivisinin çıkmasında hem de denetimsiz şiddete ve gerilemeye doğru kırılmada etken oluşturuyor.

Ama Nâsır'ın izlediği yolu değerlendirmeden önce, şu "yurtsever meşruiyet" kavramını biraz daha belirginleştirmek istiyorum. Özel, hem de çok özel, hatta belki de İslam âleminde bir eşine daha rastlanmamış bir örnekten, halkını yıkımdan kurtarmayı başarmış, bu yüzden de savaşçı meşruiyetini hak etmiş, böylesi bir kozun ne kadar güçlü olabileceğini ve ondan nasıl yararlanılabileceğini açıkça göstermiş bir önderden hareketle yapacağım bunu. Atatürk'ten söz etmek istiyorum.

Birinci Dünya Savaşı'nın ertesinde, bugünkü Türkiye toprakları çeşitli İtilaf orduları arasında paylaşılırken ve Versailles'da ya da Sèvres'de toplanan Batılı güçler duygusuz biçimde insanlara ve topraklara sahip olurken, Osmanlı ordusunun bu subayı galiplere hayır deme cesaretini göstermiştir. Birçokları karşılaştıkları haksızlıklardan yakınırken, Mustafa Kemal Paşa silaha sarılmış, ülkesini işgal eden yabancı birlikleri kovmuş ve diğer güçleri tasarılarını gözden geçirmek zorunda bırakmıştır.

Bu ender rastlanan tutum -söylemek istediğim, hem yenilmez olarak ün salmış düşmanlarına direnme gözüpekliğini sergilemesi, hem de bu savaşımdan galip çıkması- onun meşruiyet kazanmasına yol açmıştır. Kısa süre içinde, "ulusun kurucusu" konumuna gelen eski subayın Türkiye'yi ve Türkleri istediği gibi yeniden biçimlendirmek için uzun süreli bir gücü vardır artık. Azimle işe koyulur. Osmanlı hanedanına son verir, halifeliği kaldırır, din ile devlet işlerini birbirinden ayırır, sıkı bir laik sistem kurar, halkından Avrupalılaşmasını ister, Arap alfabesinin yerine Latin alfabesini koyar, erkeklerin sakal tıraşı olmasını, kadınlarınsa peçelerini çıkarmasını zorunlu kılar, kendi başındaki geleneksel başlık yerine Batı tarzı şık bir şapka kullanmaya başlar.

Halkı da onu izlemiştir. Çok da şikâyet etmeden, gelenekleri ve inanışları altüst etmesine izin vermiştir. Neden? Çünkü halkını tekrar gururlandırmıştır. Halka haysiyetini geri veren kişi ona pek çok şeyi kabul ettirebilir. Ondan fedakârlıklar, kısıtlamalar isteyebilir ve hatta buyurganca davranabilir; halk yine de onu dinleyecek, savunacak, onun sözünü dinleyecektir; sonsuza dek değil, ama uzun süreliğine. Dine çatsa bile, yurttaşları çok da sırtını dönmeyecektir ona. Siyasette, dinin kendisi bir amaç değildir, düşüncelerden biridir yalnızca; meşruiyet en inançlı olana değil, mücadelesi halkınkiyle aynı olana verilir.

Doğu'da pek az insan Atatürk'ün bir yandan Avrupalılara karşı canla başla mücadele verirken, bir yandan da Türkiye'yi Avrupalılaştırmayı düşlemesini bir çelişki olarak değerlendirir. O herhangi bir tarafa karşı savaş vermemiştir, bir yerli olarak değil, diğer herkesle eşit bir insan olarak saygı görmek adına mücadele etmiştir; Mustafa Kemal ve halkı haysiyetlerini kurtardıktan sonra, modernlik yolunda çok ilerilere gitmeye hazırlardır artık.

Atatürk'ün elde ettiği meşruiyet onun ölümünden sonra da devam etmiştir ve bugün de Türkiye onun adına yönetilmektedir. Onun düşüncelerini paylaşmayanlar bile ona belli bir bağlılık sergilemek zorunda hissederler kendilerini. Buna karşın, Avrupa korkuya kapılmışken, yükselmekte olan dinsel köktencilik karşısında yapının daha ne kadar dayanabileceği sorgulanabilir. Kemalistler halklarını, Avrupalılar onlara günde üç kez Avrupalı olmaklarını ve aralarında yerlerinin olmadığını söylerken, nasıl Avrupalılaşmaya ikna edebilirler?

İslam âlemindeki pek çok lider, Türkiye örneğine öykünmeyi düşledi.

Afganistan'da, 26 yaşındaki gencecik kral Emanullah 1919'da tahta geçti ve Atatürk'ün izinden gitmek istedi. Ordusunu işgalci İngiliz birlikleri üstüne sürdü ve ülkesinin bağımsızlığının tanınmasını sağladı. Bu şekilde kazandığı saygınlıktan güç alıp iddialı reformlara girişti, çokeşliliği ve peçeyi yasakladı, erkek ve kız çocuklar için modern okullar açtı, özgür basının ortaya çıkmasını destekledi. Bu deneyim on yıl sürdü, 1929'da Emanullah kendisini dinsizlikle suçlayan gelenekçi liderlerin komplosuyla tahttan indirildi. 1960'ta Zürih'te, sürgünde öldü.

İran'da Rıza Şah'ın girişimiyse daha uzun süreli oldu. Atatürk'e hayran bir kişi ve tıpkı onun gibi subay olan Rıza Şah kendi ülkesinde aynı modernleştirici deneyimi gerçekleştirmek istiyordu; ama en sonunda gerçek bir kopma sağlamayı başaramayıp Avrupa tarzı bir cumhuriyet yerine yeni bir hanedanı, Pehlevi hanedanını kurmayı yeğledi ve bir bağımsızlık çizgisi izlemek yerine güçler arası çelişkilerden yararlanmaya çalıştı. Kuşkusuz model aldığı kişiyle aynı yeteneklere sahip değildi, ama hakkını da yememek için şunu da belirtmekte yarar var, petrolün bulunmasından sonra Batılı güçlerin İran'ı kendi haline bırakması pek de olası değildi. Hanedan, iktidarı korumak için İngilizlerle, ardından da Amerikalılarla, yani İran halkının refah ve onurunun düşmanı olarak gördüğü ülkelerle ittifak yaptı.

Atatürk örneğinin tersi bir örnek bu. Düşman güçler tarafından korunduğu düşünülen birinin meşruiyeti kabul edilmez ve giriştiği her iş değersiz görülür; ülkeyi modernleştirmek istiyorsa, halk modernleşmeye karşı çıkar; kadınları özgürleştirmeyi hedefliyorsa, sokaklar protestocu çarşaflarla dolar.

Pek çok sağduyulu reform başarısızlığa uğramıştır, çünkü nefret edilen bir iktidarın imzasını taşıyordur! Bunun tersine, pek çok akla aykırı eylem de alkışlanmıştır, çünkü savaşçı meşruiyetin damgasını taşıyordur! Öte yandan, bu durum bütün dünya için geçerlidir; bir öneri oylanırken, seçmenler önerinin içeriğindense, onu temsil eden kişiye güvenip güvenmediklerine göre kararlarını verirler. Pişmanlıklar, tartışmalar ancak sonradan devreye girer.

3

Türk deneyimi, Arap ülkelerinde, İslam âleminin geri kalanından daha çekinceli biçimde karşılanacaktı. Atatürk'ün reformcu cesareti, kuşkusuz, Tunuslu lider Habib Burgiba gibi toplumsal açıdan modernlik yanlısı olanlar için esin kaynağı oluşturmuştu; ama aynı zamanda Türk ulusalcılığında Araplara karşı sergilenen bir küçümseme, bir önyargı vardı ve bu Arapların Atatürk'ün düşüncelerine pek sıcak bakmamalarına neden oluyordu.

Çünkü Türkiye'yi Avrupalılaştırma isteği bir yandan da onu Araplardan uzaklaştırma isteğiydi. Osmanlı İmparatorluğu'nun Birinci Dünya Savaşı sırasında parçalanması, padişahın Arap uyrukları ile Türk uyruklarının birbirinden kopmasına neden olmuştu. Mekke'deki Haşimiler 1916'da İngilizlerin kışkırtmasıyla isyan bayrağını açtıklarında, amaçlarından biri dört yüzyıldan beri Osmanlı padişahlarına ait olan halifeliği Araplara geçirmekti; Türk boyunduruğundan kurtulan Peygamber halkı, eski zamanlardaki şanına kavuşabilecekti.

Türk ulusalcıların içini de buna benzer öfkeler kemiriyordu: İlerleyemiyorsak, diyorlardı özetle, bunun nedeni Arap prangasını yüzyıllardır arkamızda sürüklememizdir; o karmaşık alfabeden, modası geçmiş geleneklerden, eskil düşünce tarzından kurtulmanın tam zamanıdır; hatta kimileri, kısık sesle, dini bile katıyorlardı bunların içine. "Araplar bizden ayrılmak mı istiyorlar? İyi ya! Hadi o zaman! Buyursunlar gitsinler!"

Yalnızca alfabeyi değiştirmekle yetinilmedi, Türk dilinden Arapça kökenli sözcükleri ayıklama işine girişildi. Ne var ki bunların sayısı çoktu ve sık kullanılıyordu, örneğin İspanyolcadakinden daha fazla Arapça kökenli sözcük vardı Türkçede; İspanyolcada Arapçadan özellikle somut yaşama ilişkin sözcükler alınmıştı –yeryüzü şekilleri, ağaç isimleri, besin maddeleri, giysiler, aletler, mobilyalar, meslekler–, entelektüel ve ruhsal sözcük dağarı daha çok Latince kökenliydi. Türkçedeyse, bunun tersine, Arapçadan özellikle soyut kavramlar alınmıştı: "iman", "hürriyet", "terakki", "ihtilal", "cumhuriyet", "edebiyat", "şiir", "aşk" vb.

Demek ki bu acılı kopuş hem bedensel hem de ruhsal açıdan gerçekleşiyordu.

Aynı dönemde, aynı çatı altında, ama birbirlerinden pek hoşlanmadan doğan Türk ulusalcılığı ile Arap ulusalcılığının son derece farklı yazgıları olacaktı. İlki zaten yetişkin doğmuştu, ikincisiyse asla yetişkin olamamıştı. Ama doğrusu, ikisi de ellerinde aynı kozlarla, önlerinde aynı engellerle ortaya çıkmamışlardı.

Türkler uzun zaman boyunca devasa bir imparatorluğu yönetmişler, sonradan bu ellerinden yavaş yavaş kayıp gitmişti; bazı toprakları başka güçler –Rusya, Fransa, İngiltere, Avusturya ya da İtalya– tarafından ele geçirilmiş ya da geri alınmıştı; bazılarını da yeniden doğan uluslara –Yunanlar, Romanyalılar, Bulgarlar, Sırplar, Arnavutlar, Karadağlılar ya da daha yakın zamanda Araplar– bırakmak zorunda kalmışlardı; Atatürk yurttaşlarına, yitirilen eyaletlerin ardından ağlamak yerine, kurtarılabilecek olanları kurtarmak gerektiğini açıklamıştı; onlar da kendi dillerini konuşanların ağırlıkta olduğu yerde –özellikle Anadolu, Avrupa'da da dar bir toprak şeridi– bir ulus toprağı oluşturmalı; hemen yanlarındaki başka ulusların aleyhine olsa da oradaki üstünlüklerini pekiştirmeli; yeni giysiler içinde ikinci bir yaşama başlayabilmek için Osmanlı geçmişinin modası geçmiş kıyafetlerinden kesinkes kurtulmalıydılar.

Araplar için de "bir ulus toprağı" oluşturulması düşüncesi gündemdeydi, ama bu işin gerçekleştirilmesi, Türklerinkine oranla son derece güçtü. Atlas Okyanusu ile Basra Körfezi arasında yaşayan ve Arapça konuşan çeşitli halkları tek bir devletin çatısı altında bir araya getirmek devasa bir girişimdi. Haşimiler bu konuda başarısızlığa uğradılar, tıpkı Nâsır'ın, bütün Arap ulusalcılarının başarısızlığa uğradığı gibi, böylesi geniş çaplı bir göreve soyunsa Atatürk'ün de başarısızlığa uğrayacağı gibi.

Zaman geçtikçe, bu maceraya hiç atılmamak gerektiği düşünülmeye başlandı; ama Birinci Dünya Savaşı'nın ertesinde, hiç de saçma gelmiyordu bu düşünce. Hemen hemen bütün ülkelerin gerçekten de aynı Türk padişahının sultası altında birleştiği Osmanlı döneminden yeni çıkılmıştı; şimdi de bir Arap hükümdarının altında birleşebilirlerdi, neden olmasın? Hem sonra, dönemin havasına uygun bir girişimdi bu. 1860'ta Cavour, İtalya'nın; 1870'te Bismarck, Almanya'nın birliğini sağlamıştı, bir dereceye kadar yeni sayılabilecek olaylardı bunlar, anıları hâlâ canlıydı. Neden bir de Arap birliği kurulmasın, diye düşünülüyordu.

Bugün, Irak'ı, Suriye'yi, Lübnan'ı, Ürdün'ü, Libya'yı, Cezayir'i, Sudan'ı ve Arabistan'ı aynı ülkede bir araya getirmek yalnızca bir hayal gibi görünüyor. Ama o yıllarda, ne Irak, ne Suriye, ne Lübnan, ne Ürdün, ne Libya, ne Cezayir, ne Sudan, ne de Arabistan vardı. Haritalarda bu adlara rastlandığında, coğrafi yerlere ya da yönetim bölgelerine, kimi zaman da yok olup gitmiş bir imparatorluğun eyaletlerine işaret ediyorlardı sadece; aralarından hiçbiri asla ayrı bir devlet oluşturmamıştı. Böylesi bir tarihsel süreklilik sergileyebilen Arap ülkelerine ender rastlanıyordu: Fas, ama o artık Fransız koruması altındaydı; Mısır, ama İngiliz himayesindeydi; Yemen, ama eskil monarşisi onu dünyadan uzakta tutuyordu.

Bu yüzden, Arap birliğini övmek ne kadar akıldışı geliyorsa da, onu övmemek de bir o kadar akıldışı görünüyordu. Bazı tarihsel ikilemler en sıra dışı kişiler tarafından bile çözülemez. Arap âlemi birlik olma düşünü gerçekleştirmek için tutkuyla, canla başla mücadele etmeye, ama diğer taraftan da ondan yoksun kalmaya yazgılıydı.

Nâsır'ın trajedisi ve günümüze dek süregelen bütün dramlar işte bu çözülemeyen ikilemin ışığında incelenebilir. Mısır *reisi*nin başa geçmesinden otuz beş yıl önce, bazı yerlerde, hâlâ bir efsane olan başka biri Arapların gönlünü çelmişti. Arabistanlı Lawrence'ın danışmanlığını, biraz da akıl hocalığını yaptığı

Haşimi hükümdarı Faysal'dan söz ediyorum. Mekke şerifinin oğlu olan Faysal, kendisinin hükümdar olacağı ve öncelikle Ortadoğu'yla, Arap Yarımadası'nın bütününü bir araya getirecek bir Arap krallığı düşlüyordu. İngilizler, Arapların Osmanlılara karşı ayaklanmasına karşılık olarak bu krallığı ona vaat etmişlerdi, babasını da halife sanıyla tanıyacaklarını vaat ettikleri gibi; dolayısıyla, Dünya Savaşı'nın sonunda, Batılı güçlerden tasarısı için destek almak amacıyla, Albay Lawrence'la birlikte Versailles Konferansı'na katıldı.

Paris'te kaldığı süre içinde, Siyonizm hareketinin önemli figürlerinden, otuz yıl sonra, İsrail devletinin ilk başkanı olacak olan Chaim Azriel Weizmann'la tanıştı. Bu iki adam 3 Ocak 1919'da, iki halk arasındaki kan bağlarını ve tarihsel ilişkileri överek ve Arapların arzuladığı büyük krallığın kurulması halinde bunun Filistin'e yerleşme konusunda Yahudileri cesaretlendireceğini ileri sürerek, şaşırtıcı bir belgeye imza attılar.

Ama söz konusu krallık kurulmadı. Batılı güçler bölge halklarının kendilerini yönetemeyeceklerini düşünüp İngiltere'ye Filistin, Batı Şeria ve Irak "manda"larını, Fransa'ya da Suriye ile Lübnan "manda"larını vermeye karar verdiler. Öfkeden çılgına dönen Faysal, Atatürk'ün çizdiği yoldan ilerleyip Batılı güçleri bu oldubitti karşısında bırakmaya karar verdi. Kendini "Suriye Kralı" ilan edip Şam'da Arap siyasal hareketlerinin çoğunluğunun katıldığı bir hükümet kurdu. Ama Fransa kendisine verilen bölgeden yoksun kalmaya niyetli değildi. Hiç zaman kaybetmeden oraya gönderdiği askeri birliğin Faysal'ın zayıf birliklerini yenip Temmuz 1920'de başkentini ele geçirmesi pek de zor olmadı. Tek savaş Maylasun adındaki bir köyün yakınlarında yapıldı; bu ad yurtseverlerin belleğine bir hayal kırıklığı, güçsüzlük, ihanet ve yas simgesi olarak kazındı.

Suriye'deki geçici krallığını yitiren Haşimi emiri teselli ikramiyesi olarak, İngiliz himayesinde Irak tahtını aldı, ama saygınlığına sonsuza dek leke sürülmüştü. Elli yaşında, 1933'te, İsviçre'de kaldığı bir dönemde hayata gözlerini yumdu; Lawrence da bundan iki yıl sonra bir motosiklet kazasında ölecekti.

1919'daki anlaşmadan sonra, Araplar ile Yahudiler arasında bir daha asla bunun gibi bir anlaşma olmayacaktı, iki halkın ulusal özlemlerini göz önünde bulunduran, onları uzlaştırmaya, hatta birleştirmeye çalışan, küresel bir anlaşmayı kastediyorum. Yahudilerin Filistin'e yerleşmesi Arapların istemediği bir şeydi, bu yüzden de öfkeyle bunu engellemeye çalışacak, ama bu konuda başarılı olamayacaklardı.

Mayıs 1948'de İsrail devleti kurulduğunda, komşuları onu tanımayı reddedecekler ve daha büyümeden onu ortadan kaldırmaya çalışacaklardı. Orduları Filistin'e girecek ama daha az sayıda olmalarına karşın daha iyi eğitimli, geniş ölçüde seferber olmuş ve yetkin subayların yönetimindeki Yahudi birlikleri karşısında birbiri ardına yenik düşeceklerdi. İsrail'in dört sınır komşusu ateşkes anlaşmaları imzalamak zorunda kalacaktı: Mısır Şubat 1949'da, Lübnan Mart'ta, Ürdün Nisan'da, Suriye de Temmuz'da.

Bu beklenmedik bozgun Arap âleminde çok büyük bir siyasal sarsıntı yarattı. Kamuoyu öfkeliydi; İsraillilere, İngilizlere ve Fransızlara, biraz da Yahudi devletini hemencecik tanıyıveren Sovyetler ile Amerikalılara; ama hepsinden çok kendi liderlerine kızgındılar; hem savaşı yönetme biçimleri, hem de bozguna boyun eğmeleri yüzünden. 14 Ağustos 1949'dan sonra, ateşkesin imzalanmasının üstünden daha bir ay geçmemişken, Suriye devlet başkanı ile başbakanı bir darbeyle indirildi ve idam edildiler. Lübnan'da, savaş ve ateşkes sırasında görevde olan eski Başbakan Riyad es-Sulh Temmuz 1951'de ulusalcı militanlar tarafından öldürüldü. Bundan beş ay sonra, Ürdün Kralı Abdullah da bir katilin kurşunlarının kurbanı oldu. Aynı şekilde, Mısır'da da Nukraşi Paşa'nın öldürülmesiyle başlayan ve ancak Temmuz 1952'deki darbeyle sona eren bir dizi suikast ve kanlı ayaklanma yaşandı. Ateşkesi kabul eden bütün Arap liderleri dört yıldan daha kısa bir süre içinde ya iktidarlarını ya da yaşamlarını yitirmişlerdi bile.

Bu bağlamda, Nâsır'ın başa geçişi büyük beklentilere yol açtı ve onun ulusalcı söylemi kısa sürede heyecan yarattı. Araplar, çok uzun zamandır günün birinde bir adamın gelip düşlerini –birlik, gerçek bağımsızlık, ekonomik gelişme, toplumsal ilerleme ve her şeyden önce onurlarına yeniden kavuşma– gerçekleştireceğini hayal ediyorlardı. Nâsır'ın o adam olmasını istiyorlardı, ona inandılar, onu izlediler, sevdiler. Başarısızlığı onları derinden sarsacak, liderlerine ve aynı zamanda kendi geleceklerine olan güvenlerini uzun bir süre için yitirmelerine neden olacaktı.

4

Nâsır'ın başarısızlığının pek çok sorumlusu vardı. Kuşkusuz Batılı güçlere, İsrail'e, petrol işletmecisi monarşilere, Müslüman Kardeşlere, liberal çevrelere ve ayrıca, zaman zaman Arap komünistlere karşı şiddetli bir mücadele veriyordu; ama bu rakiplerden hiçbiri Nâsırcılığın bozguna uğramasında Nâsır'ın kendisi kadar pay sahibi değildi.

Nâsır bir demokrat değildi, iş sadece bununla da kalmıyordu: % 99'luk kamuoyu yoklamalarıyla tek partili bir rejim, her yerde hazır bulunan bir gizli polis örgütü, İslamcıların, Marksistlerin, kamu davası tutuklularının ve çenelerini tutmayı bilememiş zavallı yurttaşların bir arada kaldıkları gözaltı merkezleri kurmuştu. Onun ulusalcılığı yabancı düşmanlığı havası taşıyordu, bu da özellikle İskenderiye'deki sayısız Akdeniz topluluğunun –İtalyanlar, Yunanlar, Maltalılar, Yahudiler, Suriye-Lübnan'daki Hıristiyanlar– yüzyıllık ve verimli birlikteliğinin sona ermesini hızlandırdı. Ekonomideki tutumu saçmalığın ve savrukluğun dik âlâsıydı; sık sık ulusallaştırılan şirketlerin başına, ödüllendirmek ya da kibarca devre dışı bırakmak için birtakım askerleri getiriyordu, ne var ki etkili bir yönetim sağlamanın en iyi yolu sayılamazdı bu. Nâsır'ın Sovyetlerin yardımıyla büyük masraflara girerek kurduğu ve korkutucu görünen orduya gelince, o da 5 Haziran 1967'de İsraillilerin karşısında birkaç saat içinde bozguna uğrayacaktı; Mısır'ın devlet başkanı, düşmanlarının ona kurduğu ve kendisinin de önünü alamadığı bir tuzağa düşmüştü.

Ona yöneltilebilecek eleştirilerin birçoğunu sıraladım sanırım, ama şunu da eklemekte yarar var, Nâsır sadece bu değildi. Onun başa geçişi büyük olasılıkla yüzyıllardan beri Arapların tarihinde görülen en çarpıcı olaydı. Günün birinde Arapların kalbinde onun tuttuğu yere sahip olabilmek için çılgınlıklar yapan öyle çok lider oldu ki! İnsan Saddam Hüseyin'in Nabukadnezar ya da Selahaddin Eyyubi göndermelerinin şatafatlı ve boş imgeler olduğunu, asıl niyetinin yeni bir Nâsır olmak olduğunu aklının bir kenarında tutmazsa, onun atıldığı o megalomanyak maceraları anlayamaz. Ondan başka birçok kişi daha bunu düşlemişti; hatta bazıları hâlâ düşlemekte, her ne kadar zaman değişse, Arapçılık, Üçüncü Dünyacılık ve sosyalizm artık başarıya götüren kavramlar olarak görülmese de.

Tam da 1950'li yılların başında, Arap âlemi sömürge döneminden çıkma yolundaydı; Mağrip hâlâ Fransız yetkesi altındaydı, Körfez Emirlikleri İngiltere kralına bağlıydılar, birkaç ülke bağımsızlığını elde ettiyse de, çoğu için bu yalnızca kâğıt üstünde kalmıştı; özellikle Mısır için söz konusu olan durum buydu, İngilizler orada halkın gözünde saygınlığına sürekli gölge düşen Kral Faruk'a pek aldırmadan hükümetler oluşturup feshediyorlardı. Hükümdar; yaşama tarzı, çevresindekilerin kokuşmuşluğu, İngiliz dostu olduğunun düşünülmesi ve ayrıca, 1948'den beri, ordusunun İsrail karşısında aşağılayıcı biçimde bozguna uğraması yüzünden halkta nefret uyandırıyordu.

Temmuz 1952'de yönetime el koyan "Hür Subaylar" lekelenen onurlarını temizlemeye söz vermişlerdi: Eski rejime son verecekler, İngiliz etkisinden kurtulup bağımsızlık girişimini olması gereken yere getirecekler ve Filistin'i Yahudilerden alacaklardı. O dönemde Mısır halkının, aynı zamanda da bütün Arap halklarının özlemlerine karşılık veren amaçlardı bunlar.

Mısır, Arap halkları için, o dönemde söylendiği şekliyle "abla"ydı, onun yaşadığı deneyim yakından izleniyordu.

Darbe şiddete başvurulmadan, hatta belli bir hoşgörü çerçevesinde gerçekleşti. Devrik kral toplar eşliğinde yatına götürüldü ve söylendiğine göre, elle işlenmiş, değerli baston koleksiyonunu yanına almasına bile izin verilmişti. Yaşamının geri kalanını, her türlü siyasal etkinlikten uzak halde, Côte d'Azur, İsviçre ve İtalya arasında geçirecekti. Bir yıl boyunca, monarşiden bile vazgeçilmedi, ülkenin başında kâğıt üstünde birkaç aylık vâris prens bulunuyordu.

Eski rejimde yüksek mevkilerde bulunanlardan hiçbiri ne öldürüldü ne de uzun süreliğine hapse atıldı. Mallarına, sanlarına, ayrıcalıklarına el kondu konmasına ama kendilerine karşı hoşgörülü davranıldı. Bazıları yabancı ülkelere göç etmeyi yeğlese de, çoğu evlerinde kaldı ve huzur içinde bir yaşam sürdü. Devrik krala övgüler düzmekle suçlanan ünlü Ümmü Gülsüm'ün radyo konserlerine de darbenin ertesi gününde heyecanlı askerler tarafından yasak getirilmişti; Ümmü Gülsüm bu konuyu bir gazeteci arkadaşına açınca, arkadaşı zaman kaybetmeden Nâsır'a haber vermiş ve yasak hemen kaldırılmıştı; Gülsüm çok geçmeden yeni rejimin simgesi bir şarkıcı haline gelecekti.

Mısır devriminin bu sakin yanı, tarih boyunca gerçekleşmiş aynı türden, ama beraberinde ortalığı kan gölüne çeviren olaylarla onu uygun biçimde karşılaştırma olanağı sağlıyor – Cromwell'in İngiltere'siyle, Robespierre'in Fransa'sıyla, Lenin'in Rusya'sıyla ya da zaman ve mekân olarak daha yakın örneklerle, Irak, Etiyopya ve İran monarşilerinin devrilmesiyle karşılaştırmalı bu devrimi.

Yine de bu değerlendirmeyi biraz açmak gerek. Nâsır zalim bir zorba değilse de, şiddet düşmanı da değildi; evet, eski rejimin paşaları ecelleriyle ölmüşlerdi ama iktidar için tehlike oluşturduğu düşünülen solcusu sağcısı diğer siyasal rakipleri asılmış, kurşuna dizilmiş ya da suikasta kurban gitmiş, birçoğu da işkence altında can vermişti. Üstelik, Nâsır ulusalcılığı, söyleminde olduğu kadar etkili kararlarında da, Mısır toplumundaki "yabancı"ların hepsine karşı her zaman açık bir düşmanlık sergilemişti.

Buradaki niyetim etik bir yargıya varmak değil, aslında benim de bir yargım var tabii ve onu dile getirmek de gayet meşru görünüyor gözüme. Özellikle Nâsır'ın onun ardından gelenlere nasıl bir örnek oluşturabileceğini düşünüyorum. O, Arap âlemi için, bütün İslam âlemi için, aynı şekilde Afrika için bir modeldi. Bu yüzden söylediği ve yaptığı her şey, bütün ülkelerde, farklı farklı koşullar altında yaşayan yüz milyonlarca insan için eğitici bir değer taşıyordu. Böylesi bir doruğa çok az lider erişebilmiştir, onların arasından da sadece en iyileri, hele yeni doğan ya da yeniden doğan bir ulusun izleyeceği yolu belirlemek söz konusu olduğunda, bu ayrıcalığın getirdiği ağır sorumluluğun bilincine varabilmiştir.

İçinde yaşadığımız dönemde Nelson Mandela'nın durumu bu konuda büyük anlam taşır. Arkasına güçlü bir dalga alan ve hapis yıllarının kendisine kazandırdığı saygınlıkla yüceltilen Mandela bir orkestra şefi konumundaydı. Yurttaşları gözlerini ondan, söylediklerinden, hareketlerinden ayırmıyorlardı. Mandela acılarını anlatmaya, gardiyanlarının hesabını görmeye kalksaydı, *apartheid*'ı desteklemiş ya da buna izin vermiş olanları cezalandırsaydı, kimse onu suçlayamazdı. Son nefesine kadar devlet başkanlığında kalmak ve bir otokrat olarak ülkesini yönetmek isteseydi, kimse bunu engelleyemezdi. Ama o, çok açık bir tavırla, bambaşka mesajlar vermeyi seçti. Kendisine işkence edenleri bağışlamakla kalmadı, eski başbakan, ayrımcılığın mimarlarından biri olan Verwoerd'ün dul eşini ziyaret edip geçmişin artık geride kaldığını ve yeni Güney Afrika'da ona da yer olduğunu dile getirmek istedi. Verdiği mesaj açıktı: Ben, Mandela, ırkçı rejim döneminde bilindiği üzere işkencelere uğradım, bu iğrençliğe son verebilmek için herkesten çok çabaladım, şimdi devlet başkanı olarak, beni hapse atan adamın evine misafir olmak ve dul eşiyle çay içmek istiyorum. Bundan böyle, halkım arasından hiç kimse militanca vaatlerde bulunmayı ya da intikam peşinde koşmayı kendine hak görmesin!

Simgeler güçlüdür, hele bir de böylesine değerli, sözü dinlenen, hayran olunan birinden geldi mi, tarihin akışını değiştirebilir kimi zaman.

Nâsır da birkaç yıl boyunca buna benzer bir konumdaydı. İsteseydi, siyasal kültürü ve mizacı kendisini bu yöne sürükleseydi, Mısır'ı ve bütün o bölgeyi demokrasiye, bireysel özgürlüklere daha çok saygı göstermeye, kuşkusuz aynı zamanda barışa ve gelişmeye yönlendirebilirdi.

Yirminci yüzyılın ilk çeyreğinde, önde gelen Arap ya da İslam ülkelerinde canlı bir parlamenter yaşama, basın özgürlüğüne ve halkların büyük ilgi gösterdiği, nispeten dürüst seçimlere tanık olunduğu unutuluyor kolayca. Yalnızca Türkiye ya da Lübnan için geçerli değildi bu durum, Mısır'da, Suriye'de, Irak'ta ve İran'da da söz konusuydu ve bütün bu ülkelerin zorba ya da otoriter rejimlere dönmesinin önüne de geçilebilirdi.

Fazlasıyla kusurlu demokratik bir yaşamın hüküm sürdüğü bir ülkede iktidara gelen Nâsır, sistemde reform yapabilir, onu toplumun başka katmanlarına yayabilir, gerçek bir hukuk devleti kurabilir, rüşvete, eş dost kayırıcılığına ve yabancı müdahalelerine son verebilirdi. Sınıfı ve görüşü ne olursa olsun halkın bütün kesimleri de kendisini bu yolda izlerdi büyük olasılıkla. Ama o, ulusu devrim hedefleri çevresinde bir araya getirmeyi ve her bölünmenin, her anlaşmazlığın düşmanlara fırsat yaratacak bir gedik açacağını bahane ederek, sistemi bütünüyle ortadan kaldırıp tek partili bir rejim kurmayı yeğledi.

Elbette, tarih yeniden yazılmaz. Cesur bir yardımla iktidara gelen genç –canu gönülden yurtsever, namuslu, zeki ve karizma sahibi, ama tarihsel ya da manevi kültürü zayıf– Mısırlı subay, kendi eğilimlerinin izinden gitti, dönemin havasına da uyuyordu bu eğilimler. Ellili yılların başında, babadan kalma düşünceler kendisini ister istemez böyle davranmaya itmişti. Ülkesi kuşaklardır İngiliz entrikalarının pençesindeydi; Nâsır da, haklı olarak, son derece uyanık ve sert görünmek zorunda olduğuna inanmıştı, yoksa İngilizler ellerinden kaçırdıkları avı bir dalavereyle yeniden ele geçiriverirlerdi.

Temmuz 1952 darbesinin ertesinde, dünyanın görünümü de onun düşüncelerini destekler gibiydi. Bütün bakışlar o dönemde İran'a çevrilmişti: İsviçre'de eğitim görmüş bir hukukçu, en az Nâsır kadar yurtsever olan, ama çoğulcu bir demokrasiden yana tavır sergileyen İran başbakanı Musaddık, İngiltere-İran Petrol Şirketi'yle kapışmaktaydı. Şirket o sırada devlete pek küçük bir pay ödüyor, bu payı da canının istediği oranda, kendisi belirliyordu. Musaddık gelirlerin yarısının ülkesine verilmesini istedi. İstediğini elde edemeyince, şirketin ulusallaştırılması konusunu parlamentoda oya sundu. İngilizlerin buna yanıtı korkutucu biçimde etkiliydi. İran petrolüne dünya çapında bir ambargo koyuldu, kimse artık bu petrolden almaya cesaret edemiyordu; ülke, çok kısa bir süre içinde, her türlü kaynaktan yoksun kaldı, ekonomi tıkandı. Mısır devriminin ilk yılı boyunca, zavallı Musaddık'ın diz çöktüğüne tanık olunacaktı; Ağustos 1953'te de yönetimden uzaklaştırıldı. Kısa bir süre için kendi isteğiyle ülkesinden ayrılmış olan şah da, bunun üstüne yeniden güçlenmiş durumda geri dönüp yirmi beş yıl ülkeyi yönetti.

İşte o yaz Mısırlı Hür Subaylar gencecik kralı tahttan indirmeye, anayasaya dayalı bir monarşiden vazgeçmeye ve otoriter bir cumhuriyet kurmaya karar verdiler.

Bir kararı etkileyebilecek ya da bir çatışmayı tetikleyebilecek bütün öğeler gözden geçirildiğinde, sonucu nedene bağlayan düz bir çizgi çizilemez asla. Nâsır'ın, Mısır devriminin yönünü belirleyen ve aynı zamanda, geniş ölçüde, Arap ulusalcılığını önce zirveye tırmandırıp ardından da uçuruma yuvarlayan seçimlerini anlayabilmek için, birçok verinin hesaba katılması gerekir. Kesinlikle ikincil bir önem taşımayan kişisel etkenin dışında, o yıllarda meydana gelen çeşitli gelişmeler de göz önünde bulundurulmalıdır; bunlardan bazıları doğrudan Soğuk Savaş'ın sürmesine, bazıları da eski Avrupa sömürge imparatorluklarının parçalanmasına ve genelde Batı karşıtı, tek partili Sovyetleri ve ekonomik güdümcülüğü kendine örnek alan ulusalcı bir Üçüncü Dünyacılığın ortaya çıkışına bağlıdır.

Nâsır, kuramsal olarak, başka bir yolu izlemeye karar verebilirdi. Olaylara bakıldığında, o zamanın düşünce tarzları ve güç ilişkileri göz önünde bulundurulduğunda, bunun zorlu ve tehlikeli olduğu görülüyordu.

5

Nâsır, 1956'da, Süveyş Bunalımı sırasında Arap halkının gözbebeği haline geldi; çünkü Batılı sömürgeci güçlere meydan okuma yürekliliğini göstermiş ve bu mücadeleden galip çıkmıştı.

O yılın Temmuz ayında, İskenderiye'de devrimin dördüncü yılı kutlamaları için düzenlenen bir toplantıda, birdenbire, radyodan canlı yayınlanan bir konuşma yapıp Süveyş Kanalı'ndaki, ülkesine yabancıların el koyuşunun simgesi durumundaki Fransız-İngiliz Petrol Şirketi'nin ulusallaştırıldığını duyurdu. Onu dinleyenler kendilerinden geçmişlerdi, bütün dünya şoktaydı; Londra ve Paris'te kıyamet kopuyor, soygundan, savaştan söz ediliyor ve uluslararası ekonominin karışabileceği söyleniyordu.

38 yaşındaki genç Mısırlı albay, kısa sürede dünya sahnesinin ön planına taşınmıştı. Sanki bütün dünya onun yandaşlarıyla muhalifleri arasında bölünmüş gibiydi. Bir tarafta, Üçüncü Dünya halkları, bağlantısızlar hareketi, Sovyet bloku ve Batılılar arasındaki, gerek ilkesel nedenlerden ötürü gerekse harcamaların durdurulması için sömürgecilik dönemine bir son verilmesini isteyen, sayıları gittikçe artan kesim; diğer tarafta da, İngiltere, Fransa ve İsrail; ve Nâsır'ın kendi ülkelerindeki istikrarı bozabileceğinden çekindiklerinden onlara gizliden gizliye destek olan bazı muhafazakâr Arap liderleri; bunlar arasından Irak Başbakanı Nuri Said Paşa, İngiliz meslektaşı Anthony Eden'a şunu öğütlemişti: *"Hit him! Hit him now, and hit him hard!"* "Vurun ona! Şimdi vurun ve sert vurun!" Herkes Musaddık'ın acılı yazgısını hâlâ anımsıyordu ve Mısır liderinin de aynı şekilde

cezalandırılmayacağı pek akla yatkın gelmiyordu. Bunun nedeni hem Batı'nın bu önemli deniz yolunun denetimini korumak istemesi hem de bu cezanın örnek oluşturacak olmasıydı.

Gerçekten de, "ona sert vurma" kararı verildi. Ekim sonunda, iki kanattan harekete geçildi: İsrailliler Sina Yarımadası'na bir kara saldırısı düzenledi, kanal bölgesine de paraşütle İngiliz ve Fransız komando birlikleri indirildi. Nâsır askeri açıdan yenilgiye uğramıştı; ama siyasal açıdan, özellikle ne kendisinin ne de düşmanlarının öngörebildiği bir tarihsel rastlantı sayesinde zafer kazanacaktı.

Aslında, tam da Paris ile Londra'nın Kahire'ye saldırının habercisi olacak ültimatomu verdiği gün, Imre Nagy yönetimindeki yeni Macar hükümeti çoğulcu demokrasiye döndüğünü ilan etmiş, böylece Moskova'nın hegemonyasına karşı açık bir isyan başlatmıştı. Tarih 30 Ekim 1956, Salı'ydı. Bunu izleyen günlerde, birbirine koşut iki dramatik olay meydana geldi: Royal Air Force, Kahire Havaalanı'nı bombalarken, Fransız ve İngiliz paraşütçüleri Port Said'e inerken, Sovyet zırhlı birlikleri Budapeşte'deki öğrenci gösterilerini kana bulamaya başlamışlardı.

Bu iki olayın aynı zamana denk gelmesi en çok Washington'ı kızdırdı. Başkan Eisenhower ve Dulles kardeşlerin –Dışişleri Bakanı John Foster ve CIA Başkanı Allen– komünizmi can düşmanı belleyen yönetimi, Macaristan'daki olayları dünyadaki iki blok arasındaki çekişmede önemli bir evre olarak değerlendiriyordu. Gerçekten de Sovyet yöneticiler şaşkınlık içindeydi; Stalin'e özgü yöntemleri bırakma girişimleri şimdi onlara karşı dönmüştü; Merkez ve Doğu Avrupa'da egemenliklerini korumak için, şiddete başvurmaktan başka seçenekleri kalmamıştı. Tek başına kalmalarını sağlamak, uluslararası sahnede inandırıcılıklarını ortadan kaldırmak ve onlara esaslı bir siyasal bozgun yaşatmak için elverişli bir fırsattı bu.

Tam da bu sırada Mısır'a saldıran İngilizler, Fransızlar ve İsrailliler, dünyanın bakışlarını Sovyetlerin cezalandırmaya yönelik saldırısından başka tarafa çevirme olasılığı yaratmışlardı beklenmedik şekilde. Amerikalılar köpürüyordu. Daha yazın müttefiklerine Mısır saldırısına izin vereceklerini söylerlerken, şimdi yana yakıla durmalarını, operasyonu iptal etmelerini ve birliklerini geri çağırmalarını istiyorlardı. Süveyş daha sonra konuşulacak işti!

Ama ok yaydan çıkmıştı bir kere, Eden geri çekilemezdi artık, bunu istemiyordu da zaten. Washington'dan gelen ısrarlı talepler onu etkilemiyordu. Her zaman huysuzluk eden o müttefiklerini iyi tanıdığına inanıyordu. Önce ayak sürürler, müdahale etmemek için bahaneler uydururlardı; ilk başta İngilizlerin oraya gitmesi, onları cesaretlendirmesi, teşvik etmesi gerekiyordu. Sonrasında Amerikalılar işe koyulacaklar ve herkesten daha iyi savaşacaklardı. Onları Hitler'in savaşına sokmak için Churchill az mı ter dökmüştü! O dönemde, Amerika savaşa katılana dek, İngiltere'nin iki buçuk yıl boyunca, neredeyse tek başına dayanması gerekmemiş miydi? İran bunalımında da, aynı şey yinelenmişti. Amerikalılar kendi başlarına bırakılsalar, Musaddık hükümetine de, petrolün ulusallaştırılmasına da pekâlâ razı olurlardı; hem zaten o konuda İngiltere'den İranlıların ulusal isteklerini göz önünde bulunduran bir uzlaşmayı kabul etmesini istemişlerdi. O zaman da, Churchill'in, Eden'ın ve daha birçok sorumlunun Beyaz Saray'a ve Dışişleri Bakanlığı'na gidip Amerikalıları harekete geçmeye ikna etmek için dil dökmeleri, kanıtlar ortaya koymaları gerekmişti. Ardından, bir kez daha, onların müdahalesi kesin sonuca götürmüştü; hatta Musaddık'ın devrilmesini etkin biçimde düzenleyen de Amerikalılar olmuştu. Süveyş davasında da aynı şey olacak, diye düşünüyordu Eden. Washington komünizme karşı verilen savaşın ister Mısır'da, Macaristan'da, İran'da olsun, isterse Kore ya da başka bir yerde, her zaman aynı olduğunu anlayacaktı önünde sonunda.

Başbakan son derece yanılıyordu. Amerikalıların, atıldığı serüvende onu izlemeye niyetlerinin olmaması bir yana, kendisine o kadar kızıyorlardı ki, toplum önünde onu aşağılamaya kadar vardıracaklardı işi. O küçük aptal savaşının, Sovyetlerin ekmeğine yağ sürdüğünü anlamaması yüzünden, düşman gibi davranacaklardı Eden'a; bu, iki yüzyıldır Washington ile Londra arasında görülmemiş bir şeydi. Amerikan Hazinesi yoğun biçimde İngiliz parası satışına başladı, bu da onun kurunun düşmesine yol açtı; kimi Arap ülkeleri de Mısır'la dayanışma içinde Fransa ile İngiltere'ye petrol vermeyi kesince, ABD bu ülkelerin petrol eksiğini gidermeyi reddetti. Birleşmiş Milletler Güvenlik Konseyi'nde, Amerikan heyeti askeri operasyonların durdurulmasını gerektiren bir çözüm önerisine destek çıktı; Paris ile Londra veto ettiğinde de, aynı öneri Genel Kurul'a sunuldu ve büyük çoğunlukla kabul edildi. Kanada ve Avustralya gibi İngiliz Milletler Topluluğu'nun önemli ülkeleri bile Eden'ın onların desteklerine güvenmemesi gerektiğini belli etmişlerdi.

İngiliz hükümetinin lideri ve Fransız meslektaşı Guy Mollet, en sonunda pes edip birliklerini geri çağırdılar. Bölgedeki askeri başarılarına karşın, kesin bir siyasal bozgun yaşamışlardı. İki Avrupalı güç, hâlâ dünya çapında imparatorluklara sahipmiş gibi davrandığından, yıkıcı bir tokat yemişti. Süveyş Bunalımı sömürge çağının bitişinin işaretiydi; artık başka güçlerle, başka bir dönemde yaşanılıyordu ve oyunun kuralları değişmişti.

Bu köklü değişimi başlatan kişi olan ve bu güç yarışından galip çıkan Nâsır, kısa sürede, dünya sahnesinde çok önemli bir figür halini aldı; Araplar için de, tarihlerindeki en büyük kahramanlardan birine dönüştü.

6

Nâsır dönemi uzun sürmedi. Genel olarak hesaplanırsa, Temmuz 1952'den Eylül 1970'e, demek ki darbesinden ölümüne kadar on sekiz yıl; yok eğer Arap halklarının topluca kendisine inandıkları süreyle kısıtlı kalınırsa, Temmuz 1956'dan Haziran 1967'ye, yani Süveyş Kanalı'nın ulusallaştırılmasından Altı Gün Savaşı'na kadar on bir yıl.

Bir altın çağ mıydı bu? Bilançosuna bakılırsa kesinlikle hayır, çünkü Mısır devlet başkanı ülkesini az gelişmişlikten kurtaramamış, çağdaş siyasal kurumlar oluşturamamış, diğer devletlerle birleşme tasarıları hep başarısızlığa uğramış ve bütün bunlara bir de İsrail karşısında aldığı büyük askeri yenilgi eklenmişti. Öte yandan, Arapların o yıllara ilişkin izlenimleri hâlâ aynıydı: Güçsüz, anlamsız ve küçük görülen figüranlar değil de, kendi tarihlerinin oyuncuları olmuşlardı bir süreliğine ve kendilerini özdeşleştirdikleri bir liderleri vardı. Övgülere boğulan bu lider, demokrat olmamasına, bir askeri darbeyle başa geçmesine ve hileli seçimlerle iktidarda kalmasına karşın, kendi ülkesinin sınırlarının dışında bile meşru görülürken, ister en eski hanedanların mirasçısı olsunlar, hatta isterse Peygamber'in soyundan gelsinler, ona karşı olan liderler hiç de meşru gelmiyordu halklara.

Araplar Nâsır'la birlikte onurlarına yeniden kavuştuklarını, öteki ulusların arasında yeniden başları dik biçimde yerlerini aldıklarını hissediyorlardı. O zamana dek, kuşaklardır, hatta yüzyıllardır, yaşamlarında bozgunlar, yabancı işgalleri, eşitsiz anlaşmalar, kapitülasyonlar, aşağılamalar ve dünyanın yarısını fethettikten sonra bunca alçalmanın utancı vardı yalnızca.

Her Arap içinde düşkün bir kahramanın ruhunu taşır ve kendisini hiçe sayanlara karşı intikam arzusuyla yanıp tutuşur. Birisi ona bunu vaat ederse, hem beklenti hem de güvensizlikle kulak kabartır ona. Ama kısmen ya da simgesel biçimde de olsa, bu fırsat sunulursa ona, coşar.

Nâsır kardeşlerinden yeniden başlarını dik tutmalarını istemişti. Onların adına, sömürge güçlerine meydan okumuş; onların adına, "üçlü saldırı"ya göğüs germiş; onlar adına, zafere ulaşmıştı. Bu durum, anında coşkunluk yaratmıştı. On milyonlarca Arap yalnızca onu görüyor, yalnızca onu düşünüyor, yalnızca onun adına ant içiyordu. İnsanlar bütün dünyaya karşı onu desteklemeye, hatta kimi zaman onun için ölmeye hazırdı. Elbette, gözleri kapalı biçimde, bıkıp usanmadan alkışlıyor, adını haykırıyorlardı. Başarı kazandığında, arkasından hayır duaları ediyorlar; başarısızlığa uğradığındaysa, onun düşmanlarını lanetliyorlardı.

Gerçekten de, yükselişler ve düşüşler yaşandı; Nâsır yılları, şimdi bakıldığında hareketli bir satranç partisini andırıyordu, öyle ki oyuncular önce bir haneyi işgal ediyor, sonra baskı karşısında oradan çekiliyor, derken biraz sonra yeniden o haneyi ele geçiriyor, bazen önemli bir taşını yitiriyor, ama çok geçmeden rakibinin de önemli bir taşını alıyordu; bu da beklenmedik bir "mat"a yol açacak son hamleye dek sürüyordu.

Örneğin, Şubat 1958'de, Süveyş Savaşı'ndan tam on beş ay sonra, Nâsır galip biçimde Şam'a girdi; Suriye'de halk onu öyle seviyordu ki ülkeyi yönetenler iktidarı ona bırakmaya karar vermişlerdi. Güneydeki yönetim bölgesi Mısır, kuzeydeki yönetim bölgesi de Suriye olan bir "Birleşik Arap Cumhuriyeti" kuruldu. Eski Arap birliği düşü gerçekleşme yolundaydı sanki. Daha da iyisi, büyük Nâsır cumhuriyeti, Selahaddin Eyyubi'nin sekiz yüzyıl önce kurduğu krallığı anımsatıyordu her haliyle; Selahaddin Eyyubi 1169'da Kahire'de iktidara geçmiş, 1174'te de Şam'ı fethetmişti, böylece Kudüs'teki Frank Krallığını kıskacına almıştı. Bu arada, Selahaddin Eyyubi'nin lakabı da "Nâsır", yani "zafere ulaştıran"dı.

Birleşik Arap Cumhuriyeti'nin kuruluşunu izleyen aylarda, Beyrut'ta, Süveyş Bunalımı sırasında Fransızlar ile İngilizlere destek olmakla suçlanan Devlet Başkanı Şamun'a karşı bir ayaklanma patlak verdi; başkanın istifası isteniyordu, bazı Nâsırcılar Lübnan'ın Mısır-Suriye Devleti'ne bağlanmasını önermeye kadar vardırdılar işi. Birçok başka ülkede de az ya da çok şiddetli ulusalcı kargaşalar çıkmaya başlamıştı.

Her ikisi de 23 yaşındaki ve aynı Haşimi hanedanından gelen iki gencecik hükümdarın yönettiği, Batı yanlısı Irak ve Ürdün krallıkları bu meydan okumalara karşılık olarak, kendileri de birlikçi bir Arap krallığı kurmaya karar verdiler. Ama bu "karşı-birlik" ancak birkaç hafta ayakta kalabildi; 14 Temmuz 1958'deki kanlı bir darbe, Irak monarşisini alaşağı ederek bu tasarıyı sona erdirdi; bütün kraliyet ailesi öldürüldü ve Nâsır'ın eski düşmanı Nuri Said Paşa Bağdat sokaklarında kalabalık tarafından linç edildi.

Nâsırcı ulusalcı dalga "Okyanus'tan Körfez'e", hızla bütün Arap âlemini kaplayacak gibiydi. Domino kuramının böylesi bir ritimde işlediğine daha önce hiç tanık olunmamıştı. Bütün tahtlar sallanıyordu, krallar her an düşürülme korkusuyla yaşıyorlardı, özellikle Kral Hüseyin zavallı Iraklı kuzenininkine benzer bir yazgıyla karşılaşmaktan endişeleniyordu.

Washington ve Londra 14 Temmuz'da bir toplantı yaptılar ve doğrudan tepkilerini ortaya koymaya karar verdiler. Hemen ertesi gün, Amerikan donanması Lübnan kumsallarına yanaştı; iki gün sonra, İngiliz komandoları Ürdün'e çıktı. Bu, Nâsır'a, bir adım daha atarsa, Batı'yla doğrudan askeri çatışmaya gireceğini göstermenin bir yoluydu.

Bu karşılık, istenilen etkiyi yarattı. Ulusalcı dalgada bir gerileme yaşandı. Lübnan'daki ayaklanma yoğunluğunu yitirdi ve Başkan Şamun görev süresinin sonuna dek başta kaldı. Ürdün'de, Kral Hüseyin devrilmedi; daha birçok çeşitli tehlikeye göğüs germesi gerekecekti –askeri ayaklanmalar, kendisine ve yakınlarına karşı düzenlenen suikastlar–, ama bu ilk saldırıyı atlattıktan sonra, tahtını korumayı başaracaktı.

Nâsır ise bunun üstüne iki ciddi başarısızlığa daha uğrayacaktı. Irak'ta, darbenin mimarları içinde Kahire'yle aynı çizgiyi izlemek isteyenler ile ondan ayrılmak isteyenler arasında kısa süre içinde çatışmalar yaşanmaya başlanmıştı, sonuçta da *reis*in dostları yenilgiye uğratılmış ve bertaraf edilmişti. Yeni rejimin güçlü ismi General Abdülkerim Kasım, Birleşik Arap Cumhuriyeti'ne katılmak yerine, bütünüyle Irak'a özgü ve açıkça sola dönük bir devrimin sözcüsü süsü verdi kendine. Böylece, çok geçmeden, Nâsır'ın amansız düşmanı haline geldi ve bu iki adam arasında ölümüne bir mücadele başladı. 7 Ekim 1959'da, Bağdat'ın göbeğinde, Kasım'ın zırhlı arabası kurşun yağmuruna tutuldu. General hafif sıyrıklarla çıktı arabadan; bacağından yaralanan saldırgan kaçıp Suriye topraklarına sığınmak üzere sınırdan geçmeyi başardı. 22 yaşındaki ulusalcı bir militandı bu, adı da Saddam Hüseyin'di.

Öteki başarısızlığı Nâsır için daha da yıkıcı oldu. 28 Eylül 1961 sabahının ilk saatlerinde, Şam'da bir askeri darbe oldu. Kahire'yle olan birliğin sona erdiği duyuruldu, Suriye yeniden bağımsız olacaktı. Arap ulusalcıları bu eylemi "ayrılıkçı" olarak niteleyip darbecileri sömürgecilere, Siyonizm'e, gericiliğe ve petrol üreticisi monarşilere uşaklık etmekle suçladılar. Ama o dönemde Suriye halkının Mısır egemenliğine katlanmakta gitgide daha zorlandığını herkes biliyordu, çünkü Mısır özellikle gizli servisler aracılığıyla çalışmalar yürütüyordu. Şam da, tıpkı Bağdat gibi, İslam âleminin tarihi başkentlerinden biridir; Bağdat, Abbasi halifesinin başkentiyken, Şam da Emevi halifesininkidir. Her iki kent de Kahire'yle kardeş olmak istiyordu, ama onun uşağı olmayı kabul edemezlerdi. Halk arasında, özellikle Nâsır'ın ulusallaştırma girişimlerinin büyük zarar verdiği kent burjuvazisinde ve toprak sahiplerinde buna benzer duygular hâkimdi.

Mısır *reis*inin yıldızı geri dönüşü olmayan biçimde sönüyor gibiydi. Kuşkusuz Arap ülkelerinin çoğunluğunda halkın hâlâ gözdesiydi. Ama bölgedeki ve Batı'daki rakipleri artık daha rahat soluk alıyor, başlangıçtaki ulusalcı dalganın geride kaldığını düşünüyorlardı.

Derken, dalga yeniden kabardı, üstelik eskisinden daha güçlü ve daha yoğun biçimde.

1962 yazında, bağımsız Cezayir'in başına Nâsır'ın ateşli bir hayranı olan Ahmed Ben Bella geçti. Eylül'de, Mısır örneğinden esinlenen "Hür Subaylar" Yemen imamlarının gerici mi gerici monarşisini devirdiler; cumhuriyet ilan edildi, Nâsır da bu ülkeye gereken her türlü yardımı yapacağına söz verdi; kısa süre sonra, binlerce Mısır askerinin Arap Yarımadası'nın güneyine çıktığı görüldü, petrol üreticisi monarşileri korkudan titretmişti bu durum.

8 Şubat 1963'te, Arap ulusalcı subaylar Bağdat'ta yönetime el koydular; Kasım hemen idam edildi, cesedi de televizyonda gösterildi; Nâsır'ın sadık müttefiki Abdüsselam Arif yeni devlet başkanı oldu. Bir ay sonra, 8 Mart'ta, buna benzer bir darbe de Şam'da gerçekleşti, "ayrılıkçılığa" son verildiği duyuruldu; Mısır ve Irak'la, belki ayrıca Yemen, Cezayir'le ve neden olmasın, yarın da Lübnan'la, Libya'yla, Kuveyt'le, Sudan'la, Arabistan'la vb. birleşmek isteniyordu artık.

Birdenbire, birkaç ayda, Nâsır'ın Arap birliği düşü dirilmiş gibiydi, üstelik şimdi hiç olmadığı kadar canlıydı. Iraklı ve Suriyeli yeni yetkililer, tasarısı 17 Nisan 1963'te görkemli biçimde ilan edilen yeni birliğin koşulları üstünde uzlaşmak üzere Kahire'ye gittiler. Böylece, üç büyük imparatorluk başkentini –Kahire, Bağdat, Şam– bir araya getirecek güçlü bir Arap devleti kurulacaktı. Arap ulusalcılığı daha önce eşine rastlanmamış bir zaferin arifesinde görünüyordu. Yandaşları coşkulu, rakipleri telaşlıydı. Ama iki taraf da o dönemde çözülmenin ne kadar yakın olduğunu hayal bile edemezdi.

7

Dalganın yeniden gerilemesi en az kabarması kadar hızlı olacaktı. Yeni birlik üstünde uzlaşmayı izleyen haftalarda, Kahire görüşmelerinin aslında çok kötü geçtiği öğrenildi. Aynı Panarap partiye, Baas'a –"Yeniden Doğuş"– bağlı Suriyeli ve Iraklı yetkililer, Nâsır'ın yeni devletin başkanı olacağı ama bölgede asıl iktidarı onlara bırakacağı bir ortaklıktan yanaydılar. İlk birleşme girişimindeki hataları anımsayarak, ülkelerinin Mısır liderinin emirlerine uyacak bir tür kral naibi tarafından yönetilmesini istemiyorlardı. Nâsır ise ne güvendiği ne de yakınlık duyduğu bu Baasçıların egemenliğindeki bir devletin kâğıt üstündeki başkanı olmaya hiç niyetli değildi. Evet, iki hükümet darbesinin mimarıydılar belki, ama Arap birliğinin bayrağını taşıyan asıl kendisiydi, Nâsır'dı, halklar onunla özdeşleştiriyorlardı kendilerini, başlarına onun geçmesini istiyorlardı, başkasının değil. Bu uyuşmazlık, kısa sürede, şiddetli bir çekişmeye dönüştü; Bağdat'taki düello geçici olarak Mısır devlet başkanının lehine sonuçlandı; ama Suriye'de Nâsırcılar Baasçılara karşı ayaklandığında, isyan kan dökülerek bastırıldı; yüzlerce kişi öldü.

Yemen'de, Suudi Arabistan'dan yardım alan kralcılar yeni cumhuriyet rejimine şiddetle karşı çıkıp görevdeki Mısır birliğini güç duruma düşürmeyi başardılar; girişilen serüven askeri, mali ve ayrıca, bazı askerlerin "kurtarıcı" gibi değil de, işgalci, hatta kimi zaman yağmacı gibi davranmalarından ötürü manevi açıdan da felakete dönüşmüştü.

Nâsır'a bir darbe daha: Haziran 1965'te, dostu Ben Bella askeri bir darbeyle düşürüldü; yeni Cezayir Devlet Başkanı Huari Bumedyen kısa sürede Kahire'yle arasına mesafe koydu.

Gerileme yoğun biçimde yaşanıyordu. Arap âleminin dışında bile, Mısır devlet başkanı en yakın müttefiklerinden bazılarını yitirecekti. Afrika birliğinin savunucusu ve *reis*in ateşli bir hayranı olan –o kadar ki oğluna Cemal adını koymuştu– Ganalı Kwame Nkrumah Şubat 1966'da askeri bir darbeyle devrildi. Onun ardından sıra bağlantısızlar hareketinin simgesel figürü Endonezyalı Sukarno'ya geldi; o da 11 Mart 1966'da, iktidarı Amerika yanlısı General Suharto'ya bırakmak zorunda kaldı.

Son olarak da, sanki Nâsır tamamen yalnız kalsın diye, Arap liderler arasında geriye kalan son sadık müttefiki, Irak Devlet Başkanı Abdüsselam Arif 13 Nisan 1966 tarihinde, hiçbir zaman aydınlatılamayan koşullar altında öldü. Başkan ülkenin güneyini, Basra tarafını ziyaret ettiği sırada, helikopteri havada dönmeye başladı, besbelli bozulmuştu; derken, kapısı açıldı ve başkan düştü; alnını yere çarptı ve oracıkta can verdi.

Bu tuhaf kaza Nâsır için daha kötü bir zamanda meydana gelemezdi, zira şimdi artık güvenebileceği müttefiklerine her zamankinden daha çok ihtiyaç duyuyordu; çünkü bölgedeki siyasal manzarada, Baas Partisi ya da daha yakın tarihli Filistin Kurtuluş Örgütü gibi onun yetkesini yadsıyan hareket ve kişiler ortaya çıkmaya başlamıştı.

Mısır devlet başkanı, 1 Ocak 1965'te, o zamana dek tanınmayan bir Filistin örgütünün ilk askeri operasyonunu haber veren bildiri karşısında, bu eylemin yalnızca İsrail'e ya da Ürdün'e karşı değil, aynı zamanda kendisine karşı da yürütüldüğünü hemen anlamıştı. O ana dek, Filistinliler, bütün Arap halkları içinde, *reis*i en büyük coşkuyla destekleyen halktı. Yahudi devletinin kurulmasıyla evlerini terk etmek zorunda kalmışlardı, Arapların kazanacağı bir zaferle geri dönme hayalleri kuruyorlardı; bu bekleyiş içinde, aralarından birçoğu mülteci kamplarında yaşıyordu. Bütün umutlarını Nâsır'a bağlamışlardı.

Nâsır da her fırsatta "Siyonist düşman"ı eleştiriyor, Süveyş Bunalımı'nda İsrail'in yaşadığı başarısızlığı anımsatıyor ve gelecekte başka zaferler kazanacaklarına söz veriyordu. Filistinliler Mısır devlet başkanının gerçekleştirdiği ulusalcı seferberliğin, kazanmalarını sağlayacak tek yol olduğuna inanıyorlardı. Ama aralarından bazıları sabırsızlanmaya başlamıştı. Savaşlarının başka önceliklere kurban edildiğini, sürekli ertelendiğini görmekten bıkmışlardı. Nâsır İsrail'le savaşa girmekte acele etmediğini açıkça belli ediyordu. Onun öncelikle Arap birliğini hayata geçirmesi, öncelikle sosyalist ekonomiyi sağlamlaştırması, gerici rejimleri yıkması vb. gerekiyordu. Filistin Kurtuluş Örgütü'nün kurucuları Filistinlilerin savaşlarını kendilerinin, kendi ajandalarına göre yürütmeleri gerektiğini düşünüyorlardı; ilk bildirileri Arap liderlere karşı, özellikle de onlar arasında en çok öne çıkana, Nâsır'a karşı bir bağımsızlık –ve aynı zamanda güvensizlik– ilanı anlamını taşıyordu.

Bununla birlikte, kimi çevrelerden Nâsır için söylenen alaycı sözler yükselmeye başlamıştı. Ta 1956'dan beri, İsrail'e karşı verilecek bir savaşa hazırlanamamış mıydı daha? Sovyetlerden yeterince silah almamış mıydı? Uçakları, tankları, hatta denizaltıları yok muydu? On yılda ortak düşmana tek el ateş etmemiş olması ne tuhaftı!

Mısır devlet başkanı bu eleştirilere karşı duyarsız değildi. Her şey bir kenara, 1948'deki Arap bozgununa tepki vermek lekelenen onurlarını temizleme sözüyle iktidara geçmişti. Bu perspektifte insanlar onu göklere çıkarmışlardı. O da 1956'da, vaat ettiği zaferi sezdirmiş, halka yaptığı konuşmalarda sürekli olarak başka savaşların da verileceğini müjdelemişti; insanlar onu dinliyor, kendisine güveniyorlardı; hazır olmadan savaşa atılmasını istemiyorlardı ondan; ama manevi kredisi tükenmeyecek diye bir şey de yoktu. Hele başkaları İsrail'e karşı gerçekten silah kuşanırsa.

1 Ocak 1965'ten başlayarak gerçekleşen şey de bu oldu. Filistin Kurtuluş Örgütü'nün operasyonları birbirini izliyor, bildirileri basına yansıyordu. Arap kamuoyunun en militan kesimi bu eylemleri alkışlıyordu; muhafazakâr monarşilerde de fedailerin kahramanlıkları övülüyor, durumdan yararlanılıp "birliklerini

Necef, Yafa ya da Celile yerine Yemen'e göndermeyi yeğleyen" Nâsır'ın asılsız sözleriyle karşılaştırılıyordu.

İsrail, Filistin Kurtuluş Örgütü'nün saldırılarına sert karşılıklar vermeye başlayınca, Mısır devlet başkanının durumu daha içinden çıkılmaz bir hal aldı.

1966 yılının 11 Kasımını 12 Kasıma bağlayan gece, bir İsrail sınır devriyesi mayına çarptı; üç asker öldü, altısı da yaralandı. Filistin komandolarının –o sırada Ürdün Krallığı'na ait olan– Batı Şeria'daki Samu köyünden geldiklerine inanan İsrailliler, 13 Kasımda yoğun bir misilleme harekâtına başladılar. Ama orada fedailer yerine, Haşimi ordusundan bir müfrezeyle burun buruna geldiler; şiddetli bir çatışma izledi bunu, bir ara uçaklar bile devreye girdi; Kral Hüseyin'in on altı askeri ve harekâtı yöneten İsrailli albay öldürüldü; köyde, onlarca ev yıkıldı ve üç sivil de hayatını kaybetti.

İsrail'in bu hareketi, yalnızca İsrail ne yapsa kınamayı alışkanlık haline getiren Araplar, Sovyetler ve Bağlantısızlar tarafından değil, Arap âleminin Yahudi devletine karşı her zaman en az düşmanca tavır sergilemiş, en ılımlı rejimlerinden birinin istikrarsızlaştırmaya çalışıldığını anlamayan Amerikalılar da dahil olmak üzere, hemen hemen bütün dünya tarafından kınandı, en azından şiddetle eleştirildi.

İsrail'de bile, birçok insan harekâtın kötü planlandığını ve oldukça kötü biçimde gerçekleştirildiğini düşünüyordu. Eski genelkurmay başkanı, geleceğin savunma bakanı Moşe Dayan da fedailere para ve silah yardımı yapanın Suriye olduğunu herkes bilirken, neden Ürdün'e saldırıldı, diye soruyordu. Hedefin şaşırıldığı düşüncesini, çok geçmeden yetkililerin çoğu kabul etti, gelecek sefere "doğru kapı"yı çalacaklarına söz verdiler.

Gerçekten de, Golan'daki Suriye topçuları ile Celile'deki yerleşim yerlerinde konuşlanmış İsrail birlikleri arasında gün geçtikçe sıklaşan olaylar ve Filistinli militanlara destek olması nedeniyle, dikkatler gitgide daha çok Şam'a yöneliyordu. 7 Nisan 1967'de, küçük bir sınır çatışması Şam göklerinde bir hava çarpışmasına dönüştü. Altı Suriye uçağı düşürüldü.

Gelişen bütün bu olaylar Arap kamuoyunda gittikçe büyüyen bir yankı buluyordu; akıllarda hep aynı soru vardı: Nâsır ne yapıyor peki? Mısır ordusu ne yapıyor? İnsanlar bunu kendiliklerinden sormadığında, bazı medya organları devreye girerek Mısır *reis*inin Ürdünlüler ya da Suriyeliler gibi kendisine saldırılması tehlikesini göze alamadığını, "ürkek bir genç kız gibi Birleşmiş Milletler'in eteklerinin altına saklandığını" söylüyorlardı; Süveyş Savaşı'ndan beri, Gazze'ye ve boylu boyunca Mısır ile Yahudi devleti arasındaki sınıra yerleştirilen uluslararası gözlemcileri hedef alan bir anıştırmaydı bu; İsrailli birliklerin Sina'yı tahliye etmeleri bu koşulla sağlanmıştı ve Nâsır, o dönemki BM genel sekreteri İsveçli Dag Hammarskjöld'den, Kahire istediği anda gözlemcilerin çekileceği sözünü aldıktan sonra razı olmuştu orada bulunmalarına.

Bu "ürkeklik" suçlaması o yıllarda Nâsır'ın hem sağdan hem soldan bütün rakipleri için bir nakarat halini almıştı. Ürdün, Suudi Arabistan ve İran monarşilerine –bunlar artık Mısır devlet başkanına bir "İslam paktı" halinde bir araya gelmişlerdi– bağlı Arap medyası, Nâsır'ın sözlerindeki militanlık ile sergilediği tutum arasındaki farklılığı vurgulamak için hiçbir fırsatı kaçırmıyordu. Ama Şam resmi basınından da zehir zemberek değerlendirmeler geliyordu, Nâsır için "*reis*" yerine o zamana dek Batı yanlısı liderler için sarf edilen sözleri kullanmaktan çekinmiyorlardı artık; ödlekliğinden, kapitülasyonculuğundan dem vuruyorlar; altını çize çize, Suriye ordusu düşmanla boğaz boğaza gelmeye, onu ezmeye hazır ve kararlı biçimde cephede beklerken, Mısır ordusunu savaş alanından uzakta tutmakla suçluyorlardı onu.

Nâsır olan biteni soğukkanlılıkla değerlendiremiyordu. İş sadece sövgülerle ve yalancı pehlivanlıklarla kalsaydı, bunlara belki de katlanabilirdi. Ama bölgede gerilim artıyordu, postal sesleri duyuluyordu sürekli. Gerçekten askeri çatışmalara mı gidiliyordu? Düşmanlarının kendisinin hata yapmasını sağlamaya çalıştıklarını biliyor, Tel Aviv'in, Washington'ın, Londra'nın, Amman'ın, Riyad'ın ve bir o kadar da Şam'ın ya da Filistinlilerin silahlı hareketlerinin niyetlerinden kuşku duyuyordu; yakınlarıyla baş başa kaldığı zamanlarda kendisine açıkça tuzak kurmaya çalışıldığını ve bu tuzağa düşmeyeceğini söylüyordu.

Bununla birlikte, bir yandan gerilim artarken ve insanlar gerçekten de bir savaşa sürüklenirken, nasıl hiçbir şey olmuyormuş gibi davranabilirdi? Arap ulusunun bayraktarı, nasıl olurdu da öteki Arap orduları ortak düşmanla savaşa tutuşmuşken ordusunu uzakta tutardı?

12 Mayıs'ta, haber ajansları yüksek rütbeli bir İsrail askerinin açıklamalarını aktardı: Suriye fedaileri desteklemeyi sürdürürse, ülkesinin Suriye rejimini devirmeye karar verdiğini söylüyordu asker. Ertesi gün, henüz yalnızca küçük bir rol üstlenen Mısırlı bir adam, Parlamento Başkanı Enver Sedat Moğolistan'a ve Kuzey Kore'ye yaptığı sıradan bir dostluk gezisinden dönüşte, kısa bir süreliğine Moskova'ya uğradı. Kendisini nezaket gereği birkaç protokol memurunun karşılayacağını beklerken, karşısında SSCB'nin üst düzey yetkililerini buldu; bu yetkililer onun çevresine toplanıp, istihbarat örgütlerinden İsraillilerin kuzey sınırlarına on beş tümen yığdığını öğrendiklerini ve Suriye'nin pek yakında, "en fazla on gün içinde" işgal edileceğini söylediler. Sedat Kahire'ye döner dönmez Nâsır'ın yanına koştu; ama Nâsır da Sovyet büyükelçisinden aynı haberi almıştı zaten.

Reis ordusunu Sina'ya yollamaktan başka seçenek kalmadığı sonucuna vardı, BM'den gözlemci askerlerini çekmesini istedi; BM de hiç itiraz etmeden bu isteğe uydu. Mısırlı askerler Gazze'de ve özellikle, Tiran Boğazı'nın ve Akabe Körfezi'ne ulaşımın denetim altında tutulmasını sağlayacak Şarmü'ş-Şeyh'te konuşlandılar; İsraillilerin Şahla yaptıkları gizli bir anlaşma gereği, gemiler yıllardır bu körfezden İsrail'e İran petrolü taşıyordu. Bu geçiş uluslararası güçlerin elinde olduğu sürece, Nâsır sesini çıkarmamıştı; kendi birlikleri oraya gittikten sonra, artık göz yumamazdı buna. Ya bu gidiş gelişi hoşgörecek ya da durduracaktı.

İki hafta öncesine kadar Tiran Boğazı'nın adını hiç işitmemiş Arap halkı şimdi onun kapanmasını istiyordu; *reis*i destekleyen medya organları da, ona karşı olanlar da, bu düşüncedeydi. Boğaz'ın kapatılmasının Mısır ile İsrail'i savaşa sürükleyeceğini artık herkes biliyordu; ama bu savaşı herkes istiyordu, bazıları Yahudi devletinin işini bitirmek için, bazıları da Nâsır'ın işini bitirmek için.

8

Reis, Suriye'nin çok yakında işgal edileceği haberini alınca, Suriye'nin yanında olduğunu göstermek, yardım önerisinde bulunmak, aynı zamanda da Sovyetlerin kendisine verdiği bilgilerin ciddiyetini yerinde öğrenmek için, çok güvendiği Genelkurmay Başkanı Muhammed Fevzi'yi Şam'a gönderdi.

Fevzi geri döndüğünde sakinleştirici bir Mısır deyişiyle özetledi ona durumu: "*Ma-fiş hâce!*" "Hiçbir şey yok!" "Nasıl olur?" diye sordu *reis*. General şöyle yanıt verdi: "İsrailliler güçlerini sınıra yığmamış ve Suriyelilerde de öyle yakında işgal edileceklermiş gibi bir hava yok." Nâsır şaşırıp kalmıştı bu işe, ama geri adım atamazdı artık. Birlikleri Sina Yarımadası'nda savaş düzenine girmişti bile, Birleşmiş Milletler Barış Gücü askerleri çekip gitmişlerdi ve kamuoyunda gerilim durmadan artıyordu.

Nâsır da pek çok büyük konuşmacı gibi dinleyicilerinin ruh hallerine her zaman duyarlı olmuştu, özellikle de İsrail-Arap davasında; hatta çoğunlukla kendi retoriğinin tutsağı durumuna düşüyordu. 1967'nin o kavurucu günlerinde, kamuoyunun baskı altına alınamayacağı; halkın, adını haykırdığı kişiye tutumunu dayatacağı açıktı.

Nâsır, 22 Mayıs'ta, Tiran Boğazı'nın deniz seferlerine kapatıldığını duyurduğunda, bu, siyasi yaşamında daha önce hiç olmadığı kadar büyük bir yankı uyandırdı. Daha o gün, Mağrip'ten Irak'a, bütün Arap kentlerinde gösteriler yapılmaya başlandı. Durmadan aynı slogan atılıyordu: "Dün kanalı ulusallaştırdık, bugün de boğazı kapattık". Şimdi bakınca, bu "biz" söylemi gülmemize neden olabilir; ama gerçek bir duyguyu yansıtıyordu o sıra. Arap halkları Nâsır'da kendilerini buluyorlar ve onun siyasal kararlarına, sanki onları kendileri belirlemişler gibi sahip çıkıyorlardı. Düşünüldüğünde, bu hem tamamen aldatıcı, hem de köküne kadar doğruydu.

Mısır devlet başkanı, o günlerde, gücünün doruğunda görünüyordu. Halklar hazırlanmakta olan savaşı ve o savaşı yürütecek önderi öyle benimsemişti ki, artık hiç kimse onun yoluna çıkamazdı. Bu konuda en akılda kalıcı tepkiyi, *reis*in başa geçişinden beri en kararlı rakibi olan Kral Hüseyin verdi. İki adam arasında, o zamana dek amansız bir mücadele vardı. Ama birden, 30 Mayıs'ta, sabahın erken saatlerinde, Haşimi hükümdarı özel uçağına atlayıp Kahire'nin yolunu tuttu ve eski düşmanına, yaklaşmakta olan savaş için, krallığının bütün kaynaklarını onun emrine verdiğini bildirdi. Şaşıran ve hâlâ ondan pek hoşlanmayan Nâsır'sa Mısırlı bir kurmay subayın Ürdün ordusunun başına geçmesini şart koştu. Hüseyin hiç itiraz etmeden bu şartı kabul etti.

Bu yüz seksen derecelik dönüş üstünde biraz durmamız gerek. "Küçük kral" ne bir hatip ne de bir laf cambazıydı, ayrıca ülkesinin bağımsızlığına canu gönülden bağlıydı. Üstelik İsrail devletinin amansız düşmanı da değildi, askeri intikam peşinde koşmuyordu; yaklaşık yarım yüzyıl sürecek olan bütün saltanatı boyunca, "Siyonist düşman"la ilişkiler konusundaki Arap tabularına uymayı da reddedecek, yabancı ülkelere yaptığı ziyaretlerde sık sık İsrailli yetkililerle görüşecekti; hatta, 1995'te, Kudüs'te, Yitshak Rabin'in cenazesinde bir konuşma yapıp onun aleyhine Kutsal Kent'i ele geçiren Rabin'e "dostum" diyecekti.

Mayıs 1967'de, Nâsır'a katılmasının nedeni, dönemin yurtsever meşruiyetine aykırı davranmayı hayati bir hata olarak görmesiydi. Ortaya çıkan savaşta yer almamanın, çatışmaların sonu nereye varırsa varsın, Haşimi monarşisi üstünde yıkıcı etkileri olabilirdi; Arapların zaferi Nâsır'ı Ürdün tahtını ortadan kaldırabilecek bir konuma taşır; Arapların bozguna uğramasıysa, öncelikle savaşa katılmayanın eleştiri oklarına hedef olmasına yol açardı. Hüseyin, savaşın artık kaçınılmaz olduğu andan başlayarak, Mısır'ın yanında yer alması, hatta onun emrine girmesi gerektiğini anlamıştı. Meşruiyet içgüdüsü böyle çalışır işte. Hükümdar hiç kuşkusuz Batı Şeria'yı kaybedecekti; ama bunun zaten önüne geçilemezdi, savaş patlak verdiği anda ya İsrailliler ya da Arap isyancılar alacaklardı orayı; Filistin Savaşı'na katılmayı reddederse, milyonlarca Filistinliyi bir daha yönetemezdi.

Kral çeyrek yüzyıl sonra, Birinci Irak Savaşı sırasında da buna benzer bir tutum sergileyecekti. Bütün dünya Saddam Hüseyin'e karşı güç birliğine giderken, Haşimi hükümdarı onun yanında yer aldı. Saddam Hüseyin'in kazanmasını mı istiyordu? Kesinlikle hayır. Yoksa Iraklıların zafere ulaşabileceklerine mi inanıyordu? Hiç ilgisi yok. Kral, sadece, Ortadoğu tarihinin bu çok önemli dönemecinde, halkıyla birlikte yanılmayı, halkına karşı haklı çıkmaya yeğlemişti.

Hükümdarın 1967'deki tutumu, İsrail'in öteki komşusu Lübnan'ınkiyle karşılaştırıldığında daha iyi anlaşılır. O dönemki Lübnanlı yetkililer en akla yatkın görünen kararı almışlar, savaşa katılmamayı seçmişlerdi; ama bu şekilde hareket ederek, yurttaşlarının büyük bir bölümünün gözünde yurtsever meşruiyetlerini yitirecekler; bu yüzden de ülke, kırk yıl sonra bile çıkamayacağı tarihsel bir batağa sürüklenecekti.

Silahlı Filistin örgütleri, 1968'den başlayarak, Lübnan topraklarından saldırılar düzenlemeye başladılar. İsrailliler buna sert biçimde karşılık verdiğinde ve Beyrut'taki yetkililer, güçlü komşularının saldırılarını geri püskürtemediklerinden fedaileri cezalandırmaya karar verdiğinde, kamuoyunun bir bölümü, açıkça, fedailerden yana, hükümetlerine karşı bir tavır ortaya koydu. Bunun sürekli dile getirilen gerekçesi şuydu: Düşmana karşı savaşmamış olan Lübnan ordusu, hiç olmazsa savaşanlara çatmamalıydı.

En bilge siyasetçiler bu 1967 savaşıyla, Arap ülkelerinin, tarihlerindeki en saçma işlerinden birine kalkıştıklarını; Lübnan'ın, İsrail'in öteki üç komşusunun yanında yer alması durumunda –Mısır gibi, Suriye gibi, Ürdün gibi– topraklarının bir bölümünü kaybedeceğini ve ordusunun da büyük olasılıkla mahvolacağını, bunun da ne güç ilişkilerinde ne de savaşın sonucunda bir değişiklik yaratacağını yineleyip durdular, ama boşuna. Bütün bunlara zaten kimse ciddi biçimde karşı çıkamazdı. Ama yine de nüfusun büyük bir bölümü hükümetini ve ordusunu desteklemez oldu; hükümetin, ellerinde silahla mücadeleyi sürdürenlere karşı tavır almasına katlanamıyordu. Müslüman cemaatlere ve sol partilere bağlı olanlar başta olmak üzere, bazı Lübnanlılar bunun sonucunda kendi ordularının Filistinli militanlarınki olduğunu, diğer ordunun ise Hıristiyanların ve sağın emrinde olduğunu düşünmeye başladılar. Düzenli ordu bölünmeye başladı ve merkezi devlet bölgedeki denetimi yitirdi.

Ülkenin en çok sıkıntı çeken bölgesi güneyiydi. Fedailer oraya yerleşmişlerdi; saldırılarını oradan düzenliyorlar, İsrailliler de onlara karşılık veriyorlardı. Çoğunluğu Şii olan yerel halk kimsenin kendisini umursamadığını, terk edildiğini, kurban edildiğini, iki ateş arasında kaldığını hissediyordu. Hatta İsrailliler kadar Filistinlileri de lanetliyordu.

İşte bütün bu öfkeden Hizbullah doğdu. 1982'de, İsrail ordusu, kendisini Beyrut'a kadar götüren bir savaşın sonunda, artık cezalandırma amaçlı, belli bir noktaya yönelik saldırılarla yetinmemeye, sınırı adamakıllı biçimde tutabilmek için Lübnan'ın güneyini işgal etmeye karar verdi. Bunun üstüne, İran'daki din kardeşlerinden esinlenen, onlardan silah ve para yardımı alan Şii militanlar da başlangıcından beri çok etkin olan bir direniş hareketine giriştiler. Uzun zaman boyunca savaşa katılmayan tek halk olduğu için öteki Araplar tarafından alaya alınan Lübnanlılar yavaş yavaş mücadele etmesini bilen tek halk olarak görülmeye başlandı; zira Mayıs 2000'de İsrail ordusunun ülkesini terk etmesini sağlamış, ardından da 2006 yazındaki savaşta İsraillileri çok güç durumlara düşürmüştü.

Böylece, 1967 savaşını izleyen yıllarda, İsrail'in savaşa katılmış olan üç komşusu, İsrail devletiyle sınırlarının bütünüyle sakinleşmesini sağlayan uzlaşmalar sağlarken –Mısır ve Ürdün bu konuda anlaşma, Suriye ise geçici anlaşma imzalamıştı–; yalnızca savaşa girmek istemeyen dördüncü komşu barış elde edememişti. O zamandan beridir, işler karmakarışık. Kuramsal olarak, o dönemin liderleri çatışmanın dışında kalarak akıllıca davranmışlardı, denebilir. Ama uygulamada, her şeye karşın, Lübnan'ın savaşa katılmamasının karşılığı olarak ödediği bedel, katılması halinde ödeyeceğinden bin kat daha ağır oldu.

9

Şimdi meşruiyetin işleyişiyle ilgili bu uzun bölüme son verip Nâsır'ın, umut edilen zaferi vaat ederek Arap ulusunun dizginlerini ele aldığı ya da yeniden ele aldığı, Mayıs ve Haziran 1967'deki o günlere dönelim. Onun silahlı kuvvetleri ile İsrail'inkiler karşı karşıyaydı artık.

Başlangıçta ilk saldırıyı kendilerinin düzenlemesi gerektiğini düşünen *reis*, sonradan, bunun siyasal açıdan bir felakete yol açacağını, o zaman Amerikalıların bütünüyle İsrail'in yanında yer alacaklarını ve Sovyetlerin de güç durumda kalacağını göz önünde bulundurarak, bu düşüncesinden vazgeçmişti; ama bunun tersine, ilk saldırının karşıdan gelmesine izin verirse, kendini birdenbire mükemmel bir diplomatik konumda bulacaktı, başta General De Gaulle'ün Fransası olmak üzere bütün dünya onun yanında olacaktı; ABD de saldırgan tarafın yararına hareket edemeyecekti öyle kolay kolay. Her şekilde, diye düşünüyordu, çatışmalar haftalara, bütün cephelere yayılacak, bütün Arap ülkelerinden akın akın destek güçleri gelecek, dolayısıyla da İsrailliler ister istemez tükeneceklerdi. Sonuç olarak da öyle bir düzenleme yapılması gerekecekti ki, bu, hem Mısır hem de kendisi için çok önemli bir siyasal zafer olacaktı.

Elbette, bu tutumun bir bedeli vardı, Nâsır da bunu pekâlâ biliyordu. İlk saldırıyı İsraillilere bırakmakla bir risk alıyordu. Ama bunun önceden hesap ettiği bir risk olduğuna inanıyordu. Kendisinin sağ kolu Mareşal Abdülhakim Amer, İsrail bombardıman uçaklarının hepsi birden saldırsa bile, Mısır'ın savaş uçaklarının yalnızca % 10'unu ya da 15'ini yitireceğini söylemişti kendisine; birkaç gün içinde de, Sovyetler onların yerine yenilerini koyarlardı.

Nâsır'ın kesinlikle öngöremediği şey, İsraillilerin vuracağı ilk darbenin Mısır hava kuvvetlerini yok edeceğiydi. Ne var ki 5 Haziran 1967 Pazartesi sabahı bu öngörülemeyen şey meydana geldi. Bombardıman uçakları, çok alçaktan uçarak aynı anda bütün askeri havaalanlarına saldırdı, pistleri kullanılmaz hale getirip yerdeki uçakları yok etti. Kara ordusu sapasağlam duruyordu ve Sina Yarımadası'nda daha uzun süre savaşabilirdi, bu da başkana kendini toparlaması, yitik uçakların yerine yenilerini koyması ve hatta bir karşı saldırı hazırlaması için gereken süreyi tanıyabilirdi. Ama Mareşal Amer, şaşkınlıktan paniğe kapılarak, bütün güçlerin geri çekilmesini emretti, bu da bir bozguna dönüştü.

Savaşta Mısır'ı safdışı bırakan İsrail ordusu, Kudüs'e ve Batı Şeria'ya yönelip kısa bir sokak savaşıyla burayı ele geçirdi, ardından Suriye'deki Golan'a doğru ilerledi, Golan Tepeleri de büyük bir direnişle karşılaşılmadan düştü. Bir haftanın sonunda, çatışmalar sona ermişti. Kazananlar bu çatışmayı "Altı Gün Savaşı" olarak; kaybedenlerse, başlarda "en-naksa", "yenilgi", sonra da sadece "Haziran Savaşı" olarak adlandıracaklardı.

Bu yüzeysel adlar o günlerde Arapların yaşadığı sarsıntının şiddetini yansıtıyor aslında biraz da. Bu kısacık savaşın onların gözünde, bugün bile dünya algılarını belirleyen ve davranışlarına etki eden bir trajedi olduğunu söylemek aşırıya kaçmak olmaz.

Bozgunun ertesinde, Arapların hepsi ve dünya üstündeki Müslümanların birçoğu kendilerini sorgulamaya başladılar. Herkes kendince sorular soruyor, bunlara yanıtlar veriyordu, ama soruların özü aynıydı: Nasıl böyle bir yenilgi yaşanabilmişti?

Nâsır bozguna mazeret göstermek için, saldırıyı İsrail'in tek başına düzenlemediğini, Amerikalılar ile İngilizlerin de işin içinde olduğunu söylemeye başlamıştı. Bu doğru değilse de, kısa vadede Mısırlıların ve bütün Arapların yaşadıkları umutsuzluğu biraz olsun hafifletmeye yarayabilirdi. Büyük bir güç karşısında yenilgiye uğramak, elbette feci bir şeydi, ama bir yandan da doğal bir durumdu, öyle ya da böyle daha yirmi yıl önce kurulmuş, Mısır'ın onda biri nüfusa ve daha az askere sahip bir ülkeye yenilmekten çok daha az onur kırıcıydı.

1967 savaşı, yeni doğmakta olan Yahudi devletinin, 1948'de güç birliği içindeki komşularına kafa tutarak iki paralık ettiği itibarlarını kurtarmalıydı; Arapların yeniden kendilerine güvenmeye başladıklarını, eski itibarlarına kavuştuklarını, Nâsır'ın himayesindeki ulusal yeniden doğuşlarının en sonunda öteki uluslar arasında hak ettikleri yeri kendilerine sağladığını kanıtlamalıydı. Ama öyle olmadı, bu yıldırım gibi gelen bozgun kendilerine olan saygılarını yitirmelerine yol açmış; düşman olarak algıladıkları, düşmanları tarafından yönetildiğine ve içinde artık kendilerine yer olmadığına inandıkları dünyayla aralarında uzun süre devam edecek derin bir horgörü ilişkisinin kurulmasına neden olmuştu. Dünyanın geri kalanının, onların kimliklerini oluşturan her şeyden nefret ettiğini, değerlerinin küçümsendiğini hissediyorlardı; daha da önemlisi, bu nefret ve küçümsemenin çok da haksız olmadığını düşünüyorlardı içten içe. Bu ikili nefret –dünyadan ve kendinden nefret–, içinde bulunduğumuz yüzyıl başına damgasını vuran yıkıcı ve intihara meyilli tutumları büyük ölçüde açıklıyor.

Bu tür tutumlara Irak'ta ve başka yerlerde öyle sık rastlanır oldu ki, neredeyse gündelik bir hal aldılar, insanlar artık bunlara üzülmüyor bile. Bu yüzden şunu anımsamak her zamankinden de önemli: İnsanlık tarihinde, böylesi yoğunlukta bir olaya daha önce hiç rastlanmadı, yüzlerce, binlerce insanın bu şekilde kendini kurban etme eğilimi gösterdiği bir dönem asla yaşanmadı. Bu olayı göreceleştirmek için kimi zaman değinilen hiçbir tarihsel koşutluğun bununla bir ilgisi yok. Sözgelimi Japon kamikazeleri o dönemde, düzenli bir ordunun içinde doğmuşlar ve sadece Pasifik Harekâtı'nın son yılında ortalığı kasıp kavurarak, hükümetlerinin teslim olmasıyla saldırılarına kesin olarak son vermişlerdi. İslam âleminin geçmişine, "Haşhaşiler" dönemine bakıldığında da, bunların yandaşlarının her zaman hedef alınan bir kişiye saldırdıkları ve ayrım gözetmeksizin insan öldürmedikleri görülür; yaşamlarını eylemleriyle özdeşleştirmeye, sonra da adam öldürmeye hazırdılar, ama asla kendi yaşamlarını feda etmemişlerdi; ve iki yüzyılda, az sayıda suikast gerçekleştirmeleri göz önüne alındığında, onların bugünün "şehit"lerinden daha çok, çarlık dönemindeki bazı Rus devrimcilere benzedikleri söylenebilir.

Bu "şehit"leri azdıran umutsuzluk hali, ne 1967'de ne 1948'de ne de Birinci Dünya Savaşı'nın sonunda doğdu. Bu, hiçbir olayın, hiçbir tarihin özetlemeye yetmeyeceği uzun bir tarihsel sürecin sonucuydu. Görkemli bir dönem yaşamış, ardından gücünü yitirmiş bir halkın tarihi söz konusuydu burada; iki yüzyıldan beri, ayağa kalkmak istiyor, ama her seferinde yine düşüyordu; bozgunlar, düş kırıklıkları ve aşağılamalar birbirini izlerken, Nâsır çıktı ortaya; onunla birlikte toparlanılabileceğine, halkın özsaygısına ve başkalarının hayranlığına yeniden kavuşabileceğine inanıldı. Yeniden, hem de öylesine akılda kalıcı, öylesine alçaltıcı biçimde yenilgiye uğrayınca, Araplar ve onlarla birlikte bütün İslam âlemi, her şeyi kesin bir şekilde yitirdikleri hissine kapıldılar.

O zamandan beridir, acı ve korkuya neden olan, yürek paralayıcı değişimler yaşanıyor. Bir de bir inanç taşkınlığı var ki içerdiği umutsuzluğu pek de gizleyemiyor.

Nâsır'ın yaşadığı bozgun, ardından Eylül 1970'te, 52 yaşında ölmesi, onun mirasını ele geçirmek için birbirleriyle yarışan farklı farklı siyasal tasarıların ortaya çıkmasını sağladı.

Mısır'da iktidar, korkak ve etkisiz bir kişi olduğu düşünülen, ama tersine gözüpek ve ateşli bir tavır sergileyecek olan Sedat'a kaldı. Ama onun seyrinde gözlemlenen en tuhaf olay bu değildi; tarih boyunca, her yerde, asıl lider hayattayken etkisiz bir tavır sergileyen ama iktidara geldiklerinde kendilerini gösteren ardıllara sık rastlanmıştır; güçlü adamlar çevrelerinde kendilerine karşı çıkmayan, onlara gölge etmeyen ve sıralarını, en azından görünüşte, sabırla bekleyen insanlar olmasından hoşlanırlar. Sedat söz konusu olduğunda, akılda kalan en tuhaf olay, onun Ekim 1973'te, Süveyş Kanalı boyunca beklenmedik bir saldırıyla İsrail ordusunun konumunu altüst etmeyi başarmış olması da değildir – İsrail'de Yom Kippur, Mısır'daysa Ekim Savaşı olarak adlandırılır bu saldırı. Asıl tuhaf olan, Nâsır'ın başaramadığı şeyi başaran yeni *reis*in, Arapların gönlünde öncelinin yerini alamaması, hatta kimi çevrelerde alaya alınması, hakarete uğraması, siyasal açıdan "karantinaya alınması" ve en sonunda suikasta uğramasına neden olacak kadar zararlı gösterilmesidir.

Çok tuhaf bir durum gerçekten de, ama bir yandan da, hassas meşruiyet sorununu incelemek isteyen biri için çok aydınlatıcı. Hâlâ sarsıcı bir bozgunun etkisinde olan bir halk; birdenbire, yeni bir lider ortaya çıkıyor, zafer değilse de saygıdeğer bir yarı başarı sağlıyor; kendisinin övgülere boğulması, göklere çıkarılması, hiç zaman kaybetmeden ulusun en büyük kahramanları arasında sayılması gerekirken, bunun tersi oluyor! Sedat bir ikon haline geldi, ama Batılıların gözünde, Arap kamuoyunun değil. Araplar hiçbir zaman kendilerini onunla özdeşleştirmediler. Ne Kasım 1977'de Kudüs'e yaptığı görkemli ziyaretten önce, ne de sonra. Nâsır'ın, kusurlarına, yanlışlarına, bozgunlarına karşın ölümüne dek Arapların kalbinde sahip olduğu o içgüdüsel, neredeyse somut meşruiyeti asla edinemedi.

Kuşkusuz, Nâsır'ın ardından geldiği için kızılıyordu Sedat'a, tıpkı sırf hayran olduğu babasının yerini aldı diye annesinin yeni kocasından nefret eden bir çocuğun yaptığı gibi. Örneğin Fransa'da, I. Napoléon'dan sonra iktidarı ele geçirenlerin hepsi, özellikle de adı aynı olan hükümdar, onunla karşılaştırılmaktan kaçamamıştı; büyük imparatorun saltanatının yıkıcı olması, bir bozgunla ve yabancı işgaliyle sona ermesi hiçbir şeyi değiştirmemiş, halk kendisine bir destan ve düş yaşatan, başkalarının hayranlığını kazandıran ve birazcık olsun gurur veren kişiye minnettar kalmıştı. Napoléon dönemi, Fransa'nın, dünya ulusları arasında en ön sırayı aldığı, silahları ve düşünceleriyle Avrupa'yı kendi çevresinde birleştirmeye çalıştığı son dönemdi. Nâsır dönemiyse o kadar iddialı değildi; ama Araplara hâlâ olanaklı gelen şeyler dikkate alındığında, ona benzer bir rolü vardı; ve belleklerde son akın olarak yer etmiş durumda.

10

Herkes, bu maceradaki başarısızlıktan kendine göre dersler çıkardı. Sedat öncelinin sürekli olarak yolunu şaşırdığı Arap topraklarına kuşkuyla bakmaya başladı; yakınlarına Yemenlilerin, Ürdünlülerin, Filistinlilerin, Suriyelilerin, Libyalıların ve diğerlerinin "Mısır askerlerinin hepsi ortadan kalkana dek" savaşmaya hazır olduğunu söylüyordu.

Ülkesinin karşılığını almadan yeterince sıkıntı çektiğini düşündüğünden, onun belini büken ve Batı'yla olan ilişkilerini berbat eden şu İsrail-Arap çatışmasına artık bir son vermek istiyordu. Araplardan söz ederken, "biz" değil, "onlar" diye düşünüyordu; bunu açıkça dile getirmiyordu belki, ama konuyla ilgili herkes ne demek istediğini anlıyordu. Bu yüzden de, Sedat bir karar verdiğinde, Araplar bunu sahiplenmiyordu. Mısır devlet başkanı olarak meşruiyetini korusa da, Arap ulusunun doğal lideri olarak görülmüyordu artık; ne de kendisi öyle görünmeye çalışıyordu.

Hatta yaşamının sonunda, birçok Arap onu apaçık biçimde düşmanlardan ve hainlerden biri olarak saymaya başlamıştı. Yahudi devletiyle uzlaşmasına öfkelenen ulusalcı ve İslamcı kamuoyunun yanı sıra, ılımlı ve Batı yanlısı liderlerin birçoğu da, onu, İsrail'in en önemli Arap komşusunu çatışmadan çekerek bölgedeki barış olasılığını hepten ortadan kaldırmakla suçluyordu. Şöyle düşünüyorlardı: Ortadoğu'daki güç ilişkileri zaten Arapların aleyhineydi; bunun üstüne bir de Mısır çatışmayı bırakırsa, dengesizlik öyle büyürdü ki İsrail artık hiçbir konuda geri adım atmazdı; bu durumda Arapların artık savaşamayacak olması bir yana, saygıdeğer bir barış bile elde edemezlerdi; Sedat herkesten ayrı bir barış yolunu seçerek, bölgedeki gerçek barış olasılığını olanaksız hale getirmiş ve bölgeyi kalıcı bir istikrarsızlığa sürüklemişti.

Nâsır'ın ardılının Kudüs'e gidip Menahem Begin ile Moşe Dayan'ın elini sıkarak ve Knesset kürsüsünde söz alarak gerçekleştirdiği gözüpek girişimin, İsrailliler ile Araplar arasındaki gerçek bir barışa doğru atılan güçlü bir adım mı, yoksa her türlü barış umudunun suya düşmesi mi olduğu konusunda tarihçiler daha on yıllarca tartışacaklardır.

Sedat, Nâsır'ın Panarap mirasına sırt çevirince, birçokları, özellikle de yeni petrol servetleriyle böyle bir ihtirasa kapılma olanağı bulanlar bu mirasa göz dikti. Örneğin Libya lideri Muammer Kaddafi sayısız birleşme tasarısı ortaya atmış, ama ardından Arapların arasındaki kavgalardan usanıp yüzünü bütünüyle Afrika'ya çevirmişti. Bir başka örnek de Baasçı militan Saddam Hüseyin'di; kendisi hem önemli bir nüfusa, doğal zenginliklere hem de –Sümer, Akad, Asur, Babil gibi– birçok uygarlığa beşik olduğu için Mısır'ınkiyle karşılaştırılabilecek bir tarihe sahip olan ve en saygın Arap imparatorluğunun, Abbasilerin merkezi konumundaki bir ülkenin başına geçmişti. O da Nâsır'ın yerine geçme arzusunu besliyordu. Bu konuda başarılı olamadı ve sonu herkesin bildiği gibi korkunç oldu.

Panarap liderin mirasına aday olan bu kişilerin ikisi de 1967 bozgununun ertesinde iktidara geçmişti; biri, Libyalı "hür subay" olarak, kendisini, Mısırlı "hür subay"ın manevi evladı gibi göstermiş ve lekelenen onurlarının temizlenmesine katkıda bulunacağına söz vermişti; ötekiyse, Iraklı bir eylemci olarak, *reis*le ve onun ordusunun yarattığı düş kırıklıklarıyla alay ederek, kendi askeri başarılarıyla onu gölgede bırakmayı kafasına koymuştu.

Bununla birlikte, Saddam Arapların gözünde asla yeni bir Nâsır olmadı, halk onu asla gerçek anlamda benimsemedi, ne ülkesinde ne de bölgenin geri kalanında; Amerika'ya karşı iki kez savaşa girdiğinde birçokları onun yanında yer alsa da, bunun nedeni kendisine güvenilmesi değil, bir Arap bozgununa daha tanık olmak istenmemesiydi; çünkü insanlar bir kez daha utanç duymak, aşağılanmak, yıkıma uğramak ve bütün dünyanın kendileriyle alay etmesini istemiyorlardı.

Elbette, herhangi bir mucize gerçekleşmedi, kazanması gerekenler kazandı, kaybetmesi gerekenler de kaybetti, büyük bir ülke parçalandı, Araplar da umutsuzluğa ve acıya biraz daha gömüldüler.

Saddam Hüseyin'in Amerika karşısında aldığı iki yenilgi, yaklaşık bir yüzyıldır Ortadoğu sahnesine egemen olan siyasal ideolojinin, Panarap ulusalcılığının sonunu getirdi.

Zaten bir süredir, bu öğreti etkisini yitirmişti. Nâsır onu zirveye taşımış ve onun yaşadığı yenilgi bu düşüncenin gözden düşmesine yol açmıştı. Aslında bundan böyle kendi ülkesinin çıkarlarının Araplarınkinden önce geleceğine karar veren tek kişi Sedat değildi. Onu eleştiren liderler de farklı davranmıyorlardı. Ne Iraklılar, ne Filistinliler, ne Suriyeliler, ne Ürdünlüler, ne de başkası. Herkes kendi ülkesinin çıkarlarını gözetiyordu, tabii kendi rejiminin, kendi topluluğunun ya da sadece kendisinin çıkarları daha önce gelmezse. Öte yandan, Arapları birleştirmeye yönelik girişimlerin hepsi başarısızlığa uğramış, Panarap düşüncesinden geriye birtakım siyasetçilerin kullandığı sıradan, kalıplaşmış sözlerden başka bir şey kalmamıştı, yalnızca bazı destekçilerin inandığı bu sözler de gerçek yaşamdaki tutumlara pek etki etmiyordu.

1967 bozgunundan sonra, bir süre, kurtuluş Marksizm'de arandı. Che Guevara'nın, Vietnam Savaşı'nın ve dış ülkelere yayılmaya çalışılan Maoculuğun dönemiydi bu. Araplar karşılaştırma yapıyor, bir yandan da dövünüyorlardı. 1967 bozgununun ertesinde geçen bir öyküde, Mısırlı üst düzey bir sorumlu, olan biten karşısında öfkeden deliye dönmüş bir halde, Sovyet büyükelçisine patlıyordu: "Bize sattığınız silahlar beş para etmez!" Diplomatın yanıtıysa şöyleydi: "Aynı silahları Vietnamlılara da verdik."

İster doğru olsun ister yanlış, bu ince alay, sorunu pekâlâ ortaya koyuyordu. Aynı silahlarla, bir halk dünyanın en güçlü ordusuna kafa tutabiliyorken, bir diğerinin küçük bir komşusu karşısında yenilgiye uğraması nasıl açıklanabilirdi ki? Kimileri için, yanıt apaçıktı: Geleneksel ulusalcılıktan, "burjuva" ya da "küçük burjuva" ulusalcılığından kurtulup "tutarlı" bir devrimci ideoloji, kazanan halkların ideolojisini benimsemek gerekiyordu. Doktor Habaş'ın yönettiği Arap ulusalcıları hareketi resmi olarak Marksizm-Leninizm'i ve silahlı mücadeleyi benimsedi, "Filistin Halk Kurtuluş Cephesi" adını aldı; ne "Arap" sıfatını ne de ulusalcılığa açık bir gönderme içeren bir addı bu; aynı hareketin Yemen'deki bir kolu 1969'da iktidara geldi ve bir "halk demokrasisi" ilan etti. Arap âleminde, Basra Körfezi'nden Fas'a kadar, hemen hemen her yerde, entelektüeller ile siyasal örgütler ilkelerini, ittifaklarını ya da kimi zaman sadece sözcük dağarlarını "Leninistleştirdiler". Bazıları bunu fırsatçılıktan yaptı, bazıları da bu davaya gönülden inandıklarından; çünkü Arapların yaşadığı bozguna bir yanıt, toplumsal konformizmin dışında, dar görüşlü ulusalcılığın dışında, düşünce alanında bir gelişme olarak görüyorlardı bu tutumu. Ayrıca, onların gözünde –en azından o yıllarda hayal edildiği şekliyle– gelecek için bir seçenekti. Kaldı ki bu Marksizm-Leninizm hayranlığı ulusalcıların dönemi ile İslamcılarınki arasında yalnızca gelip geçici, kısa bir evre; kapandığında, arkasında acı bir tat bırakan ve birçok halkta yılgınlık, öfke ve güçsüzlük duygusunun daha da büyümesine katkıda bulunan tarihsel bir parantez olarak kalacaktı.

Komünizm sadece mücadele ettiği güçler tarafından yenilgiye uğratılsaydı, yeraltında varlığını sürdürür, ardından da güçlü, laik bir inanç olarak bütün dünyaya yayılırdı. Ama tabii ki, öyle olmadı. "Sınıf düşmanları" tarafından yenilgiye uğratılmadan önce de, zaten büyük ölçüde gözden düşmüştü. Sanata yaklaşımı çok baskıcı bir hal almıştı, düşünce özgürlüğü anlayışı Engizisyon dönemi anlayışını andırıyordu, iktidar uygulaması da başa geçtiklerinde tahtı kaybetme korkusuyla erkek kardeşlerini ve yeğenlerini kılıçtan geçiren Osmanlı padişahlarını akla getiriyordu bazen.

Kafamdaki örnekler Stalinist darbelerle kısıtlı değil. Daha yakın tarihten, açıkça Marksist-Leninist hareketler tarafından yönetilen iki Müslüman ülkeyi, 1969-1990 arasındaki Güney Yemen'i ve 1978-1992 arasındaki Afganistan'ı anımsıyorum. İki ülkede de, düşman grupların politbüro toplantılarının ortasında, makineli tüfeklerle birbirlerinin hesabını gördüklerine tanık olundu. Otuzlu, kırklı, ellili, altmışlı yıllarda, Moskova'da, Prag'da, Belgrad'da, Tiran'da, Kültür Devrimi sırasında Pekin'de ve daha sonra, Dergue'in hüküm sürdüğü dönemde Addis Ababa'da da buna benzer olaylar meydana gelmişti, Kızıl Khmerleri saymıyorum bile. Bu bir rastlantı mı? Hayır, bir işleyiş tarzı, sıradan bir olay, gelenekti.

Bunları söylerken üzülmeden edemiyorum, çünkü bu hareketlerin içinde değerli kişiler de yollarını yitirmişlerdi, oysa onların tek istedikleri toplumlarını çağdaşlaştırmaktı; onlar bilginin geniş kitlelere yayılmasından, kızların okula gitmesinden, şans eşitliğinden, düşünce özgürlüğünden, kabileciliğin zayıflamasından ve derebeyi ayrıcalıklarının ortadan kalkmasından yanaydılar. Onların boşa çıkan umutlarının kalıntıları üstünde, Kabil'de ve başka yerlerde, bambaşka bitkiler türeyecekti.

11

Hakkaniyet arzusu ve tarihsel gerçeklik kaygısı yüzünden, bu suçlayıcı saptamalara yenilerini eklemek zorunda hissediyorum kendimi ama bu seferkilerin sorumluları aynı kişiler değil.

Afganistan'da işlerin çığırından çıkmasının baş sorumlusu Sovyetlerse, Endonezya'daki modernlik yanlısı seçkinlerin kıyımını da Amerikalılar örgütlemişti. Müslüman ülkelerin en kalabalığında, 1960'lı yılların ortalarından beri, yaklaşık bir buçuk milyon üyesi bulunan ve bağımsızlığın mimarı Ahmed Sukarno yönetiminde iktidarda bulunan bir komünist parti vardı. Sukarno kan dökmeden yetkeli bir yönetim sergileyen, laik bir rejim kurmuş ve uluslararası sahnede ön planda bir rol üstlenmişti; Nisan 1955'te, Bağlantısızlar Hareketi'nin başlamasına neden olan Bandung Afrika-Asya Konferansı'na ev sahipliği yapan da kendisiydi.

İyiden iyiye Vietnam Savaşı'na gömülmeye başlamış olan ABD, Endonezya maden ocaklarının ulusallaştırılmasına, Cakarta'nın Pekin ve Moskova'yla kurduğu ilişkilere öfkelenip bu konularda elinden geleni ardına koymamaya karar vermişti. Sonuçta kesin bir başarı elde ettiler. Ayrıntıları ancak yıllar sonra öğrenilebilen müthiş bir oyunla, komünistler ve solcu ulusalcılar kanun kaçağı olarak görülmeye başlandı; üniversitelerde, yönetim merkezlerinde, başkentin mahallelerinde, hatta en ücra köylerde bile bunların birçoğu tutuklanıp öldürüldü. Ciddi tahminlere göre, Ekim 1965 ile 1966 yazı arasında altı yüz bin kişinin öldüğü sanılıyordu. O dönemde, iktidar General Suharto'ya kaldı, o da karanlıkçı ve kokuşmuş –ama kesinlikle antikomünist olan– bir diktatörlük kurdu. Bu sıkıntılı dönemin sonunda, o zamana kadar dünyadaki en hoşgörülü din anlayışı olmakla ün salan Endonezyalıların Müslümanlık anlayışı, bütünüyle değişti. Toplumun laikleştirilmesi perspektifleri ortadan kaldırılmış, komünizm tehlikesine karşı verilen mücadelede "yan hasar"ın kurbanı olmuştu.

Soğuk Savaş dönemiydi, denecektir. Kuşkusuz. Ama nasıl ki 1956'da Budapeşte'de komünistlerin işledikleri suçlar hiçbir şekilde kabul edilemezse, 1966'da Cakarta'daki antikomünist suçlar da kesinlikle kabul edilemez. Suç suçtur, kıyım kıyımdır ve seçkinlerin yok edilmesi gerilemeyi getirir.

Öte yandan, siyasal bağımsızlıktan ve ulusal devletin başlıca doğal kaynaklarına sahip çıkmasından yana olan liderler, Batı tarafından acımasızca ve etkin biçimde alaşağı edilen tek Müslüman ülke Endonezya değildir. Bunun nedeni bu liderlerin Sovyetler Birliği'nin müttefiki olması mıydı? Kimi zaman evet. Ama süreç genellikle tersine işliyordu; bu adamlar yüzlerini Moskova'ya dönüyorlardı, çünkü "kendi" petrollerine, "kendi" maden ocaklarına, "kendi" şeker ve meyve işletmelerine, "kendi" Süveyş ya da Panama Kanallarına, "kendi" askeri üslerine, "kendi" ayrıcalıklarına –özetle dünya çapındaki üstünlüklerine– dokunulmasına karşı çıkan Batılı güçlerin öfkesine karşı koymaları gerekiyordu.

Daha önce sözünü ettiğim İran örneğinde, Doktor Musaddık'ın sadece ve sadece Batı modeline göre düzenlenmiş, çokpartili ve modernlik yanlısı bir demokrasi kurmayı düşlediği su götürmez. Onun, Marksist-Leninist bir diktatörlük, ultra-ulusalcı bir rejim ya da herhangi bir zorbalık yönetimi kurmaya hiç niyeti yoktu. Namuslu, silik, içine kapanık, her an kamusal yaşamı bırakıp kütüphanesine kapanmak ister gibi duran, ama sefaletten ve adaletsizlikten derinlemesine tiksinen bu adam, İran'ın kaynaklarının yalnızca halkının ilerlemesinde kullanılmasını istemişti. İşte sırf bu yüzden, 1953'te, ondan sonra yayımlanan, bazıları itiraf niteliğindeki birçok anlatının da tanıklık ettiği üzere, Amerikan ve İngiliz servislerinin planlayıp gerçekleştirdiği bir darbeyle düşürüldü.

Batı'nın kendi ilkelerine bu şekilde ihanet etmesinin sonunun, bir çeyrek yüzyıl sonra, çağdaş siyasal İslam'ı kuran devrime varması bir rastlantı değil.

Nâsır'ın zamanında, özellikle Müslüman Kardeşler gibi İslamcı militan hareketler ortalığa çıkmaktan çekinirlerdi. Bunun nedeni hem üstlerindeki baskı hem de Mısır devlet başkanının Arap âlemindeki popülerliğinin, onun bütün rakiplerine "sömürgeciliğin ve emperyalizmin kötülük ortakları" diye bakılmasına yol açmasıydı.

Mısır Devrimi'nin öncesinde, "Kardeşler" toplumun birçok katmanına, özellikle de ordunun içine sızmışlardı. Kral Faruk'a, İngiliz müdahalelerine ve daha genel anlamda Batılı varlığına karşı şiddetli bir mücadele veriyorlardı. Etkileri hızla yayıldı, o kadar ki, Temmuz 1952'de "Hür Subaylar" yönetimi ele geçirdiklerinde, birçok gözlemci o zamana dek bilinmeyen bu örgütün olsa olsa Kardeşlerin bir parçası olduğunu, onları gizleyen bir maske olduğunu, belki de onların askeri kolu olduğunu düşünmüştü. Gelgelelim, bugün biliyoruz ki darbecilerin çoğu gerçekten de İslamcı harekete bağlıydı, bazıları organik, bazıları da gayriresmi biçimde.

Ama darbenin en önemli mimarı olan Nâsır, çok kısa süre içinde, Müslüman Kardeşler'i rakibi olarak görmeye başladı. Hür Subaylar'ın elindeki bir araç olamayacak kadar güçlüydüler, onların kuklası haline gelmeye de hiç niyeti yoktu. Onlarla anlaşamamaya başladı, yarattıkları etkiyi çökertmeye çalıştı ve 1954'te kendisine suikast düzenlemeye çalıştıklarında, liderlerinden bazılarını öldürttü, bazılarını hapse attı; baskıdan yakalarını kurtarmayı başaranlarsa Batı Avrupa'ya, ABD'ye ve Ürdün ya da Suudi Arabistan gibi Nâsır'a karşı olan Arap ülkelerine kaçtılar.

Mısır devlet başkanı 1956'da Süveyş Kanalı'nı ulusallaştırınca, İngilizler, Fransızlar ve İsrailliler karşısındaki mücadeleden siyasal açıdan galip çıkınca ve Müslüman halkların gözbebeği haline gelince, Kardeşler ona açıkça karşı çıkamaz oldular. Ne zaman başkaldırmaya kalksalar, sert bir baskıyla karşılaşıyorlardı, örneğin 1966'da, aralarındaki en parlak entelektüel olan Seyyid Kutub ölüme mahkûm edilip üstünkörü bir mahkemeden sonra asılmıştı; o dönemki Arap kamuoyu buna pek de üzülmemişti, çünkü İslamcıları "gerici monarşiler"le ve kaçıp sığındıkları Batılı ülkelerle bir tutuyordu.

Nâsırcılığın bozguna uğraması ve onu izleyen yürek paralayıcı değişim süreciyle birlikte, İslamcılar yeniden seslerini duyurmaya başladılar. "O yalancıya güvenmemek gerektiğini biz söylemiştik!" Başlarda sakınımlı şekilde, fısıltı halinde, yarı yarıya yeraltından gelen sesleri gitgide kendine güvenli bir hal aldı, öteki sesleri bastırdı ve hatta kulakları sağır edecek kadar yükseldi.

Son yıllarda dünyada meydana gelen her şey, Arap toplumlarında İslamcıların savundukları tezlerin kazanmasına katkıda bulunacaktı. Arap ulusalcılığından yana olan rejimlerin birbiri ardına başarısızlığa uğraması, bu ideolojinin tamamen gözden düşmesine ve başlangıçtan beri Arap ulusu düşüncesinin Batı kaynaklı bir "yenilik" olduğunu ve bu şekilde adlandırılmayı hak eden tek ulusun İslam ulusu olduğunu söyleyenlerin inandırıcılık kazanmasına yol açacaktı. Küreselleşmenin hızlanması sınırları altüst eden ve yerel aidiyetleri aşan, dünya çapındaki bir ideoloji gereksinimini ve onun inandırıcılığını arttıracaktı; nüfusun küçük bir kesimi için, bu Marksizm olmalıydı; ama çoğunluk için, dinden başka bir şey olamazdı; her şekilde, Sovyet cephesinin çöküşü bu tartışmaya İslamcı hareketler yararına son noktayı koyacaktı. Ne var ki bunların sonucunda o İslamcı hareketler hükümet partilerine dönüşmediler. Yitik meşruiyetler ikilemi çözülemedi.

Çünkü Nâsır ile Saddam'ın ve daha birkaç kişinin birbirini izleyen yenilgilerinin en önemli sonuçlarından biri, bir Arap devlet başkanın, 1950'li ve 1960'lı yıllarda olduğu gibi, Batı'ya kafa tutabileceği düşüncesinin inandırıcı olmaktan çıkmasıydı. İktidarı elinde tutmak isteyen herkes, süper güce kendini kabul ettirmeliydi, bunu başarabilmek için halkının duygularıyla ters düşmek zorunda olsa bile. İster silah isterse sadece retorik şiddet yoluyla, köktenci biçimde Amerika'ya karşı durmak isteyenler, genellikle fazla göz önünde bulunmasalar iyi ederler.

İki koşut siyasal evren işte bu şekilde gelişti: Biri göz önündeydi ama halkın desteğini alamamıştı; diğeriyse yeraltındaydı ve halkın gözdesi olduğu tartışma götürmezdi, ama iktidar sorumluluğunu kalıcı biçimde üstlenememişti. İlk türün temsilcileri düşmana uşaklık eden ustabaşıları olarak görülüyordu; ikincinin temsilcileriyse kanun kaçaklarından başka bir şey değillerdi. İkisi de gerçek bir meşruiyet kazanamadı, bunun nedeni de birilerinin halkı göz önünde bulundurmadan ve genellikle onun istencine karşı bir yönetim sergilemeleri, ötekilerinse kâh kendilerine düşman olan küresel bağlam nedeniyle, kâh onları bir hükümet seyrinin gerektirdiği kaçınılmaz uzlaşmalardan çok, köktenci muhalefete, öğretisel uzlaşmazlığa ve başka düşünceleri dışlamaya iten siyasal kültürleri yüzünden halkı yönetememeleriydi. Mısırlı, Sudanlı, Cezayirli, Faslı ya da Ürdünlü İslamcıların farkına vardıkları ve Hamas'ın Filistin seçimlerini kazanmasıyla gün ışığına çıkan bir açmaz.

Meşruiyetin olmayışı, her insan toplumu için, bütün davranışların çığırından çıkmasına neden olan bir tür yerçekimsizlik halidir. Hiçbir yetke, hiçbir kurum, hiç kimse gerçek manevi inandırıcılığa sahip olmadığında, insanlar da bunun sonucunda dünyanın, en güçlü olanın borusunun öttüğü ve her şeyin mübah sayıldığı bir cengel olduğunu düşünmeye başladığında yalnızca şiddet, cinayet, zorbalık ve kargaşa baş gösterir.

Bu yüzden, Arap âleminde meşruiyetin aşınması uzmanlar tarafından belli belirsiz bir düşünce konusu olarak değerlendirilemez; 11 Eylül 2001'den çıkarılacak derslerden biri, küreselleşme çağında, hiçbir düzensizliğin bütünüyle yerel sınırlarda kalmayacağıdır; bir olay duygulara, kendi algısına ve yüz milyonlarca kişinin gündelik yaşantısına etki ettiğinde, sonuçları bütün dünyada hissedilir.

12

Arap ülkelerini etkileyen meşruiyet yitimi üstüne bu şekilde uzun uzadıya durduktan sonra, şimdi bir süreliğine, dünyanın çivisinin çıkmasında payı bulunan bir başka meşruiyet bunalımına, ABD'nin küresel rolüyle ilgili olan bunalıma değinmek istiyorum. Niyetim, buradaki asıl sorunun Amerikan demokrasisinin doğru biçimde işleyip işlemediğini anlamak olmadığını vurgulamak; kaldı ki, kendi adıma, her şekilde ondan daha iyi bir demokrasi bilmiyorum. Ama sistemlerin en kusursuzu olsaydı da, oy verme yaşındaki bütün seçmenler bu haklarından ideal koşullar altında yararlanabilselerdi de, sorunda değişen bir şey olmazdı: Dünya nüfusunun % 5'ini temsil eden Amerikan yurttaşlarının oylarının bütün insanlığın geleceği üstünde geri kalan % 95'ten daha belirleyici olduğu anda, dünyanın siyasal yönetiminde bir işleyiş bozukluğu var demektir.

Bu biraz da şunu akla getiriyor: Sanki ABD başkanını yalnızca Florida sakinlerinin belirlemesine karar verilmiş de, birliğin öteki eyaletleri sadece kendi yöneticileri ile yerel yetkilileri seçmişler. Yine Florida örneğini verdim, çünkü onun nüfusu da ABD'ninkinin tam % 5'ini oluşturuyor.

Şurası bir gerçek ki oy verme ayrıcalığına sahip olanların seçimi, insanın kendi tercihini yansıttığında, bu işe çok da kızılmaz; ama bu rastlantı anormalliği gizlemeye yarar sadece, onu ortadan kaldırmaz.

Bu ikinci bölümün başında, Amerikan yönetiminin "yargılama alanı"nın bugün bütün dünyayı kapsadığını yazmıştım. Bu sözcükler tırnak içindeydi, çünkü Washington'ın uyguladığı yetke dünya nüfusunun kendisine verdiği bir vekâletten kaynaklanmıyor hiç de. ABD topraklarında bir hukuk hükümeti; dünyanın geri kalanındaysa, tartışma götürür bir meşruiyete sahip bir fiili hükümet.

Bu yüzyılın ilk yıllarında doruğa çıkan sistematik Amerikan karşıtlığını kesinkes reddederek bu soruna değinmek kolay değil. Gene de, inatla, bu çizgiyi izlemeyi sürdüreceğim; nedenine gelince, öncelikle "metbu"muzun ne kölesi olduğumuzu düşünüyorum ne de ona karşı nefret besliyorum; ayrıca içinde yaşadığımız zamanın dramlarını anlayabilmenin ve bunlara çözüm aramanın tek yolu bu. Dolayısıyla, ABD'nin kuruluşundan bu yana yayılmacı ve hegemonyacı eğilimler sergileyip sergilemediği konusunu bir kenara bırakacağım. Elbette bu konu beni ilgilendirmiyor değil; ama bu konuda konuşmak bana gereksiz geliyor; zira öteki ülkeler de tarihte ellerine fırsat geçtiğinde güçlerini kullanmışlar, hatta kötüye kullanmışlar; –son iki yüzyılda dünya çapındaki bir hegemonya düşü kuran uluslarla yetinecek olursak– Ruslar, Japonlar, Almanlar, İngilizler ya da Fransızlar Amerikalılarınkine benzer bir küresel statüye ulaşabilselerdi, onların tutumları daha da küstahça olurdu. Yarın, Çin ya da Hindistan söz konusu olursa, aynı şeyin geçerli olacağından kuşkum yok.

Dünyadaki davaların siyasal yönetimi konusunda gözlenen bu çivisinden çıkma halinden ABD şüphesiz yararlanıyor; ama aynı zamanda bunun kurbanı oluyor. Kendine çekidüzen vermezse, dünyanın geri kalanıyla olan sağlıksız ilişkileri, onda Vietnam Savaşı'nı izleyen sarsıntılardan çok daha kalıcı ve yoğun sarsıntılar yaratabilir.

ABD'nin Soğuk Savaş'tan sonra edindiği konum ve küresel tek süper güç olması, onun için İngilizcede *mixed blessing* olarak adlandırılan şeyi yansıtıyor, yani hem lütfu hem de laneti. Maddi manevi her varlığın sınırlarının belirlenmesine ihtiyacı vardır. Her iktidarın, ötekileri kendi taşkınlıklarından korumak için, aynı zamanda onu kendinden de korumak için bir karşı-iktidara ihtiyacı vardır. Siyasetin esas kurallarından biridir bu, Amerikan demokrasisinin de temellerinden birini oluşturur; karşısında ona korkuluk görevi görecek bir başka merci bulunmayan hiçbir mercinin ayrıcalıklarını kullanamayacağını öngören dokunulmaz *checks and balances** ilkesi. Ayrıca bunun bir tabiat kanunu olduğu da söylenebilir. Bunu yazarken, acıya karşı duyarsız olarak doğan çocuklar aklıma geliyor; bu hastalık yüzünden, sürekli tehlike altındadırlar; çünkü farkına bile varmadan kendilerini çok ciddi biçimde yaralayabilirler; belki de kimi zaman yara almadıklarını düşündüklerinden sarhoş edici bir duyguya kapıldıkları oluyordur, ama bu durum onları düşüncesizce davranmaya iter.

Tek süper güç, uluslararası sahnede canının istediği hemen hemen her şeyi, kendisi zarar görmeden yapabileceği duygusuna kapılınca, hatalar yaptı, oysa bu hataları yapması Soğuk Savaş döneminde engelleniyordu.

Başlarda, öteki ülkeleri meşruiyetine ikna etme kaygısı güdüyordu. Orta Amerika'dan başka bir yere askeri müdahalede bulunmak istediğinde, inandırıcı koalisyonlar kurmaya bakıyordu; Birleşmiş Milletler buna yanaşmadığında, konuyu, örneğin, Kosova Savaşı'nda olduğu gibi NATO'ya ya da Birinci Irak Savaşı'nda olduğu gibi önemli bölgesel güçlere götürüyordu.

Nispeten uzlaşıma dayalı son sefer 2001 sonbaharında Afganistan'a yapılandı. Amerikalılar, 11 Eylül saldırılarında parmağı olduğu açık olan Taliban'ın dünya genelinde sevilmemesi sayesinde, kendilerine müttefik bulmakta hiç güçlük çekmediler; ama on beş ay sonra, Irak'ı işgal etmek için buna benzer bir destek aradıklarında, Fransa'nın en önemli sözcüsü rolünü üstlendiği, Almanya'nın, Rusya'nın, Çin'in, aynı şekilde diğer ülkelerin büyük çoğunluğunun da katıldığı, küresel bir diplomatik başkaldırıyla karşı karşıya kaldılar. Başta küresel ısınma ve Uluslararası Ceza Mahkemesi olmak üzere, çeşitli konularda, öteki ulusların düşüncesini önemsemedikleri, hatta kimi zaman küçümsedikleri izlenimini yaratan Cumhuriyetçilerin yönetimi bu isyanı büyük ölçüde açıklıyordu; bu tavırlarına saldırılardan önce de rastlanıyordu, ama saldırıların ertesinde daha da

* Kuvvetler ayrılığı. (Ed. n.)

şiddetlenmişti, sanki ABD'nin kurbanı olduğu saldırılar, onu uluslararası topluluk karşısındaki bütün zorunluluklarından kurtarmış gibi. Kaldı ki, yönetim, Birleşmiş Milletler Güvenlik Konseyi'nin tereddütlerine ve dünya kamuoyunun savaşa hararetle karşı çıkmasına aldırmadı; birtakım bahaneler hazırladı ve geriye kalan son dört müttefikiyle Irak'ı işgal etti.

Amerikalılar, herhangi bir sürpriz yaşamadan, kısa süre içinde Irak ordusunu yenilgiye uğrattılar, ama askeri alanda kazandıkları bu zafer birdenbire, sonuçları önceden kestirilemeyecek siyasal ve manevi bir bozguna dönüştü. Dünyanın geri kalanında bir eşine daha rastlanmayan bir şeffaflık kültürüne sahip olduklarından, yaşanan bu tersliği sürekli masaya yatırdılar, bu noktaya nasıl gelindiğini ve bunun bir daha gerçekleşmesini nasıl engelleyebileceklerini sorguladılar. Bizimki gibi karmaşık, farklı farklı öğelerden oluşan bir dünyada tek başına güç kullanmanın içerdiği riskleri artık daha iyi biliyorlar. Biliyorlar ki ancak başkalarının düşünceleri dikkate alınırsa, her sese, düşmanlarınkine olduğu kadar müttefiklerinkine de kulak verilirse, tehlikelerin önüne geçilebilir ve son korkulukları da aşmadan durulabilir.

Öte yandan, tek başına kalan "metbu"muzun davranışlarının çığırından çıkmasına neden olan ve sonunda kendisine de zarar veren bu "acıya karşı duyarsızlığın", aynı zamanda, küresel ekonomik sistemimize de dokunduğu düşünülebilir.

Kuşkusuz pazar ekonomisi, artık kimsenin, özellikle de eski komünist ülkelerin geri dönmek istemediği bürokratik ve güdümcü ekonomiye olan üstünlüğünü kanıtladı. Gelgelelim, tek modele dönüşen kapitalizm, toplumsal bilançosu konusunda kendisini sürekli eleştiren, işçi hakları ve eşitsizlikler konularında dürtükleyen, yararlı, büyük olasılıkla yeri doldurulamaz bir rakibini yitirmiş oldu. Sözü geçen bu haklara, komünist ülkelerde kapitalist ülkelerin çoğundan daha az saygı gösterilse de, sendikalar daha sıkı biçimde susturulsa da, tehlikeli nomenklatura sistemi eşitlik ilkesine yapılan göndermelerin hepsini yalancı çıkarsa da, sırf o itiraz olgusu, o saldırılar, o retorik, her toplumun içindeki ve dünya ölçeğindeki o aralıksız baskı, kapitalizmi daha toplumsal, daha az eşitsizlikçi, işçilere ve onların temsilcilerine karşı daha dikkatli olmak durumunda bırakıyordu; etik planda, siyasal planda, hatta, sonuçta, pazar ekonomisinin etkili ve akılcı yönetimi için zorunlu bir düzelticiydi bu da.

Bu düzelticiden yoksun kalan sistem hızla yozlaştı, tıpkı artık budanmadığından yabani haline dönen bir çalı gibi. Sistemin parayla ve para kazanma tarzıyla olan ilişkisi edebe aykırı bir hal aldı.

İnsanın zenginleşmekten utanmasını gerektirecek hiçbir şey yok, bunu kabul ediyorum. Refahının meyvelerinin tadına varmasında da utanılacak bir şey yok, buna da inanıyorum; içinde yaşadığımız dönem bizlere olağanüstü güzellikler sunuyor, bunlardan keyif almayı reddetmek yaşama hakaret olur. Ama paranın her türlü üretimden, her türlü bedensel ya da zihinsel çabadan, her türlü toplumsal açıdan yararlı etkinlikten bütünüyle kopmasına ne demeli? Borsalarımızın, zengini yoksuluyla yüz milyonlarca insanın yazgısının bir zar atımıyla belirlendiği devasa kumarhanelere dönmesine ne diyeceğiz peki? Ya saygın mali kurumlarımızın sarhoş haytalar gibi davranmasına? Bütün bir yaşam boyunca emek harcanarak biriktirilen tasarrufların, birkaç saniye içinde, artık bankacıların bile anlamaz olduğu alengirli yöntemler sonucunda yok olup gitmesine ya da otuza katlanmasına ne diyeceğiz?

Bu ciddi bir düzen bozukluğudur, finans ya da ekonomi dünyalarını fazlasıyla aşan sonuçlar doğurmaktadır. Çünkü insan, olan bitene baktığında, yaşamı neden dürüstçe çalışarak geçireyim ki, diye kendi kendine haklı olarak sorabilir; neden bir genç profesör olmak istesin, kaçakçı olmak varken; böylesi bir ahlaki ortamda, bilgiler nasıl aktarılabilir, idealler nasıl aktarılabilir, adlarına özgürlük, demokrasi, mutluluk, ilerleme ya da uygarlık dediğimiz öylesine temel ve öylesine hassas şeylerin ayakta kalması için en düşük düzeyde de olsa toplumsal doku nasıl korunabilir?

Bu mali kargaşanın aynı zamanda, belki de her şeyden önce, değer ölçeğimizin çivisinin çıktığının belirtisi olduğunu eklememe gerek var mı?

III
Hayali Gerçeklikler

1

Zamanımıza damgasını vuran manevi bunalım üstüne, kimi zaman "ayar noktalarının yitimi"nden ya da "yön yitimi"nden söz ediliyor; pek katılmadığım açıklamalar bunlar, çünkü yitik ayar noktalarının, unutulmuş dayanışmaların ve geçerliliklerini kaybetmiş meşruiyetlerin "yeniden bulunması" gerektiğini akla getiriyorlar; kanımca, asıl gereken şey onları "yeniden bulmak" değil, yaratmak. Yeni çağın sorunlarıyla, eski zamanlardaki tutumlara aldatıcı biçimde geri dönüşü salık vererek yüzleşilemez. Bilgelik, bu dönemin benzersizliğini, kişiler arasında olduğu gibi toplumlar arasındaki ilişkilerin de kendine özgülüğünü, elimizin altındaki olanakların ve yüzleşmek durumunda olduğumuz sorunların kendine özgülüğünü görmekle başlar

Hem uluslar arasındaki ilişkiler hem de yeryüzü kaynaklarının yönetimi konularında, tarihin bilançosu kesinlikle bir örnek oluşturmaz, çünkü o bilanço yıkıcı savaşlarla, insan onuruna karşı işlenmiş suçlarla, toplu savurganlıklarla ve trajik yoldan çıkmalarla doludur; bunlar da bizleri bugünkü tükeniş haline sürüklemiştir. Geçmişi allayıp pullayarak idealleştirmek yerine, o geçmişin bize kazandırdığı ve bugünün bağlamında felaket etkisi yaratan reflekslerden kurtulmak; insanlık macerasında yepyeni bir evreye dosdoğru girebilmek için önyargılardan, atacılıklardan, eskilliklerden kurtulmak gerekir. Bu öyle bir evre ki her şeyin –dayanışmaların, meşruiyetlerin, kimliklerin, değerlerin, ayar noktalarının– yeniden yaratılması gerekiyor.

Yanlış anlama olmasın diye, şunu da belirtmek isterim: Benim bakış açıma göre, çözüm geleneksel maneviyatlara ve eski meşruiyetlere nostaljik bir "geri dönüş"te yatmadığı gibi, bayağı ve tembel bir modernlik adına kutsal bencilliği yücelten, her türlü yadsımayı putlaştıran, bütünüyle "herkes kendi için yaşar" düşüncesinin içine gömülmüş, sonuç olarak da ilkelerin en beterini ortaya koyan –"benden sonra tufan"– bir manevi görecelikte de yatmaz. İklimde yaşanan düzensizliklerin neredeyse gerçek bir anlam kazandırdığı bir ilkedir bu.

Bu iki karşıt tutum, birbirine benzer yollardan aynı karmaşaya sürükler insanları. Bugün ihtiyaç duyduğumuz şeyse bambaşka bir şey. Eski meşruiyetlerden kurtulmamız gerekiyorsa, onlardan "daha üst düzey"e çıkmalıyız, yoksa kurtulacağız diye onlardan "daha aşağı düzeye" inmemeliyiz; çeşitliliğimizi, çevremizi, kaynaklarımızı, bilgilerimizi, araçlarımızı, güçlerimizi, dengelerimizi, başka bir deyişle ortak yaşamımızı ve hayatta kalma yetimizi şimdiye dek yaptığımızdan daha iyi yönetebilmemizi sağlayacak bir değer ölçeği oluşturmalıyız; yoksa her türlü değer ölçeğini dışlamaya yönelmemeliyiz.

"Değerler" içi boşaltılmış bir sözcüktür ve değişkendir. Maddi konular ile tinsel konular arasında rahatlıkla gidip gelebilir; inanç alanında da, hem ilerlemenin hem de konformizmin; hem manevi özgürlüğün hem de boyun eğmenin eşanlamlısı olabilir. Bu yüzden onu hangi anlamda kullandığımı, onunla ilişkilendirdiğim düşünceleri açıklamam gerekiyor. Birilerini kendi safıma çekmek için yapmayacağım bunu, zira safım yok benim, partilerden, gruplardan, klanlardan hâlâ uzak duruyorum, benim gözümde aklın özgürlüğünden daha değerli bir şey yok; ama insanın, olaylara bakışını ortaya koyarken, inandığı şeyi ve varmak istediği noktayı kem küm etmeden dile getirmesi dürüst bir davranış bana kalırsa.

Bence, dünyayı etkisi altına alan düzensizlikten, bundan "daha üst bir düzeye" yükselip kurtulmak için kültür önceliğinin; hatta şöyle diyeceğim, kültür aracılığıyla kurtuluşu temel alan bir değer ölçeğinin benimsenmesi gerekiyor.

Genelde André Malraux'ya mal edilen, ama büyük olasılıkla kendisinin ağzından çıkmamış olan bir tümceye göre, 21.

yüzyıl "ya dindar olacak, ya da [var] olmayacaktır". Sondaki "ya da olmayacaktır" sözünün, çağdaş yaşamın labirentinde ruhsal bir pusula olmadan yönün bulunamayacağı anlamını taşıdığını düşünüyorum.

Bu yüzyıl daha genç, ama daha şimdiden insanların bu yüzyılda dinle yollarını yitirebilecekleri biliniyor, tıpkı onsuz da yollarını yitirebilecekleri gibi.

Dinin yokluğundan nasıl zarar görüldüğünü, Sovyet toplumu açık biçimde kanıtladı. Ama dinin aşırı varlığından da zarar görülebilir; bu Cicero'nun zamanında, İbn Rüşd'ün zamanında, Spinoza'nın zamanında, Voltaire'in zamanında bile biliniyordu; Fransız Devrimi'nin, Rus Devrimi'nin, Nazizm'in ve bazı birkaç laik zorbalığın aşırılıklarıyla iki yüzyıl boyunca unutulduysa da, bunlardan beri pek çok olay yaşandı bize bunu anımsatacak. Umarım bütün bunlar, dinin yaşamlarımızda işgal etmesi gereken yeri daha doğru biçimde değerlendirebilelim diyedir.

"Para" için de aynı şeyi söyleyeceğim. Maddi zenginliği ayıplamak, zenginliklerini arttırmaya çalışanları suçlamak, sürekli olarak en beter demagojilere hizmet eden kısır bir tutumdur. Ama parayı, her türlü saygınlığın ölçütü, her türlü iktidarın ve her türlü hiyerarşinin temeli durumuna getirmek de toplumsal dokunun parçalanmasına yol açar.

İnsanlık, iki-üç kuşak içinde, birbirine karşıt birçok yöne saptı. Komünizm deneyimleri ile kapitalizminkiler; tanrıtanımazlığınkiler ile dininkiler. Bu salınımlara ve onların sonucu olan kargaşalara boyun eğmek zorunda mıydık? Bu deneyimlerden ders çıkarmak isteyecek kadar ve bizleri güçten düşüren bu ikilemlerden kurtulmayı arzulayacak kadar aklımız başımıza gelmedi mi daha?

Bir yazarın ya da kültür alanında çalışan herhangi bir kişinin, kültürü temel alan bir değer ölçeğini övmesi fazlasıyla sıradan geliyor kulağa, üstelik insanlar buna gülebilir. Ama bunun nedeni sözcüklerin anlamlarının yanlış anlaşılmasıdır.

Kültürü diğerleri gibi bir alan olarak ya da belli bir insan kategorisi için yaşamı güzelleştirmenin bir yolu olarak görmek, hangi yüzyılda olduğumuzu, hangi binyılda olduğumuzu şaşırmak demektir. Bugün, kültüre düşen rol, çağdaşlarımıza hayatta kalmalarını sağlayacak entelektüel ve manevi araçları sağlamaktır, başka bir şey değildir.

Tıbbın bize armağan ettiği o fazladan onlarca yılı neyle dolduracağız? Gitgide daha çoğumuz daha uzun ve daha sağlıklı bir yaşam sürüyor; ister istemez sıkıntının, boşluk korkusunun pençesine düşebilir ve bu durumdan tüketim düşkünlüğüyle kurtulmaya çalışabiliriz. Yeryüzü kaynaklarını çok hızlı tüketmek istemiyorsak, olabildiğince başka tatmin biçimlerine, başka haz kaynaklarına, özellikle de bilgi edinmeye ve ışıltılı bir içsel yaşam geliştirmeye öncelik tanımamız gerekecek.

Burada söz konusu olan, insanın kendini bir şeylerden yoksun bırakması ya da çileciliğe gömülmesi değil. Ateşli bir Epikurosçu olduğumdan, bütün yasaklardan iğreniyorum. Mutluluk içinde dünya nimetlerinden yararlanmayı, hatta genellikle onları kötüye kullanmayı sürdüreceğiz, kimseyi suçlamayacağım bu konuda. Ama yaşamın bize sunduklarından daha uzun süre ve doyasıya faydalanmak istiyorsak, davranışlarımızı değiştirmek zorundayız. Duyularımıza hitap eden renkleri azaltmak için değil, tersine, onları daha da fazlalaştırmak, canlandırmak için, belki de daha yoğun başka doyumlar aramak için.

Enerji kaynaklarını, bir yandan tükenen ve bozulan fosil, diğer yandan da güneş, rüzgâr enerjisi ve jeotermik enerji gibi yenilenebilir olan, tükenmeyen enerji kaynakları olarak birbirinden ayırmıyor muyuz? Yaşam tarzımızdan söz ederken de buna benzer bir ayrım yapılabilir. Yaşamın gereksinimleri ve hazlarını daha çok tüketerek karşılamaya çalışabiliriz, ama bu yeryüzü kaynaklarına zarar verecek ve yıkıcı gerilimlerin yaşanmasına neden olacaktır. Ama onları başka türlü de karşılayabiliriz, örneğin yaşamın her döneminde öğrenime ayrıcalık tanıyarak, çağdaşlarımızı dil öğrenmeye, sanatsal alanlara merak salmaya, bir biyoloji ya da astrofizik keşfinin değerini anlayabilmeleri için çeşitli bilim dallarını tanımaya teşvik edebiliriz. Bilgi sonsuz bir evrendir, bütün yaşamımız boyunca hiç de ölçülü davranmadan beslenebiliriz ondan, ne yapsak tüketemeyiz onu. Üstelik, daha da iyisi: Ondan ne kadar beslenirsek, dünyayı da o kadar az tüketiriz.

Bu bile kültürün bir hayatta kalma yöntemi olarak öncelikli görülmesi için yeterli bir neden. Ama tek neden de bu değil. En az bunun kadar temel ve kültürün değer ölçeğimizin merkezine yerleştirilmesini tek başına haklı çıkaracak bir başka neden daha var. Kültürün, çeşitliliğimizi yönetmeye yardım edebilecek olmasından söz ediyorum.

Her ülkede, her kentte birlikte yaşayan, farklı farklı kökenlere sahip o insanlar, biçimleri bozan prizmaların –bazı yerleşik düşüncelerin, atalardan kalma önyargıların, dar kafalı imgelerin– içinden birbirlerine bakmayı daha uzun süre sürdürecekler mi? Bana kalırsa, içinde yaşadığımız dünyaya daha iyi kulak kabartabilmek için alışkanlıklarımızı ve önceliklerimizi değiştirmemizin zamanı geldi. Çünkü bu yüzyılda artık yabancı diye bir şey yok, yalnızca "yol arkadaşları" var. Çağdaşlarımız ister sokağın öteki köşesinde isterse dünyanın öteki ucunda yaşıyor olsunlar, evimizden iki adım uzaktalar sadece; davranışlarımız onları derinden etkiliyor, onlarınki de bizi.

Ülkelerimizde, kentlerimizde, mahallelerimizde olduğu gibi bütün dünyada da iç barışı korumak istiyorsak, insanlar arasındaki çeşitliliğin, şiddete yol açan gerilimlerden çok, uyumlu bir birlikteliğe dönmesini arzuluyorsak, "ötekiler"i şöyle böyle, yüzeysel, üstünkörü biçimde değil, iyice, yakından, hatta özel yaşamlarına kadar tanımamız gerek. Bu da ancak onların kültürlerini öğrenerek olur. Öncelikle de edebiyatlarını. Bir halkın özel yaşamı, edebiyatıdır. Tutkularını, özlemlerini, düşlerini, yoksunluklarını, inançlarını, çevresindeki dünyaya bakışını, kendisini ve –buna biz de dahil olmak üzere– başkalarını nasıl algıladığını edebiyatla açığa vurur. Biz de dahil olmak üzere diyorum, çünkü "ötekiler"den söz ederken, kim olursak olalım, nerede olursak olalım, bizlerin de ötekiler için "ötekiler" olduğumuzu unutmamamız gerekiyor.

Elbette, hiçbirimiz o "ötekiler"de seveceğimiz ya da öğrenmemiz gereken şeylerin hepsini öğrenemeyiz. O kadar çok halk, o kadar çok kültür, o kadar çok dil, o kadar çok resim, müzik, koreografi, tiyatro, zanaat, mutfak geleneği vb. var ki! Ama herkes, çocukluktan başlayarak ve yaşamı boyunca, kendisininkinden farklı bir kültüre, kişisel ilgi alanlarına göre özgürce seçtiği –bu şekilde zorunlu İngiliz dilinden daha yoğun biçimde üstünde çalışacağı– bir dile merak salmaya teşvik edilirse, bütün dünyayı saracak sıkı bir kültürel doku çıkar ortaya, çekingen kimlikleri rahatlatır, tiksintileri dindirir, insanlık macerasının bir olduğu inancını yavaş yavaş güçlendirir ve bu yüzden de kurtarıcı bir hamleyi olanaklı kılar.

Bundan daha önemli bir amaç göremiyorum bu yüzyılda ve şurası da açık ki, bu amaca ulaşabilmek için, kültür ve eğitime hak ettikleri öncelikli yeri kazandırmamız gerek.

ABD'de ve başka yerlerde, kültürün karalandığı ve kültürsüzlüğün bir doğallık güvencesi olarak görüldüğü, uğursuz bir dönemden belki de artık çıkmaya başlıyoruz. Tuhaf biçimde seçkinciliğin tutumuna benzeyen popülist bir tutum bu; şöyle ki her iki durumda da "halk"ın yeteneklerinin sınırlı olduğu, ondan çok fazla entelektüel çaba beklenmemesi gerektiği, hoşnut, sakin ve minnettar olması için, dolu pazar çantalarının, birkaç yüzeysel sloganın ve basit eğlencelerin ona yeteceği düşüncesi üstü kapalı biçimde kabul edilir. Buna göre, kültür de bu konuda yetiştirilmiş küçük bir azınlığa özgü olarak kalmalıdır.

Burada söz konusu olan, küçümseyici ve demokrasi için tehlikeli bir düşünce tarzıdır. İnsan edilgen kalarak propagandacıların kendisini yönetmesine izin verirse, siyasetçilerin isteğine göre galeyana gelir ya da sakinleşirse, savaş maceralarına sürüklenmeye uysalca boyun eğerse, bütün haklara sahip bir yurttaş, sorumlu bir seçmen olamaz. Özellikle yönelimleri geniş ölçüde dünyanın yazgısını belirleyen bir ülkede, bilinçli şekilde karar verebilmek için, bir yurttaşın kendisini çevreleyen dünyayı derinlemesine ve yakından tanımaya ihtiyacı vardır. Bilgisizlikle yetinmek, demokrasiyi yadsımaktır, onu bir hayalete dönüştürmektir.

Bütün bu nedenlerden ve başka birkaç nedenden daha ötürü, değer ölçeğimizin bugün sadece kültürün ve eğitimin önceliğini temel alabileceğine inanıyorum. Daha önce alıntıladığım tümceye gönderme yapmak gerekirse, 21. yüzyıl kültürle kurtulacak ya da yok olup gidecek.

Bu inancım, kabul gören hiçbir öğretiye dayanmıyor -yalnızca- içinde yaşadığım dönemi nasıl değerlendirdiğimle ilgili; ama inceleme fırsatı bulduğum büyük dinsel geleneklerde de buna benzer çağrılar olduğunun farkındayım. "Âlimin mürekkebi şehidin kanı ile tartılır, âlimin mürekkebi ağır gelir", der Müslümanların Peygamberi. Bu konuyla ilgili başka sözleri de aktarılır: "Âlimler peygamberin vârisidir"; "İlim Çin'de de olsa, gidip alın"; "Beşikten mezara kadar ilim öğreniniz!"

Talmud'da da şu güçlü ve heyecan verici düşünceye rastlanır: "Dünya öğrenen çocukların soluğuyla ayakta kalır ancak."

"Dünyayı ayakta tutma" mücadelesi daha çetin bir hal aldı, ama "tufan" kaçınılmaz değil. Gelecek önceden yazılmadı, onu yazmak, düzenlemek, kurmak bize düşüyor; bunu yüreklilikle yapmalıyız, çünkü çok eski alışkanlıklardan kopmayı göze almak gerekiyor; gönül yüceliğiyle yapmalıyız, çünkü bir araya getirmek, güçlendirmek, dinlemek, içine almak, paylaşmak gerekiyor; her şeyden önce de bilgelikle yapmalıyız bunu. Kökenleri ne olursa olsun, kadını erkeği, bütün çağdaşlarımıza düşen görev bu ve bu görevi üstlenmekten başka seçeneğimiz de yok.

Bir ülke çökerken, her zaman oradan başka bir ülkeye göç etmeyi deneyebilir insan; buna karşılık, bütün dünya tehdit altındaysa, gidecek başka bir yer kalmaz. Hem kendimiz hem de gelecek kuşaklar adına, gerilemeye boyun eğmek istenmiyorsa, olayların akışını değiştirmeye çalışmalıyız.

2

Önümüzdeki yıllarda, insanlar arasında, bütün sınırların ötesinde, yeni bir tür dayanışma -evrensel, karmaşık, etkili, üstüne düşünülmüş, olgun bir dayanışma- oluşturulabilecek mi? Hiç de din karşıtı olmadan, insanın en az bedensel gereksinimleri kadar gerçek olan metafizik gereksinimlerine duyarsız kalmadan, dinlerden bağımsız olunabilecek mi? Kültür zenginliğini ortadan kaldırmadan ulusları, cemaatleri, etnik toplulukları aşabilecek bir dayanışma sağlanabilecek mi? Bu dayanışma, kıyamet tellallığı yapmadan insanları bekleyen tehlikelere karşı onları bir araya getirebilecek mi?

Başka bir deyişle, bu yüzyılda, hiçbir geleneğe doğrudan bağlı olmayan, Marksizm'in hatalarına düşmeyen, ama aynı zamanda da Batı'nın ideolojik ya da siyasal bir aracı olarak da görülmeyecek, yeni, seferber edici bir insancıllık ortaya çıkacak mı? Şu anda, bunun belirtilerini görmüyorum. Benim gördüğüm, insanlara beşikten mezara eşlik eden, atalardan kalma aidiyetlerin olağanüstü gücü; bazen onlardan uzaklaşsa da, elinde görünmez bir tasma varmışçasına neredeyse her zaman yeniden onlara egemen olan; dünyanın geçirdiği evrime az çok uyum sağlayarak, ama insanlar üstündeki etkisini de koruyarak yüzyıllardır varlığını sürdüren bir güç bu. Buna karşılık, bu aidiyetleri aşmak isteyen dayanışmaların kırılganlığına, gelip geçiciliğine, yüzeyselliğine tanık oluyorum.

Marx dini "halkın afyonu" olarak tanımladığında, bunu alay etmek için ya da onun izinden gidenlerin sıklıkla yaptıkları gibi küçümsemek için söylememişti. Belki de tümcesinin tamamını anımsatmakta yarar vardır, şöyle diyordu: "Dinsel üzüntü hem gerçek üzüntünün dışavurumu, hem de bu üzüntüye karşı çıkıştır. Din ezilen insanın iç çekişi, kalpsiz bir dünyanın kalbi, ruhsuz bir dünyanın ruhudur. Din halkın afyonudur." Onun bakış açısına göre, insanların gerçek bir mutluluk yaratmaya kendilerini adayabilmeleri için, bu "aldatıcı mutluluğu" ortadan kaldırmak gerekiyordu; şimdi bakıldığında, bundan şu sonuç çıkarılabilir: Vaat edilen mutluluğun daha da aldatıcı çıkmasının üstüne, halklar kendilerini avutan "afyon"larına döndüler.

Bu yüzden, bana öyle geliyor ki Marx, siyasal ve toplumsal alanda dinin yeniden ortaya çıkışına tanık olabilseydi eğer, buna üzülürdü kuşkusuz, ama çok da şaşırmazdı.

Arap ve Müslüman toplumlarında ulusalcılığa da, Marksizm'e de üstün gelen siyasal İslamcılık bu öğretileri yenmekle kalmadı, onları özümseyip sahiplendi.

Bu konuda verilebilecek en anlamlı örnek 1979'daki Irak Devrimi'dir; kuşkusuz dini, ama aynı zamanda ulusalcı, monarşi karşıtı, Batı karşıtı, İsrail karşıtı ve yoksun kitleler adına hareket eden bir devrim. Bütün İslam âleminin üstünde belirleyici bir etkisi olan güçlü bir bireşimdi bu. Daha önce de bazı Müslüman liderler üç duyarlılığı –ulusal, dinsel ve toplumsal– bir araya getirme işine soyunmuşlardı. Örneğin Başkan Sukarno, Endonezya'da "Nasakom" ilkesini –yerel dilde, nasinolisme, agama, komnisme: ulusalcılık, din, komünizm– uygulamaya koymuştu. Ama bu yapay bir kolajdan ibaretti ve çok kısa süre içinde dağıldı.

Müslümanlığa karşı oluşu çok açık biçimde sergileyen "komünizm" sözcüğünün yerine "sosyalizm" konduğunda bile, bu katıştırma işe yaramadı. İslam âleminde hiçbir yerde, ulusalcılık, dini, dinin ulusalcılığı özümseyeceği gibi özümseyemedi. Türkler ile Araplar, Osmanlı İmparatorluğu içinde dört yüzyıl birlikte yaşadıktan sonra, Birinci Dünya Savaşı sırasında "ayrılınca" ve her biri kendi ulusalcılığını geliştirince, onları bir araya getiren Müslümanlık damgasından kısmen uzaklaştılar; Türkler bunu yeni bir başlangıç arzusuyla, Atatürk'ün önderliğinde köktenci biçimde yaparken, Araplar daha yumuşak bir geçişle, söylemlerinde –gizlice ama kasıtlı olarak– "Müslüman ulusu" yerine "Arap ulusu"nu kullanarak gerçekleştirdiler. Tarzlar son derece farklı, ama önsel düşünce aynıydı: Yeni bir düşünce olan ulusalcılık, sırtını dine yaslarsa kaybolup giderdi.

Elbette, belirsizlikler yaşandı her zaman. İnsanların gözünde, Nâsır'ın bir İslam kahramanı olduğu yadsınamazdı. Ama kendisi açıkça dine gönderme yapmaktan ve siyasal çalışmalarını *Kuran*'dan alıntılarla desteklemekten sakınıyordu, çünkü eğer bunları yaparsa, siyasal rakipleri olan Müslüman Kardeşler'in daha güçlü olduğu bir alana adım atmış olacaktı. Ardılı Sedat'ın yapacağı gibi, "mümin başkan" olmakla asla böbürlenmedi. Sedat ise, bu konuda, çok daha sakınımsız davranacaktı. Nâsırcıların etkisinden kurtulmak ve solun ilerlemesine karşı durmak için, sırtını İslamcılara dayayacak ve onların söylemlerini kendine mal etmeye kalkacaktı; ama bu şekilde özgür bıraktığı güçleri uzun süre yönetemeyecek ve bu güçler acımasızca ona karşı dönecekti.

Din asla ulusalcılık tarafından, hele sosyalizm tarafından özümsenmemiştir, ancak, bunun tersi de doğru değildir.

Ulusalcı mücadelenin –Mısırlılarınki, Cezayirlilerinki, İranlılarınki, Çeçenlerinki ya da Filistinlilerinki– her şeyden önce Müslüman halkları Hıristiyan ya da Yahudi düşmanlarla karşı karşıya getirdiği düşünülürse, bu mücadele aynı dili konuşan bir topluluk adına yürütülmektense, dinsel bir topluluk adına daha rahat biçimde yürütülebilirdi. Sosyalizmin kitlelere çekici gelmesinin nedeninin de mal sahipleri ile ezilenler arasındaki uçurumu küçültme vaadinde yattığı düşünülürse, böylesi bir hedef dinsel açıdan da eksiksizce yansıtılabilirdi; Müslümanlık, tıpkı Hıristiyanlık gibi, her zaman yoksullara hitap etmeyi ve onları kendine çekmeyi bilmişti. Ulusalcılıkta ve sosyalizmde, özel, indirgenemez, "özümsenemez" olan ne varsa ortadan kaldırılacak ya da kendiliğinden yok olup gidecekti; kalıcı ve özlü olan her şey de, insanın kimliğine özgü, manevi ya da maddi, her gereksinimine yanıt verme iddiasındaki, hem ulusalcı hem de küreselci bir tür bütünsel ideolojinin içinde toplanacaktı. Birkaç on yıl önce olsa, kendilerini daha çok Nâsırcılığa ya da hatta komünizme yakın hissedecek olanların hepsi, bir savaş ideolojisine yöneldi.

Doğrusunu söylemek gerekirse, dün kendilerini Arap ulusalcılığıyla olduğu kadar Marksizm'le de özdeşleştirebilen, ama bugün, onları dışlayan İslamcılıkla özdeşleştiremeyen Doğu Hıristiyanlarını saymazsak, yenik düşmüş öğretilerin bütün yandaşları, çok da kendileriyle ters düştükleri duygusuna kapılmadan, siyasal anlamda yön değiştirmeyi becerdiler. Verdikleri mücadele hâlâ aynı, düşmanları da öyle, yalnızca şu zamanın ideolojik silahlarını kullanıyorlar.

Neden falanca kişi dün Maocu, Guevaracı ve Leninist olduğunu ileri sürüyordu? Çünkü "Amerikan emperyalizmi"ne karşı etkin biçimde savaşmak istiyordu. Bugün, Müslümanlık adına aynı amacı kovalıyor; üstelik bu kez mahallesindeki insanlarla uyum içinde, oysa eskiden Rusçadan çevrilmiş küçük broşürleriyle ve kimsenin okumak istemediği Küçük Kızıl Kitaplarıyla kendisini yalnız hissediyordu. Güçleri tükenen gençlere bir devrimcinin "sudaki balık gibi" olması gerektiğini yinelemekten dilinde tüy bitmemiş miydi? Camiye gitmeye başladığından beri, kendini tam da böyle hissediyor yeniden. İnsanlar ona, nerede üretildiğini kimsenin bilemeyeceği, ne idiği belirsiz malını satmaya çalışan bir zındık gibi bakmıyor artık. Bundan böyle, herkesin anladığı bir dilde konuşuyor. Aynı Kitap'tan alınma ayetleri çevresindeki gençler, yaşlılar, herkes biliyor.

Eskiden Lenin'den, Engels'ten, Lin Biao'dan, Plehanov'dan, Gramsci'den ya da Althusser'den alıntılar yapabilenin, aralarından en iyisi olduğunu insanlara kabul ettirmek ne kadar da zordu! Şimdiyse, yüzyıllar boyunca yazılmış, düşünülmüş ya da yaratılmış hiçbir şeyin, onların çocukluklarından beri belledikleri şey kadar önemli olmadığını söylemek ne kadar rahatlatıcı!

Aynı zamanda bir aidiyet gibi hareket eden bir öğretiden daha güçlü ne olabilir ki! Onu benimseyebilmek için bir isteme ihtiyaç yok, Yaradan'ın lütfuyla doğuştan bu hakka sahip insan, ezelden beri ve sonsuza dek.

Bu durum Müslümanlık için geçerli ama aynı zamanda öteki dinsel gelenekler için de öyle. Rusya'da, birkaç on yıl komünizmin uzun bir süreliğine yerinin sağlamlaştırıldığı ve Ortodoks inancının dayanıksız bir kalıntı olduğu düşünülmüştü. Yüzyıl sona ermeden önce, komünizm kuru bir tomurcuk gibi silinip süpürülmüş ve ülkenin yeni yöneticileri yeniden kiliselere gitmeye başlamışlardı.

Buna ister üzülünsün, isterse sevinilsin –kendi adıma, durumun çok da iç açıcı olduğunu düşünmediğimi saklamayacağım– benimsemeye, hatta inanmaya bile gereksinim olmaksızın, kendiliğinden kuşaktan kuşağa aktarılan dinsel aidiyetlerin sonradan elde edilen inançlara oranla daha kalıcı olduğu ortada. Fransa, uzun zamandan beri, kendisini Katolik bir ülke olarak görmekten kuşkusuz vazgeçti. Gerçekten de inanç açısından, ibadet açısından, ahlaki buyruklar açısından çok da Katolik sayılmaz. Ama kültürel kimlik açısından hâlâ. Tıpkı Stalin Rusya'sının Ortodoks ya da Atatürk Türkiye'sinin Müslüman kalması gibi.

Eski bir Yahudi öyküsünde de geçen bir çelişki bu: Oğluna olabilecek en iyi eğitimi vermek isteyen tanrıtanımaz bir baba onu Cizvitlerin okuluna gönderir; çocuk, kökenlerine karşın, din dersine girmek zorundadır ve bu derslerde kendisine Katolik Teslis dogması öğretilir; eve döndüğünde, babasına gerçekten "üç tanrı" mı var, diye sorar. Babası kaşlarını çatar: "Oğlum bak beni iyi dinle! Sadece tek bir Tanrı var ve biz ona inanmıyoruz!"

Kısa bir süre önce geride bıraktığımız yüzyıldan alınacak önemli bir ders şuydu: İdeolojiler gelip geçici, dinlerse kalıcıdır. Bununla birlikte, asıl kalıcı olan şey inançlardan ziyade aidiyetlerdir; ama inançlar, aidiyet kaidesinin üstünde yeniden yapılanır.

Dinleri gizil anlamda yok edilemez kılan şey, yandaşlarına kimlik bağlamında demir atacakları bir liman sağlamalarıdır. Tarihin çeşitli evrelerinde, daha yeni, daha "modern" dayanışmalar –sınıf, ulus– daha baskın çıkmış gibi göründü. Ama şimdiye dek, son sözü hep din söyledi. Onun kamusal alandan çıkarılıp yalnızca tapınç sınırları içinde tutulabileceği düşünüldü. Ne var ki dini belli sınırlar içinde tutmak, ona egemen olmak çok güçtü, kökünü kazımaksa olanaksız. Onu tarihin müzesine kaldırmak isteyenler birden kendilerini oraya vakitsiz biçimde sürülmüş buldular. Dinse müreffeh ve fatihti, hatta genellikle daha geniş alanlara yayılıyordu.

Dünyanın her yerinde ve özellikle İslam ülkelerinde.

3

İslamiyet ile siyaset arasındaki bu aşırı yakınlık, üstünde durulmayı hak ediyor, çünkü bugünün gerçekliğinin en endişe uyandırıcı ve afallatıcı özelliklerinden biri bu.

Tuhaftır, bu olgu hem dinsel köktencilik yandaşları hem de Müslümanlığa muhalif olanlar tarafından, aynı şekilde yansıtılıyor. İlk grubun böyle yapmasının nedeni ilkeleri gereği; ikinci grubun da önyargılarını destekliyor bu durum; hepsi ağız birliği etmişçesine İslamiyet ile siyasetin ayrılamayacağını, her zaman böyle olduğunu, kutsal metinlerde böyle yazdığını ve bunu değiştirmek istemenin gereksiz olduğunu söylüyor. Kimi zaman açıkça dile getirilen, sıklıkla ima edilen bu düşünce öyle geniş bir uzlaşım alanına sahip ki, hakikatin bütün görünümlerini yansıtıyor.

Bense, kuşkuluyum hâlâ. Asıl dert, bir dinin uygulamalarının ve inançlarının eleştirel bir değerlendirmesini yapmak olsaydı bu konunun üstünde çok da durmazdım. Her zaman Müslümanlığın yakınlarında yaşadıysam da, İslam âlemini çok iyi tanımıyorum, İslambilimci hiç değilim. İslamiyetin "asıl ne dediği"ni öğrenmek isteyenler, bana güvenmesin. Benden bütün dinlerin dirlik düzenliği öğütlediğini yazmamı beklemek de hata olur, ben şuna inanıyorum: Dinsel ya da dindışı bütün öğretiler dogmatizmin ve hoşgörüsüzlüğün tohumlarını taşırlar içlerinde; bazı kişilerde bu tohumlar açığa çıkar, bazılarındaysa gizli kalır.

Hayır, itiraf ediyorum, Hıristiyanlığın, İslamiyetin, Yahudiliğin ya da Budizm'in "asıl ne dediği"ni başkalarından daha iyi bilmiyorum; her inancın sonsuz sayıda yoruma açık olduğuna ve bu yorumların kutsal metinlerden daha çok, toplumların tarihsel gidişatına bağlı olduğuna inanıyorum. Metinler, tarihin her evresinde insanların duymak istediği şeyleri söyler. Bazı sözler, daha dün kimse onların farkında bile değilken birdenbire aydınlanıveriyor; çok büyük önem taşıdığı düşünülen bazıları da unutulup gidiyor. Bir zamanlar ilahi hukukun monarşisini haklı kılan aynı *Kitabı Mukaddes* bugün demokrasiye uyum sağlıyor. On satır arayla, barışı öven bir ayet ile savaşı yücelten bir ayete rastlanabiliyor kolayca. *Kitabı Mukaddes*'in, *İnciller*'in ya da *Kuran*'ın her bölümü farklı farklı şekillerde okundu, yorumlarla ve tartışmalarla geçen bunca yüzyıldan sonra birinin çıkıp da olanaklı tek bir açıklamanın olduğunu söylemesi saçma olur.

Fanatiklerin bunu söylemelerini anlıyorum, zaten bu role soyunmuşlar; bütün öteki yorumların da aynı oranda meşru olduğu düşünülürse, bir metnin belli bir yorumunun benimsenmesi epey güç olur. Ama inançlı olsun olmasın, bir tarih gözlemcisi kendini aynı şekilde konumlandıramaz. Onun bakış açısından, söz konusu olan, *Kitabı Mukaddes*'in hangi yorumunun, inancın öğretilerine uygun olduğunu saptamak değil, öğretilerin dünyanın gelişimi üstündeki etkilerini; aynı şekilde, bunun tersine, dünyanın gelişiminin öğretiler üstündeki etkisini değerlendirmektir.

Kendi adıma, İslamiyet ile siyaset arasındaki ilişkiler üstüne sıkça yinelenen düşüncenin beni kaygılandırması, dünyayı kana bulayan ve herkesin geleceğini karartan o "medeniyetler çatışması"nın düşünsel temelini oluşturmasından kaynaklanıyor. İslamiyette din ile siyasetin ayrılmaz biçimde birbirlerine bağlı olduğu, bunun kutsal metinlerde yazılı olduğu ve değişmez bir özellik oluşturduğu düşünüldüğünde, sözü geçen "çatışma"nın asla bitmeyeceği akla geliyor, ne otuz yıl, ne yüz elli yıl, ne de binyıl içinde; üstelik iki farklı insanlıkla karşı karşıya bulunduğumuz izlenimi doğuyor. Cesaret kırıcı ve yıkıcı bir düşünce bu, ama her şeyden önce kolaya kaçan, tahmini, üstüne düşünülmemiş bir düşünce.

Amerikan askerlerinin Ebu Gureyb Hapishanesi'nde yaptıkları işkenceler ortaya çıktığında, ortalıkta dolaşan fotoğraflardan birinde çırçıplak, boynunda bir iple, dört ayak üstünde yürümek zorunda bırakılan bir mahkûm ve yüzünde muzafferane bir gülümsemeyle ipinden tutan bir kadın asker görülüyordu. Bir Amerikan televizyon kanalına yorum yapmaya davet edilen bir Ortadoğu uzmanı izleyicilere, o resimlerin İslam âleminde yarattığı dehşeti anlayabilmek için, İslamiyette köpeğin hakir görülen bir hayvan olduğunu bilmek gerektiğini söylemişti.

Öylece kalakaldım. Demek ki, İrlandalı ya da Avustralyalı bir mahkûm dört ayak üstünde yürümeye zorlansa, boynuna bir ip geçirilip bir hapishanenin koridorlarında çırçıplak dolaşmak durumunda bırakılsa, buna söylenecek bir şey yoktu, zira İrlanda'da ve Avustralya'da köpekler hakir bir hayvan olarak görülmüyor, öyle mi?

Üstüne üstlük, bunları söyleyen Irak Savaşı'na karşı sürekli mücadele etmiş, dürüst, cesur bir akademisyendi. O söyleşide, yurttaşlarından bazılarının yarattığı zulmü ortaya koymak istiyordu saflıkla. Dolayısıyla, burada tartıştığım şey, onun niyeti değil, bilinçsizce dile getirdiği ve İslamiyetle ilgili her şeyi başka bir gezegendenmiş gibi ele almaya dayanan düşünme tarzı.

İslam âleminin izlediği yolda ve özellikle İslamiyette din ile siyaset arasında kurulan ilişkide önemli kendine özgülükler olduğundan kuşkum yok. Ama bunlar da ülkeden ülkeye, dönemden döneme farklılık gösteriyor ve bir öğretinin uygulamasından ziyade halkların karmaşık tarihinden ileri geliyor; üstelik, genelde, her zaman konumlandırıldıkları yerde durmuyorlar.

Sözgelimi, olayların gösterdiğinin tersine, İslam âleminin yaşadığı trajedilerden biri, eskiden olduğu gibi bugün de, siyasetin sürekli olarak dinsel alana kaymasıdır; yoksa tersi değil. Kanımca, bu, inancın içeriğine bağlı değil, asıl "örgütsel" olarak adlandıracağım etkenlerle ve temel olarak İslamiyetin merkezi bir "Kilise"nin ortaya çıkmasına engel olmasıyla ilişkili. Zaman zaman, Papalığa benzer bir kurum baskın çıksaydı, olaylar kuşkusuz farklı gelişirdi diye düşünüyorum.

Sanırım, papaların, tarih boyunca, düşünce özgürlüğünün, toplumsal ilerlemenin ya da hukuki hakların yaratıcıları olduğunu kimse ileri sürmez. Ne var ki, aslında öyleydiler; doğrudan değil, dolaylı yoldan, ama çok güçlü bir biçimde. Geçici iktidarları ellerinde bulunduranları dengeleyerek, kralların keyfi yönetimini sürekli olarak sınırlandırdılar, imparatorların küstahlığını törpülediler ve bu şekilde Avrupa toplumunun önemli bir bölümünün, özellikle kentlerin soluk almasını sağladılar. Bu iki mutlakıyetçiliğin arasında da, gelecekte bir gün bütün monarşi tahtlarını ve papaların yetkesini sarsacak modernliğin tohumu yavaş yavaş gelişmeye başladı.

Öte yandan, Hıristiyanlık ile İslam âlemi, kimi zaman aynı dönemde, birbirine benzer olaylar yaşadılar. İmparatorlar ile papalar arasındaki ikiliğe koşut olarak, sultanlar ile halifeler arasında da ikilik vardı. İki durumda da, siyasal yetkeyi ve askeri gücü ellerinde bulunduran hükümdarlar kendilerini inancın koruyucuları gibi gösterirken, ruhsal bir yetkeye sahip din adamları özerkliklerini, etki alanlarını ve mevkilerinin saygınlığını korumaya çalıştılar. İki durumda da, sık sık mücadeleler yaşanıyordu, hatta kimi zaman, Roma'da ve Bağdat'ta 10. yüzyıldan 13. yüzyıla kadar olan bitenlere bakıldığında, birbirine çok benzeyen dönemler yaşandığı görülür: Güçlü hükümdar din görevlisinin karşısında alçakgönüllülükle pişmanlık sergiliyormuş gibi davranırken, bir yandan da öç almaya hazırlanır.

Aralarındaki fark, Aziz Petrus'un ardılı tahtını korumayı başarırken, Peygamber'in ardılının bunu yapamamasıydı. Halifeler, sultanların siyasal ve askeri güçlerinin karşısında, birbiri ardına bozgunlar yaşadılar, ayrıcalıklarının hepsinden yoksun kaldılar ve en sonunda her türlü hareket özgürlüğünü yitirdiler; derken 16. yüzyılda, bir gün, Osmanlı padişahı halife sanını görkemli adlarının arasına "kattı" ve Mustafa Kemal Atatürk Kasım 1922'de saltanatı, on altı ay sonra da halifelik kurumunu ortadan kaldırana dek padişahlar bu sanı korudu. Resimlerini çeşitli Avrupa başkentlerinde sergilemiş yetenekli bir ressam olan son halife Abdülmecid 1944'te Paris'te sürgünde öldü.

Buna karşılık, Batı Hıristiyanlığında, papalar güçlerini korudular. Fransa'da, dinsel yetkenin siyaset alanına müdahale etmesini engellemek için sürekli zorlu mücadeleler verildi; aslında Roma, 20. yüzyılın başına dek, cumhuriyet düşüncesine bile karşı çıkıyor, birçok Katolik onu dine aykırı bir rejim olarak görüyordu ve aralarından bazıları 1940'ta ellerine fırsat geçtiğinde, Mareşal Pétain'in çevresinde toplanıp *"La Gueuse"*ü* gırtlaklamak için atıldılar.

İslamiyetteyse sorun, her zaman bunun tersi olmuştur: Dinsel yetke siyasal alana müdahale etmezken, siyasal yetke dinsel yetkeyi soluksuz bırakmıştır. Tuhaf biçimde, dinsel yetkenin bu şekilde soluksuz bırakılması ve siyasetin ezici üstünlüğü yüzünden, dinle ilgili konular toplum arasında yaygınlaşmıştır.

* Kralcılar Fransız Cumhuriyeti'ni bu şekilde adlandırıyorlardı. Çoğu kaynakta "fahişe" anlamında kullanılır. (ç.n.)

4

Papaların kalıcılığını sağlayan ve halifelerde kesinkes eksik olan şey, bir Kilise ve Kilise adamları sınıfına denk bir din adamları sınıfıdır.

Roma her krallığa, her eyalete, Hıristiyan topraklarındaki en küçük köye kadar uzanabilecek sıkı bir ağ oluşturan piskoposlarını, rahiplerini, keşişlerini her an harekete geçirebiliyordu; onlar, şiddetten uzak bir güç olsa da, önemli bir güce sahip ve hiçbir hükümdarın yadsıyamayacağı bir topluluk oluşturuyorlardı. Papa ayrıca insanları aforoz edebiliyor ya da aforozla tehdit ediyordu, bu da Ortaçağ'da, sıradan inananları olduğu kadar imparatorları da korkudan titreten bir araçtı. İslamiyetteyse, bunların hiçbiri yok: Kilise yok, din adamı sınıfı yok, aforoz yok. İslamiyet, başlangıçtan beri, ermiş ya da şeyh olsun her türlü aracıya karşı büyük bir güvensizlik sergilemişti; insanın yaratıcısıyla baş başa olduğu, sadece O'na seslendiği, sadece kendi içinde O'nun tarafından yargılandığı düşünülüyordu; kimi tarihçiler bu yaklaşımı Lutherci Reform'la karşılaştırdılar, gerçekten de aralarında bazı benzerlikler bulunabilir. Mantıken, bu anlayışın, çok kısa sürede laik toplumların ortaya çıkmasını sağlayacağı düşünülebilir. Ama tarih, asla, olası görünen yönde ilerlemez. Günün birinde papaların büyük gücünün Katolik toplumlarında azalacağı, buna karşılık İslamiyette merkezi bir kuruma, din adamlarına karşı sergilenen karşıtçılığın da, Kilise'ye benzer güçlü bir kurumun ortaya çıkmasını engelleyerek, Müslüman toplumlarında dinle ilgili konuların zincirinden boşanmasına yol açacağı kesinkes tahmin edilemezdi.

Halifeler, ellerindeki ayrıcalıkları sultanlar, vezirler, komutanlar karşısında tamamen yitireceklerdi. Papaların çok işine yarayan o dinsel karşı-gücü koruyabilecek durumda değillerdi. Bu yüzden de hükümdarlar keyiflerince hüküm sürdüler. Modernliğin tohumlarının yeşerebileceği, göreceli özgürlük ortamı asla var olmadı; her şekilde, kentlerin ve yurttaşların gelişmesine olanak sağlayacak kadar ayakta kalamadı.

Ama papalığın etkisi bu karşı-güç olma rolüyle kısıtlı değil. Dinde doğruluğun yetkili bekçisi olarak, Katolik toplumlarının entelektüel istikrarının ve hatta kısaca toplumların istikrarının korunmasına katkıda bulundu. İslam âlemindeyse, ne zaman din adına bir anlaşmazlık baş gösterse, böylesi bir kurumun eksikliği hissedildi.

On beşinci yüzyılda Floransa'da Keşiş Savonarola'nın öğütledikleri gibi köktenci düşünceler yaygınlaşmaya başladığında, Roma buna karşı çıkıyor ve yetkesi sayesinde bunları bir daha ortaya çıkmayacak şekilde yok ediyordu. Zavallı Savonarola yakılarak öldürüldü örneğin. Daha yakın tarihte, başka bir alanda, bazı Latin Amerika Katolikleri, 1960'lı yıllardan başlayarak kendilerini bir "Kurtuluş Teolojisi" hareketine kaptırdıklarında ve kimi rahipler de –örneğin Kolombiyalı Camilo Torres– işi Marksistlerin yanında silah kuşanmaya kadar vardırdıklarında, Kilise bu "sapkınlığa" hemen son noktayı koyuverdi. Bu inancın içeriğini tartışmıyorum burada, Savonarola'nın düşünceleri de beni ilgilendirmiyor; bana asıl anlamlı gelen şey, papalık kurumunun böylesi taşkınlıkları hemen önleyivermesi.

İslam âlemindeyse, ne Floransalı diktatör keşişin benzerleri ne de Kolombiyalı gerilla rahibinkiler aynı şekilde engellenebildiler; Kilise'ninkine benzer güçlü ve meşru görülen bir yetkenin yokluğunda, en köktenci düşünceler, inananlar arasında düzenli olarak yaygınlaştı ve bunun önüne geçilemedi. Dün olduğu gibi bugün de, her türlü siyasal ya da toplumsal anlaşmazlıkta, iktidara karşı bir saldırıya din, hiçbir cezaya çarptırılmadan alet edilebiliyor. Çeşitli Müslüman ülkelerin mevki sahibi din adamları da genellikle buna karşı koyamıyorlar, çünkü devletlerin maaşlı çalışanları olduklarından ötürü tam anlamıyla onların hesabına çalışıyor ve bu yüzden de manevi inandırıcılıkları kısıtlı oluyor.

Benim gözümde, İslam âlemini etkileyen başıboşluk, insanların kargaşaya sürüklenmesini isteyen "ilahi bir emir"den çok, siyasetle din arasına sınır çekebilecek, "papalığa benzer" bir kurumun yokluğundan kaynaklanıyor.

Sonuçta bunlar aynı şey değil mi, diye soracaktır kimileri. Ben buna inanmıyorum. İnsanların geleceğinden umut kesilmediyse tabii.

Siyaset ile din arasındaki bu "ayrılmazlığın" sonsuz bir dogmadan mı, yoksa tarihin rastlantılarından mı kaynaklandığını görmek önemli. Bugün içinde bulunduğumuz küresel açmazda inatla bir çıkış yolu arayan benim gibiler için, birbirine rakip iki "uygarlığın" izledikleri yolların farkının, göklerden gelen değişmez bir buyruk tarafından değil, zaman içinde değişebilen insan tutumları ve beşeri kurumların tarihsel gelişimi tarafından belirlendiğini vurgulamak önem taşıyor.

Her kurum beşeridir ve burada kullandığım bu sıfat, onların ruhsal işleyişleri üstüne kesinlikle bir önyargı içermeden, tanımlayıcı bir yananlam taşıyor sadece. Papalık *Kutsal Kitap* tarafından kurulmadı, o metinlerde "*sumus pontifex*"ten* hiç söz edilmiyordu, çünkü bu san daha öncesinde çoktanrılı din adamlarına aitti. Halifelik de yalnızca iki kişinin kesin olarak mirasçı ya da ardıl anlamına gelen "halife" sözcüğüyle tanımlandığı *Kuran* tarafından kurulmamıştı; Tanrı bu kişilerden ilki olan Âdem'e yeryüzünü miras bırakmıştı; bu bağlamda, yeryüzünün bütün insanlığa emanet edildiği açık; bu şekilde tanımlanan ikinci kişiyse Yaradan'ın sert sözlerle seslendiği tarihsel bir kişiydi: " '(...) Evet seni, yeryüzünde halife kıldık; öyleyse, insan arasında adaletle karar ver, tutkularına uyma; yoksa seni, Allah'ın yolundan saptırır.' Evet, Allah'ın

* Fransızcası "souverain pontife"; papa anlamında kullanılıyor. Ama bu tanım daha önce, çoktanrılı dinde "en yüce din adamı" için kullanılıyordu (ç.n.).

yolundan sapanlar yok mu, işte Hesap Günü'nü unutmaları yüzünden, onlara çetin bir ceza vardır."

Bu şekilde azarlanan kişi Kral Davud'dan başkası değildi.

Papalık konusundaki bir başka çelişki de, son derece muhafazakâr olan bu kurumun, ilerlemenin muhafazasına da olanak sağlamasıdır.

Sıradan gelebilecek bir örnekle bunu açıklayayım: Çocukluğumda, Katolik bir kadın, başını ve omuzlarını örtmeden ayine gidemezdi; hiçbir inanan da –ister hizmetçi, isterse kraliçe olsun– rahiplerin büyük çaba göstererek ve kimi zaman da mizah yoluyla uygulanmasını sağladıkları bu kuralı çiğneyemezdi. Mizah yoluyla derken, cemaatinden bir kadına yönelip ona bir elma veren papazı düşünüyorum örneğin; genç kadın bu işe şaşırdığında, papaz Havva'nın ancak elmayı ısırdıktan sonra çıplak olduğunu anladığını söylemiş kendisine.

Kadıncağız elbette çıplak değildi, sadece uzun saçlarını açık bırakmıştı, ama giyim yasası çiğnenemezdi. Bu durum Vatikan'ın, 1960'lı yılların başında, artık kadınların başörtüsü takmadan kiliseye gidebileceklerine karar vermesine dek sürdü. Sanırım bazı kişiler bu değişikliğe bozulmuş, hatta çok öfkelenmiştir, sonuçta kökeni ta Aziz Pavlus'a dayanan çok eski bir geleneğe aykırı düşüyordu bu karar; Aziz Pavlus, *Korinthoslulara Birinci Mektup*'ta "Erkek başını örtmemeli; o, Tanrı'nın benzeri ve yüceliğidir. Kadın da erkeğin yüceliğidir. Çünkü erkek kadından değil, kadın erkekten yaratıldı. Erkek kadın için değil, kadın erkek için yaratıldı. Bu nedenle ve melekler uğruna kadının başı üzerinde yetkisi olmalıdır" dememiş miydi? Öte yandan, gün geçtikçe, bir başka zamana ait olan bu sözler, toplum nezdinde geçerliliğini yitirmiş, Katolik kadınları başlarını örtmeye kimse zorlamaz olmuştu ve bu ilerlemenin bir daha tartışma konusu yapılmayacağı da akla yatkın geliyor.

Lafı buraya getirmek istediğim için yineliyorum: Papalar on dokuz yüzyıl boyunca giyim yasasındaki her türlü esnekliğe karşı çıkmışlardı kuşkusuz; ama bu düzenlemeye artık gerek olmadığı kanısına varmalarının ardından, önünde sonunda düşünce tarzlarının evrimini göz önünde bulundurmalarının ardından, bir şekilde, bu değişimi fiilen geri döndürülemez kılarak "geçerli" hale getirdiler.

Batı tarihinde, Kilise kurumu genelde bu tarzda hareket etti; Avrupa uygarlığının maddi ve manevi ilerlemesini bir yandan sınırlandırmaya çalışarak o ilerlemeye katkıda bulundu. Söz konusu olan, ister bilim ister ekonomi ister siyaset isterse başta cinsellik olmak üzere toplumsal davranışlar olsun, papalık hep aynı yolu izledi. Başlangıçta, sertçe itiraz etti, frenledi, verip veriştirdi, tehditler savurdu, suçladı, yasakladı. Sonra, zaman geçtikçe, genellikle de çok uzun bir sürenin ardından, düşüncesinden vazgeçti, olayı yeniden inceledi, yumuşadı. Ardından da, birtakım çekincelerini korusa da, toplumların yargısına uydu. O andan sonra da geriye dönülmesini isteyen fanatiklere bir daha hoşgörü gösterilmedi.

Katolik Kilisesi, yüzyıllar boyunca, Dünya'nın yuvarlak olduğuna ve Güneş'in çevresinde döndüğüne inanmayı reddetmişti; türlerin kökeni konusunda da, başlarda Darwin'i ve evrimciliği suçlamıştı; bugünse, piskoposlarından biri, Arabistan'daki bazı ulemanın ya da Amerika'daki *Kitabı Mukaddes* vaizlerinin hâlâ yaptığı gibi, kutsal metinleri sözcüğü sözcüğüne bağlı kalarak yorumlamaya kalksa, buna çok öfkelenir.

Müslümanlık geleneğinde, tıpkı Protestanlık geleneğinde de olduğu gibi, dinsel merkezi bir yetkeye karşı sergilenen güvensizlik kesinkes meşru ve esinlenişi açısından da son derece demokratiktir; ama bunun ikincil, uğursuz bir etkisi olmuştur; o katlanılmaz merkezi yetke olmaksızın, hiçbir ilerleme geri döndürülemez biçimde insanlar arasında kendine yer edinemez.

İnananlar on yıllar boyunca inançlarını en yüce gönüllü, en aydınlık, en hoşgörülü şekilde yaşadıklarında bile "yeniden eskiye dönme" tehlikesinden ve günün birinde gelip bütün elde edilen değerleri ortadan silip süpürecek ateşli bir yorumdan kurtulmuş sayılmazlar asla. Burada da söz konusu olan ister bilim ister ekonomi ister siyaset isterse toplumsal davranışlar olsun, iyi niyetli bir fetvanın daha dün izin verdiği şeyi, yarın hırçın bir fetva sert biçimde yasaklayabilir. Aynı aykırılıklar yasak olan ile olmayan, dine aykırı olan ile olmayan konularında sürekli yinelenip duruyor; bir üst yetkenin yokluğunda, hiçbir ilerleme sonsuza dek "geçerli" olmuyor ve yüzyıllar boyunca dile getirilen hiçbir düşünce, kesin olarak geçersiz damgası yemiyor. İleriye doğru atılan her adımı bir geri adım izliyor, o kadar ki, neresinin ilerisi, neresinin gerisi olduğu bile artık bilinmez hale geliyor. Her türlü olur olmaz vaade, her türlü katılığa, her türlü gerilemeye kapı her zaman açık.

Aynı şekilde, bir zamanlar öğrencilerine akılcı bir eğitim veren bazı Amerikan okullarının, birden, yeni kuşaklara evrenin bundan altı bin yıl önce –MÖ 4004'te, tam olarak 22 Ekim'de, akşam saat sekizde– yaratıldığını ve yüz binlerce yıl öncesine ait gibi duran kemik kalıntılarının bulunmasının nedeninin de, aslında Tanrı'nın onları mucizevi biçimde yaşlandırıp inancımızın ne kadar sağlam olduğunu sınamak için oraya koyması olduğunu öğrettiğini okuyunca, yine bu gerileme sözcüğü geliyor dilimin ucuna.

Daha genel anlamda, neşeyle dünyanın sonunun geldiğini haber veren ve hatta bunu hızlandırmak için çalışan, tuhaf, endişe verici öğretiler yaygınlaşıyor. Kuşkusuz, yoldan çıkmış bu eğilimler, Hıristiyanlığın yalnızca küçük bir bölümünü, kırk elli milyon kişiyi etkiliyor; ama ABD'de bulunduğu, sürekli olarak iktidar koridorlarını arşınladığı ve hatta kimi zaman tek süper gücün tutumunda belirleyici olabildiği göz önüne alınınca, bu azınlığın etkisi yadsınamaz.

Benim olarak nitelediğim iki "uygarlığın" karşılaştırmalı evriminde, "örgütsel", kültürel, ulusal ya da daha genel olarak tarihsel etkenlerin etkisini ve bütünüyle öğretilere ilişkin farklılıkların ne kadar az etkili olduğunu yansıtacak daha binbir türlü şey, binbir türlü önemli örnek var.

Dinlerin halklar üstündeki etkisine çok fazla önem verildiğine, buna karşılık, halkların dinler üstündeki etkisine yeterince önem verilmediğine inanıyorum ben. Dördüncü yüzyılda, Roma İmparatorluğu Hıristiyanlaştığında, Hıristiyanlık da Romalılaşmıştı, hem de nasıl. Öncelikle bu tarihsel durum, egemen bir papalığın ortaya çıkışını açıklıyor. Daha geniş bir perspektifte, Hıristiyanlık, Avrupa'nın şu an olduğu şeye dönüşmesine katkıda bulunduysa, Avrupa da aynı şekilde Hıristiyanlığın şu an olduğu şeye dönüşmesine katkıda bulundu. Batı uygarlığının iki temel direği olan Roma hukuku ve Atina demokrasisi de Hıristiyanlık öncesi döneme aittir.

İslamiyet konusunda da aynı şekilde dindışı öğretilere ilişkin buna benzer gözlemler yapılabilir. Komünizm, Rusya ya da Çin tarihine etki ettiyse, bu iki ülke de komünizmin tarihinde belirleyici rol oynamıştır; komünizm, Almanya'da ya da İngiltere'de üstün gelseydi çok farklı bir yazgıya sahip olurdu. Kutsal ya da dindışı temel metinler çelişik yorumlara açıktır. Deng Xiaoping'in, özelleştirmelerin Marx'ın düşüncelerinin doğrultusunda gerçekleştirildiğini ve ekonomik reformunun başarılarının, sosyalizmin kapitalizmden üstün olduğunu ortaya koyduğunu söylemesi insanı güldürebilir. Ama aslında bu yorum diğerlerinden daha gülünç değildir; hatta *Das Kapital*'in yazarının düşlerine, Stalin'in, Kim İlsung'un, Pol Pot'un ya da Mao Zedong'un çılgınlıklarından daha yakındır.

Öyle ya da böyle, gözlerimizin önünde gerçekleşen Çin deneyimine bakıldığında, dünya tarihinde kapitalizmin kazandığı en şaşırtıcı başarılardan birinin, bir komünist parti yönetiminde ortaya çıkacağını kimse yadsıyamaz. Öğretilerin esnetilebilirliğinin ve insanların bu öğretileri işlerine geldiği gibi yorumlamaktaki sonsuz becerisinin güçlü bir kanıtı değil mi bu?

İslam âlemine dönecek olursak, din adına hareket ettiğini söyleyen kişilerin siyasal tutumlarını anlamak ve bunları değiştirmek yönünde adım atmak istenirse, bu durumun neden olduğu sorun ve bunun çözümü kutsal metinlerde aranmamalıdır. İşin kolayına kaçıp çeşitli Müslüman toplumlarında olup biten şeyleri "Müslümanlığa özgü" şeyler olarak açıklamak, beylik sözlerle yetinmek demektir, cahilliğe ve acizliğe mahkûm olmak demektir.

5

Bugünün gerçekliklerini anlamak isteyenler için, dinlerin, etnik grupların, kültürlerin kendine özgülüğü, yararlı olmakla birlikte kullanımı güç bir kavramdır. Yadsındığında, ince ayrımlar kavranılmaz olur; aşırı önemsendiğindeyse işin özü kavranılamaz.

Günümüzde, bu, aynı zamanda ikircil bir kavramdır. *Apatheid* kesin olarak Siyahilerin "kendine özgülüklerine saygı" ilkesi üstüne kurulmamış mıydı? Her halk, Avrupa ya da Afrika kökenli olmasına göre, kendi kültürünün ona "çizdiği" yolu izlemek durumunda görülüyordu; bazılarının modernliğe doğru ilerlemesi gerekirken, başkaları atalarından kalma geleneklere saplanıp kalmak zorundaydılar.

Güney Afrika örneği çarpıtılmış ve geride kalmış bir örnek olarak görülebilir. Ne yazık ki, öyle değil. *Apartheid* ruhuna bugünün dünyasında her yerde rastlanıyor ve bu ruh yaygınlaşmayı sürdürüyor. Kimi zaman kasıtlı olarak, kimi zaman da, bunun tersine, dünyanın en iyi niyetleriyle.

Size, bu yüzyılın başında, Amsterdam'da meydana gelen bir olayı anlatayım. Cezayir kökenli genç bir kadın gönlünde yatan bir tasarıyı gerçekleştirebilmek için belediyeye gitmiş: Mahallesindeki göçmen kadınlar, kendi aralarında buluşabilsinler, aile içi mikrokozmostan biraz olsun çıkabilsinler, hamamda yorgunluk atsınlar ve özgürce sorunlarından söz etsinler diye bir tür kulüp kurmak istiyormuş. Bir yetkili kendisini kabul etmiş, dinlemiş, notlar almış ve belediyenin kendisine yardım edip edemeyeceğini öğrenmek üzere birkaç hafta sonra yine gelmesini istemiş. Genç kadın çıkmış, işin olacağına inanıyormuş. Belirlenen tarihte yeniden belediyeye gittiğinde, bir de ne duysun, ne yazık ki, tasarı gerçekleştirilemezmiş. "Mahallenizdeki imamla görüştük, bunun iyi bir fikir olmadığını söyledi. Üzgünüz!"

Bu sözleri söyleyen memurun, ağzından çıkanları ayrımcılık olarak değerlendirmediğine inanıyorum, hatta tersine bu tavrın son derece saygılı olduğunu düşünüyordu büyük olasılıkla. Bir etnik topluluğun ihtiyacına göre yapılması gerekene karar verirken, "dini lider"in fikrine göre hareket etmek yerinde bir davranış değil mi? Safça bir soru akla geliyor o zaman: Genç bir Avrupalı kadın bir tasarı öne sürmüş olsaydı, bu konudaki karar bağlı bulunduğu ruhani çevrenin Katolik ya da Protestan papazına mı bırakılırdı? Kesinkes hayır. Peki niye, diye sorulabilir aynı saflıkla. Alınacak yanıtlar da ister istemez anlaşılmaz olacaktır. Burada, asıl sorun, söylenmeyendedir, açıkça ifade edilmeyendedir ve etnik önyargıdadır. Özetle, bu şekilde hareket edilmiştir, çünkü "o insanlar" "bizim" gibi değildir. Öteki'ne karşı gösterilen bu "saygı"nın bir tür küçümseme olduğunu ve bir tiksinmeyi yansıttığını anlamamak için her türlü duyarlılıktan yoksun olmak gerekir. Her şekilde, "saygı duyulan" insanlar bunu böyle görüyorlar.

Öteki'ni dinsel ya da etnik özelliklerine göre değerlendirmeye yönelik bu eğilim, başka yerlerden gelmiş insanları geleneksel aidiyetlerine iten bu düşünce alışkanlığı, kişileri ten renginden, aidiyetinden, şivesinden ya da adından bağımsız olarak görmeyi engelleyen bu düşünsel zayıflık, çok eski zamanlardan beri insan toplumlarını etkilemiştir. Ama bugünün "küresel köy"ünde böylesi bir tutum artık hoşgörülemez, çünkü her ülkede, her kentte birlikte yaşama olasılığını tehlikeye düşürür ve bütün insanlık için onulmaz bölünmeler, şiddetle dolu bir gelecek hazırlar.

Ne yapmak gerekirdi, diye sorulacaktır bana. Farkları görmüyormuş gibi mi yapmalıydı? Sanki bütün insanlar aynı renkteymiş, aynı kültüre ve aynı inançlara sahipmiş gibi mi davranmalıydı?

Yerinde sorular bunlar, bir süre durup düşünülmeyi hak ediyor.

Herkesin, kendisini aidiyetlerinin bayrağını açıp dalgalandırmak ve bu şekilde muhataplarının bayrağını pekâlâ gördüğünü belli etmek zorunda hissettiği bir dönem yaşıyoruz. Bunun bir kurtuluş mu, yoksa kendini kaybetme mi; çağdaş bir nezaket mi, yoksa bir hoyratlık mı olduğunu bilmiyorum. Kuşkusuz, koşullara ve tarzlara bağlı bir şey söz konusu. Ortada bir ikilem olduğu gerçek. Ten renkleri, cinsiyetler, aksanlar, adların ses düzeni arasında bir fark yokmuş gibi davranmak, kimi zaman çok eskilerden beri var olan adaletsizlikleri gizlemekle ve sürdürmekle eşdeğerdir. Bunun tersine, ayırt edici özelliklerin kasıtlı olarak ve açıkça göz önünde bulundurulması da insanların aidiyetleri içine gömülmelerini ve karşılıklı "klan"ları içine hapsedilmelerine neden olur.

Bilgelik bence daha etkili, daha incelikli ve daha emek isteyen bir yaklaşımda yatmaktadır. Olması gereken, bir Hollandalı ile bir Cezayirli arasında –aynı örnek içinde kalmak amacıyla onları seçtim– var olabilecek farklılıkları görmezden gelmek değildir; bu farklılıkları kabul edip, bir yandan da ne bütün Hollandalıların ne de bütün Cezayirlilerin aynı olduğunu göz önünde bulundurarak onları aşmak gerekir; bir Hollandalı inançlı ya da agnostik, bilgili ya da dar kafalı, sağcı ya da solcu, kültürlü ya da kültürsüz, çalışkan ya da tembel, namuslu ya da serseri, hırçın ya da neşeli, eli açık ya da cimri olabilir, keza bir Cezayirli de.

Bedensel ya da kültürel farklılıklar yokmuş gibi davranmak saçma bir tutumdur; ama daha ileriye doğru, birey olarak kişinin kendisine yönelmektense, göz önündeki farklılıklarla yetinilirse, işin özü anlaşılamaz.

Bir kadına ya da bir erkeğe saygı duymak demek, onunla her hakka sahip bir insan gibi, özgür ve yetişkin bir insan gibi konuşmak demektir, yoksa onu, toprağa ait bir serf gibi, içinde yaşadığı topluluğa ait olan, bağımlı bir varlık olarak görmek değil.

Cezayirli göçmene saygı duymak demek, bir tasarı hazırlamış ve onu yetkililere sunma cesaretini göstermiş biri olarak ona saygı göstermek demektir. Yoksa onu tutup dini liderinin sultası altına sokmak değil.

Amsterdam'da meydana gelen bir olayı bile bile örnek verdim. Avrupa'nın, 17. yüzyıldan başlayarak, dinsel hoşgörüye doğru ağır ilerleyişinde öncü bir rol üstlenmiş bir kenttir Amsterdam. Öte yandan, belediye çalışanının mahalle imamına danışırken, kentte her zaman egemen olmuş açılım ruhu doğrultusunda hareket ettiğini düşündüğüne de eminim.

Çünkü dört yüzyıl önce hoşgörü bu şekilde işliyordu. Dinsel azınlıklar özgürce ibadet edebiliyor; içlerinden biri uygunsuz bir davranışta bulunduğunda, kendi topluluğunun liderleri tarafından sertçe uyarılıyordu. Örneğin Spinoza 1656'da dindaşları tarafından bu şekilde aforoz edilmişti, çünkü varsayılan tanrıtanımazlığı Hıristiyan hemşerileriyle olan ilişkilerini tehlikeye düşürüyordu. Felsefecinin öz babası da dahil olmak üzere, birçok Yahudi'nin, İber Yarımadası'ndan kovulduktan sonra görece yakın bir tarihte Amsterdam'a gelmesi ve o dönem için alışılmadık biçimde gönül yüceliği sergileyen ev sahiplerine karşı uygunsuz davranışlarda bulunulmasından korktukları göz önüne alındığında, daha da hassaslaşan bir sorundu bu.

Kaldı ki, bugünün gerçeklikleri çok farklı ve son derece karmaşık, tutumlarsa aynı değil. Dünya çapındaki cemaatçi bir gelişimin tehdidi altındaki zamanımızda, kadınlar ile erkeklerin dinsel topluluklarına "zincirlenmesi" sorunları çözeceğine daha da ciddileştiriyor. Buna karşın, Avrupa'daki birçok ülkenin göçmenlerin dinsel bir temel üstünde örgütlenmelerini teşvik ederek ve cemaatçi muhatapların ortaya çıkmasını sağlayarak yaptığı sadece bu.

Batı, dünyanın geri kalanıyla olan ilişkilerinde sık sık bu hataya düştü. Yüzyıllar boyunca, kendi yurttaşlarına uyguladığı ve büyüklüğünün kaynağı olan ilkeleri, yazgılarını elinde tuttuğu halklar başta olmak üzere, öteki halklara uygulayamadı. Örneğin, sömürge dönemi Fransası, Cezayir'deki eyaletlerinde yaşayanların bütün haklara sahip olmasını engellemek için, onları "Müslüman Fransızlar" statüsüne aldı; laik bir cumhuriyet için oldukça akıldışı bir adlandırmaydı bu.

Geçmişte yapılan hataları anımsamak, aynı hataların yeniden yapılmasını engelleyebilmek açısından önemlidir. Sömürge dönemi, egemenler ile egemenlik altındakiler arasında ancak sağlıksız ilişkiler kurabilirdi, çünkü Öteki'ni safça "uygarlaştırma" isteği sürekli olarak onu hayâsız biçimde kendine tabi kılma arzusuyla çatışma içindeydi. Hannah Arendt'in *Totalitarizmin Kökenleri*'nde yaptığı gibi, ulus-devletlerin beceriksiz imparatorluk mimarları gibi hareket ettiğini görmek gerek; oysa böylesi bir girişim, bir araya getirilmek istenenlere karşı belli bir saygı eşliğinde gerçekleştirilmeliydi; İskender Yunanlılar ile Perslerin toplu halde birbirleriyle evlenmelerinin düşünü kuruyordu, Roma, Atina ile İskenderiye'ye yürekten bağlıydı ve en sonunda Kelt din adamlarından Arabistan Bedevilerine kadar İmparatorluğun bütün uyruklarına yurttaşlık hakkı vermişti. Daha yakın tarihte, Avusturya-Macaristan ya da Osmanlı İmparatorlukları gerçekten birleştirici rol üstlenmek istemişler, bu konuda eşine rastlanmayacak başarılar elde etmişlerdi. Buna karşılık, 19. ve 20. yüzyıllarda Avrupa ulusları tarafından kurulan sömürge imparatorlukları, kendini büyütme arzusundan, uygulamalı ırkçılık okullarından ve Avrupa'yı kana bulayacak savaşlara, soykırımlara, totalitarizmlere yol açan manevi aykırılık okullarından ibaret kaldı.

İçinde bulunduğumuz dönem, Batı'ya, manevi inandırıcılığını yeniden canlandırma olasılığı sunuyor; bunu ne suçunu kabul ederek ne "dünyadaki bütün dertlere" kucak açarak, ne de başka yerlerden gelen değerlerle uzlaşarak yapabilir; inandırıcılığını yeniden elde edebilmesinin tek yolu, kendi değerlerine hâlâ sadık olduğunu göstermesidir; demokrasiye saygılı, insan haklarına saygılı olması, hakkaniyet, bireysel özgürlük ve laiklik kaygısı taşımasıdır. Bunları dünyanın geri kalanıyla, her şeyden önce de onun çatısı altında yaşamayı seçmiş kadınlar ve erkeklerle olan ilişkilerinde sergilemelidir.

6

Batı ülkelerinin, göçmenlerine karşı tutumu öyle herhangi bir konu değil. Bana göre –sırf ben de bir göçmen olduğum için söylemiyorum bunu– çok temel bir sorun bu.

Bugün dünya birbirine rakip "uygarlıklar" arasında bölündüyse, bu "uygarlıklar" öncelikle kadın-erkek göçmenlerin ruhunda çatışıyor. Şu son yıllarda rastlanan en ölümcül ve en şaşırtıcı saldırıların, New York'takilerin, Madrid'dekilerin, Londra'dakilerin ve başka yerlerdekilerin, kimisi Hint Yarımadası, kimisi Mağrip, kimisi de Mısır kökenli göçmenler tarafından gerçekleştirilmiş olması bir rastlantı değil; örneğin Dünya Ticaret Merkezi'nin ikiz kulelerine yönelik saldırıları yöneten şu İslamcı militan, bir Alman üniversitesinde kısa bir süre önce kentçilik alanında doktorasını vermiş. Aynı zamanda, birçok göçmen de göç ettikleri ülkelerin entelektüel, sanatsal, toplumsal, ekonomik ve siyasal yaşamlarına sessiz sedasız biçimde ve yüce gönüllülükle katkıda bulunuyor; o ülkelere yeni düşünceler, eşsiz rekabetler, ahenkler, tatlar, farklı duyarlılıklar kazandırıp Batı ülkelerinin dünyaya ayak uydurmasını, dünyayı bütün çeşitliliğiyle, bütün karmaşıklığıyla daha yakından tanımasını sağlıyor.

Açık açık ve sözlerimi tartarak yazıyorum: Yaşadığımız dönemin en büyük savaşı, öncelikle bu konuda, göçmenler konusunda verilmeli; bu savaşın kazanılıp kazanılamayacağını bu belirleyecek. Ya Batı onların yeniden gönüllerini fethetmeyi, güvenlerini kazanmayı, öne sürdüğü değerleri onlara kabul ettirmeyi başarıp dünyanın geri kalanıyla olan ilişkilerinde kendisine yardımcı olacak belagatli arabulucular edinecek; ya da göçmenler onun en ciddi sorunu haline gelecekler.

Savaş çetin olacak, üstelik Batı artık onu kazanabilmek için çok iyi bir konumda değil. Dün, onun hareketlerine yalnızca ekonomik engeller ve kendi kültürel önyargıları köstek vuruyordu. Bugünse, çok büyük bir düşmanı hesaba katmak durumunda: Uzun zamandır yaralı olan ve şimdi ölümcül bir hal alan o kimlikler. Eski zamanlardaki göçmenler, sömürge halkları gibi, koruyucu güçten yalnızca üvey ana gibi değil de, ana gibi davranmasını istiyorlardı; onların oğullarıysa kızgınlıktan, gururdan, yılgınlıktan ve sabırsızlıktan bu akrabalık ilişkisini istemiyorlar artık; kökensel aidiyetlerinin simgelerini bayrak gibi sallıyor ve kimi zaman ikinci evleri düşman toprağıymış gibi davranıyorlar. Eskiden biraz yavaş olsa da etkisini gösteren bütünleştirme makinesi tıkandı. Bazen de onu kasten bozuyorlar.

Benim gibi otuz yılı aşkın bir süredir Avrupa'da yaşayan ve göç konusunda –birbirlerinden çok farklı politikalar izlense de– birçok ülkede birlikte yaşamanın yavaş yavaş daha da güçleştiğini gören birinin içinden sık sık pes etmek geçiyor. Hiçbir yaklaşımın umut edilen sonucu vermemesinden kaynaklanan bu çökertici duyguyu hisseden bir tek ben değilim herhalde; ne en katı, ne en özgürlükçü yaklaşım; ne her göçmeni bütün yurttaşlık haklarına sahip bir Fransız yapmaya yönelik iddialı "cumhuriyetçi modeli"; ne de onları İngiliz yapmayı denemeksizin çeşitli toplulukların kendine özgülüklerini kabul eden, yararcı Manş Ötesi modeli çözebildi bu durumu.

Bu yüzyılın ilk yıllarında, Hollandalı sinemacı Theo Van Gogh'un öldürülmesi, Danimarka'da çizilen karikatürlerle ilgili gösteriler gibi olaylar ve hemen hemen bütün ülkelerde ortaya çıkan, maddi manevi şiddetin taşıyıcısı, endişe verici onlarca, yüzlerce belirti de benim gibi ilgili bir gözlemci için bir o kadar üzücü.

Bu noktada, İslam âlemi ve Afrika kökenli göçmenleri göç ülkeleriyle bütünleştirme isteğinin hiçbir işe yaramadığı sonucuna varmaya yalnızca bir adım kalmış durumda, hatta birçokları bu adımı sessizce attılar bile; her ne kadar kendilerini bunun tersini söylemek zorunda hissetseler de. Kendi adıma, birlikte yaşamanın olanaklı olduğuna ve çatışma, tiksinme, şiddet doğuracak bir bölünmeye boyun eğmektense, farklı kültürlerin yandaşları arasında sağlam ilişkiler kurmak için bunun vazgeçilmez olduğuna inanmayı sürdürüyorum; kaldı ki böylesi bir bölünmeyi en iyi çifte aidiyetlerini bütünüyle benimseyecek göçmenler ortadan kaldırabilir.

Bunu söylerken, başarılı bir bütünleşmenin bugün güç olduğunu, gelecek on yıllarda daha da güçleşeceğini ve geliyorum diyen felaketin önüne geçmek için, düşünülmüş, etkili, sabırlı ve hatta kararlılıkla girişilecek bir hareket gerekeceğini de biliyorum.

Fransa'da, yüce gönüllü kişiler, buna az çok inanarak, birbiri ardına gelen göçmen dalgalarının –İtalyanlar, Lehler ya da İspanya İç Savaşı'ndan kaçan sığınmacılar– ülke nüfusuyla tamamen bütünleşmeden önce düşmanca önyargılara karşı koymaları gerektiğini; İslam âleminden gelen göçmenlerin de en sonunda buna benzer bir noktaya varacaklarını söylüyorlar. Övgüye değer ama pek inandırıcı olmayan sözler bunlar. Asıl gerçek şu ki küresel ortama bugün olduğu gibi kuşku ve hınç damgasını vururken, herhangi bir Avrupa ülkesinin bütünleşme sorunlarını çözmesi çok güç olacak.

Her ülkede meydana gelen olaylar kısmen o ülkede yürütülen politikalara, ama aynı zamanda, geniş ölçüde, o ülkenin önüne geçemediği etkenlere de bağlı. Bir Mağripli Hollanda'ya göç ettiğinde, kendisiyle birlikte kendi vatanının bir imgesini de taşıyor oraya, ondan önce Hollanda'ya gelen yakınlarının da yansıttığı bir imge burada söz konusu; ama aynı zamanda bütün Batı'nın da imgesini taşıyor, ki bu da Hollanda tarihinden daha çok ABD'nin siyasetiyle ya da Fransız sömürgeciliğinin anısıyla ilişkili bir imge. Bu düşüncenin hem olumlu yönleri var –olmasaydı, insanlar yaşamak için oraya gitmezlerdi!– hem de olumsuz yönleri; ama bugün bu olumsuzlukların payı otuz yıl öncesine göre çok daha büyük.

Yeni gelenler, ev sahiplerinin davranışlarını dikkatle gözlemliyorlar. Kendilerine düşman ya da küçümseyici bir ortamda bulunduklarını hissettirecek bakışları, hareketleri, sözleri, fısıldaşmaları, sessizlikleri kolluyorlar. Elbette, göçmenlerin hepsi aynı şekilde davranmıyor. Geçimsiz olanlar ve "ötekiler"den gelen her şeyi olumsuz tarafından yorumlayanlar var; bir de, onların tersine, yalnızca kabul edildiklerini ya da saygı gördüklerini ya da sevildiklerini gösterebilecek şeylere dikkat eden saflar var. Kimi zaman aynı kişilerin duyguları birden değişiveriyor; dostça bir gülümsemeye taşkın bir minnettarlıkla karşılık veriyorlar; derken, hemen sonra, düşmanlık, horgörü ya da sadece belli bir küçümseme belirtisi içeren bir söz ya da hareketle karşılaşınca, aynı insanlar bu kez vurmak, her şeyi kırmak, kendilerini de yok etmek istiyorlar. Çünkü kendi imgelerinden olduğu kadar onu yansıtan aynadan da nefret ediyorlar.

Göçmenler ile göç ülkeleri arasındaki ilişkileri ve dolayısıyla birlikte yaşama konusunu hassas kılan şey, yaranın hâlâ açık olması. Bir türlü kabuk tutamadı. En ufak şey, kimi zaman basit bir kaşıma ya da sakar bir okşama acıyı canlandırıveriyor. Batı'da, bunca alınganlığa birçok insan omuz silkiyor. Sömürgecilik, siyahi insan ticareti, Sanların, Taynoların ya da Azteklerin yok edilmesi, Afyon Savaşı, Haçlı Seferleri, bütün bunlar artık geçmişte kaldı – kendi ölülerini gömme işini ölülere bırakmak gerekmiyor muydu?* Ama geçmiş ne her insanda ne de her toplumda aynı düşünsel uzamı işgal ediyor.

* Hz. İsa'nın Matta ve Luka'da aktarılan bir sözüne gönderme. Hz. İsa kendisinden babasını gömmek isteyen bir öğrencisine "Bırak ölüleri, kendi ölülerini gömsünler" der. Luka'da, bunun ardından, "Sen gidip Tanrı'nın egemenliğini duyur" tümcesi gelir (ç.n.).

7

Geçmişin geçmiş olması için, zamanın geçmesi yetmez. Bir toplumun bugünüyle dünü arasına bir çizgi çekebilmesi için, varsayımsal sınırın bu tarafına onurunu, kendine olan saygısını, kimliğini yerleştirebilmesi gerekir; yakın zamanda gerçekleştirilmiş bilimsel icatlara, inandırıcı ekonomik başarılara, başkalarının hayranlığını kazanmış kültürel ilişkilere ya da askeri zaferlere sahip olması gerekir.

Batı ulusları kendileriyle gurur duymak için çok geride kalmış yüzyıllara bakmak durumunda değiller. Kendilerinin tıbba, matematiğe ya da gökbilime olan katkılarını sabah okudukları gazetelerde bulabiliyorlar, İbn Sina'nın çağdaşlarını ileri sürmeye ya da durmaksızın "sıfır"ın, "zenit"in, "cebir"in ve "algoritma"nın kökenini anımsatmaya ihtiyaç duymuyorlar. En son askeri zaferleri 2003, 2001 ve 1999 tarihli; Selahaddin Eyyubi, Hannibal ya da Asurbanipal dönemlerine kadar gitmelerine gerek yok. Batılılar, bu nedenle, sürekli geçmişlerine dönme gereksinimi duymuyorlar. Geçmişlerini biraz olsun inceliyorlarsa, bu izledikleri yolu daha iyi görebilmek, eğilimleri ortaya çıkarmak, anlamak, düşünmek ya da genel sonuçlara varmak istemelerinden kaynaklanıyor. Ama bu ne hayati bir ihtiyaç ne de kimlikten kaynaklanan bir gereklilik. Kendilerine saygı duymaları için şimdiki zaman yetiyor.

Buna karşılık, şimdiki zamanları yalnızca başarısızlıklarla, bozgunlarla, yoksunluklarla ve aşağılanmalarla örülü olan halklar, kendilerine inanmayı sürdürebilmek için gereken kanıtları ister istemez geçmişte arıyorlar. Bugünün dünyasında

Araplar kendi ülkelerinde, neredeyse diyasporadaki kadar sürgünde, kendilerini her yere yabancı; yenilmiş, gözden düşmüş, aşağılanmış hissediyorlar; bunu söylüyor, haykırıyor, bundan yakınıyor ve sürekli olarak, açık ya da kapalı biçimde, tarihin akışını nasıl tersine çevirebileceklerini sorguluyorlar.

Bütün Doğu halkları, son yüzyıllarda, bunlara benzer duygular yaşadı. Hepsi kimi zaman kendini Batı'ya göre değerlendirmek zorunda hissetti, hepsi onun olağanüstü enerjisinin, korkutucu ekonomik ve askeri etkinliğinin, aynı şekilde fetih ruhunun kurbanı oldu. Hepsi ona hayran oldu, ondan korktu, nefret etti, onunla savaştı; sonuçta farklı farklı yazgılar yaşadılar: Çinliler, Hintler, Japonlar, İranlılar, Türkler, Vietnamlılar, Afganlar, Koreliler, Endonezyalılar ve aynı şekilde Araplar. Bu halklardan hiçbiri, kendi tarihini, Batı'yla olan yüzlerce yıllık karşılıklı ilişkilerine binbir türlü gönderme yapmadan anlatamaz. Çin gibi büyük bir ülkenin çağdaş tarihinin tümü, temel bir soruyla ilişkilendirilebilir: Beyaz adamın akıl almaz meydan okumasına nasıl yanıt vermeli? Söz konusu olan, ister Boxer Ayaklanması ister Mao Zedong'un, "Büyük Atılım"ın, Kültür Devrimi'nin yükselişi isterse Xiaoping'in giriştiği yeni ekonomi politikası olsun, bütün köklü değişimler, geniş ölçüde, bu soruya bir yanıt arayışı olarak yorumlanabilir. Öte yandan aynı soru şu şekilde de sorulabilir: Onurumuzu kaybetmeden çağdaş dünyayla bütünleşebilmemiz için geçmişimizden neye sahip çıkmalı, neyi dışlamalıyız?

Hiçbir toplumun bilincinden asla bütünüyle silinmeyen ama her yerde aynı yoğunlukta ortaya konmayan bir sorudur bu.

Bir ulus başarı kazandığında, ötekilerin bakışı değişir, bu da onun kendisini değerlendirişine etki eder. Özellikle dünyanın Japonya'ya, ardından da Çin'e karşı takındığı tavrı düşünüyorum. Eleştirilen, korkulan, ama savaşma yetileri ve her şeyden önce ekonomik mucizelerinden ötürü saygı duyulan bu ülkelerin kültürlerini oluşturan her şey, diğerlerinin gözünde büyük değer kazandı; dilleri, sanat yapıtları, eski ya da çağdaş edebiyatları, atalardan kalma tıp yöntemleri, tinsel uygulamaları, mutfak gelenekleri, ayin dansları, savaş sanatları, hatta batıl inançları bile hayranlık uyandırmaya başladı. Bir halk, ne zaman muzaffer bir halk imajı kazansa, onun uygarlığını oluşturan her şey bütün dünya tarafından ilgiyle ve önsel bir saygıyla izlenir. Bundan böyle, kendisi de geçmişinden kopma olanağından yararlanabilir ve onu eleştirebilir. Çinliler bugün genelde geçmişlerine karşı duyarsızlık sergiliyor; Batılı ziyaretçiler, onların binyıllık uygarlıklarının "eski nesneleri" karşısında şaşkına dönünce, eğlenip buna bir anlam veremiyormuş gibi davranıyorlar.

Araplarsa böyle bir konumda değil. Durmadan bozgun üstüne bozgun yaşadıklarından, dünyanın geri kalanı onların uygarlığına tepeden bakıyor. Dilleri küçük görülüyor, edebiyatları fazla okunmuyor, inançları insanlarda kuşku yaratıyor, yücelttikleri ruhsal liderlerle alay ediliyor. Başkalarının bakışını ruhlarının derinliklerinde hissediyor, sonuçta da bu bakışı içselleştirip kendilerine karşı kullanıyorlar. Bu yıkıcı kendinden nefret duygusu Arapların birçoğunda yaygınlaşıyor. "Onlar" diye yazıyorum ama "biz" de diyebilirdim pekâlâ, çünkü iki zamire de eşit uzaklıkta hissediyorum kendimi: Aynı oranda yakın, aynı oranda da uzak; belki de bu iki zamir arasındaki salınım birbirine eklenen kültürlerimin trajedisini yansıtıyor.

Bu hastalıklı tutumun çelişik itkilere yol açtığını görebilmek için vahşi bir psikanalize başvurmanın hiç de gereği yok. Öfkesini acımasız bir dünyadan çıkarma isteği ve kendini yok etme isteği. Kimliğinden kurtulma arzusu ve kimliğini herkese gösterme arzusu. Bir yandan da artık güven duyulmayan bir geçmişe sarılma gereksinimi; çünkü o geçmiş hiçe sayılan kimlik için bir cankurtaran simidi, bir sığınak, bir barınak işlevi görüyor.

Geçmiş ve çoğunlukla da din. İslamiyet kimlik için olduğu kadar onur için de bir tapınaktır. İnsandaki gerçek inancı elinde bulundurduğu, kendisine daha iyi bir dünyanın vaat edildiği, Batılılarınsa ileride perişan olacakları düşüncesi, bu dünyada bir parya, bir mağlup, sonsuza dek kaybetmeye mahkûm olmanın utancını ve acısını dindiriyor. Bugün, Müslüman halkın, diğer uluslar arasında kendisini lanetlenmiş ya da dışlanmış değil de kutsanmış, Yaradan tarafından "seçilmiş" olarak gördüğü ender alanlardan biri, hatta belki de tek alan bu.

Arapların durumunun dünya üstünde daha da kötüye gittiği ölçüde, ordularının yenik düştüğü, topraklarının işgal edildiği, halkının işkence gördüğü, aşağılandığı; düşmanlarınınsa sınırsız güce sahip olduğu ve onlara tepeden baktığı ölçüde, dünyaya kazandırdıkları din, kendilerine olan saygılarının son kalesi haline dönüşüyor. Ondan vazgeçmeleri, evrensel tarihe olan en önemli katkılarına sırt çevirmeleri, bir anlamda, varoluş nedenlerine sırt çevirmeleri anlamına geliyor.

Bu yüzden, acılarla dolu bu çağda, Müslüman toplumların yaşadığı sorun, din ile siyaset arasındaki ilişkiden ziyade, din ile tarih, din ile kimlik, din ile onur arasındaki ilişkiyle bağlantılı. Müslüman ülkelerde dinin yaşanma biçimi, halkların içinde bulunduğu açmazı yansıtıyor; halbuki şu durumdan kurtulabilseler ve demokrasiye, modernliğe, laikliğe, birlikte yaşamaya, bilginin önceliğine, yaşamın övgüsüne uyan ayetleri yeniden bulabilseler, metinlere olan harfi harfine bağlılıkları daha yumuşak, daha sevecen, daha esnek olacak. Ama yalnızca kutsal metinlerin yeniden yorumlanmasıyla bir değişim olacağını ummak yanıltıcı olur. Bir kez daha yineleyeceğim için bağışlayın: Ne sorun ne de bunun çözümü kutsal metinlerde.

İslam âleminin içinde bulunduğu bu tarihsel açmazın, bütün insanlığın gözleri kapalı biçimde yöneldiği gerilemenin en açık belirtilerinden biri olduğuna kuşku yok. Bu, Araplardan, Müslümanlardan ve onların dinlerini yaşama tarzlarından kaynaklanan bir hata mı? Kısmen, evet. Aynı şekilde, Batılılar ve onların yüzyıllardır öteki halklarla olan ilişkilerini yönetme biçimlerinin de payı yok mu? Kısmen, var tabii. Peki, son on yıllarda, Amerikalıların ve İsraillerin de özel bir kabahatı yok mu bu durumda? Kesinlikle var. Bugün Ortadoğu'nun kanayan yarasından hareketle, bütün dünyayı kangrenleştirmeye başlayan ve uygarlığımızın bütün kazanımlarını tehdit eden bir duruma son vermek isteniyorsa, bütün bu oyuncuların tutumlarını kökünden değiştirmeleri gerekiyor.

Bu gerçekliği dile getirmek, olmayacak bir duaya amin demek gibi, ama omuz silkip boşveremeyiz ona. Hem Yahudi halkının trajedisini hem Filistin halkının trajedisini hem İslam âleminin trajedisini hem Doğu Hıristiyanlarının trajedisini ve aynı zamanda içinde Batı'nın içine düştüğü açmazı göz önünde bulunduracak bir tarihsel uzlaşmayı yürürlüğe koymak için çok mu geç kalındı?

Bu yüzyılın başında, ufuk kapkaranlık görünse de, bazı çözüm yolları inatla aranmalı.

Umut verici çözümlerden biri, Arap ve Yahudi diyasporalarının, Ortadoğu'yu güçsüz düşüren tüketici ve kısır çatışmayı bütün dünyada sürdürmek yerine, kendiliklerinden, kurtarıcı bir yakınlaşmaya girişmeleridir.

Bugün bir Arap ile Yahudinin, Beyrut, Cezayir, Kudüs ya da İskenderiye'den ziyade, Paris'te, Roma'da, Glasgow'da, Barselona'da, Chicago'da, Stockholm'de, São Paulo'da ya da Sydney'de buluşup serinkanlılıkla yarenlik etmesi çok daha kolay değil mi? Orada, onların diyasporalarının birlikte yaşadığı geniş dünyada, yan yana oturup yeniden ilişki kuramazlar mı, Ortadoğu'daki onca sevdikleri halklar için başka bir gelecek kurmak amacıyla kafa kafaya verip düşünemezler mi?

Bunu zaten yapıyorlar, diye karşılık verilecektir. Kuşkusuz yapıyorlar, ama kesinlikle gerektiği kadar değil. Bu çok önemli konuya ilişkin, daha önce başka konularla ilgili olarak söylediğim şeyi yineleyeceğim: Asıl dert Araplar ile Yahudilerin eskisine göre daha çok konuşup konuşmamaları, kişiler arasında ilişki kurulup kurulmadığı değil; asıl sorun, onların durmak bilmeyen ve dünyanın çivisinin çıkmasında payı bulunan bir çatışmayı çözüp çözemeyecek olduklarını anlamak.

8

Diyasporalara düşen rolle ilgili az önce dile getirdiğim dileğin yanında, nerede olurlarsa olsunlar, nereden gelmiş olurlarsa olsunlar ve hangi güzergâhları izlemiş olurlarsa olsunlar, göçmen halkların tümü için çok daha yoğun bir umut taşıyorum içimde.

Onların iki kültürel evrenle de güçlü bağları var ve iki taraf için de iletim aracı, arayüzey görevi görebilirler. Bir göçmenin göç ettiği ülkede, içinde doğduğu toplumun duyarlılıklarını savunması ne kadar olağansa, aynı göçmenin, anayurdunda, göç ülkesinde edindiği bir duyarlılığı savunması da o kadar olağan olmalıdır.

Zaman zaman, Avrupa'daki Arap-Müslüman göçmenler bir ulus oluştursalar, bu, Avrupa Birliği üyesi ulusların birçoğundan daha kalabalık, hepsinden daha genç nüfuslu ve en hızlı nüfus artışına sahip ulus olurdu, deniyor. Kaldı ki bu topluluk Doğu'da yaşayan bir ulus oluştursaydı da, onun aynı şekilde sayısal açıdan yadsınamayacağı, nitel ölçütler açısındansa sıralamanın en üstünde yer alacağı göz ardı ediliyor: eğitim düzeyi, girişim ruhu, özgürlük deneyimi, modern yaşamın maddi ve entelektüel araçlarına yatkınlığı, gündelik birlikte yaşama alışkanlığı, en farklı kültürleri yakından tanıma yetisi vb. Bütün bunlar bu göçmenlere, ne Batı'da ne Doğu'da hiçbir nüfusun sahip olmadığı gizil bir etkileme gücü kazandırıyor.

Onların şimdilerde kullandıklarından daha fazla kullanmaları gereken bir güç bu. Üstelik güvenle, gururla ve "iki tarafta" da kullanmalılar onu.

Yabancı ülkeye göç eden birinin, öncelikle kendi ülkesinden göçtüğü unutuluyor genelde. Sıradan bir ayrıntı değil bu, göçmen gerçekten iki kişidir, kendini de öyle görür. İki farklı topluma aittir ve her iki toplumda aynı statüye sahip değildir. Örneğin, sürüldüğü kentte, alt düzeyde bir görevde çalışmaya boyun eğen diplomalı biri, anayurdunda, saygın bir kişi olabilir. Kuzey şantiyelerinde çekine çekine, hep yere baka baka konuşan Faslı bir işçi, yakınlarının arasına döndüğünde, gururla kendi dilini kullanabildiğinde, özgüvenli hareketlerle, yüksek sesle konuşan, tatlıdilli bir hikâyeciye dönüşebilir. Gecelerini şehrin dışındaki bir hastanede geçiren, akşam yemeklerinde ılık bir çorba ve bir parça ekmekle yetinen Kenyalı bir hastabakıcı, doğduğu ülkede büyük saygı görebilir, çünkü her ay gönderdiği paralarla bir düzine yakınının beslenmesini sağlıyordur.

Daha pek çok örnek verebilirim bu konuda. Söylemek istediğim şey şu: "Yabancı ülkeye göç eden" kişinin ardında "kendi ülkesinden göç eden" kişinin olduğu göz önünde bulundurulmadığında, işin özü ıskalanıyor. Göçmenlerin statüsü, onların Batı toplumları içindeki yerlerine, yani çoğunlukla toplumsal sıralamanın en aşağılarında oluşlarına göre değerlendirildiğinde, önemli bir stratejik hata yapılmış oluyor; doğdukları ülkenin toplumu içinde modernleşmenin, toplumsal ilerlemenin, entelektüel özgürlüğün, gelişimin ve uzlaşımın öncüsü oldukları görmezden geliniyor.

Kaldı ki onlardaki bu etkileme gücü, yineliyorum, karşılıklı iki tarafa da uygulanabilir. Bir insan Avrupa'da yaşayıp Cezayir'deki, Bosna'daki ya da Ortadoğu'daki çatışmaları sürekli olarak inceleyebilir, aynı şekilde son altmış yılda Avrupa'da yaşanan deneyimleri, Fransız-Alman uzlaşısını, Avrupa Birliği'nin kuruluşunu, Duvar'ın yıkılışını; diktatörlük döneminin ve sömürgeci seferlerinin, savaşlarda sergilenen kasaplıkların, kıyımların, soykırımların, köklü nefretlerin mucizevi biçimde kesin olarak aşılıp bir barış, dirlik düzenlik, özgürlük ve refah çağına yönelinmesini Ortadoğu'ya, Bosna'ya ya da Cezayir'e aktarabilir.

Etki akımlarında böylesi bir değişim yaşanması için ne yapmak gerekiyordu? Bunun için, göçmenlerin anayurtlarındaki toplumlarına yapıcı bir mesaj aktarmak istemeleri ve aynı zamanda bunu yapabilmeleri gerekiyordu. Söylemesi kolay, gerçekleştirmeye gelince zor bir iş bu, çünkü düşünme alışkanlıklarımızda ve davranışlarımızda köklü bir değişim yapılmasını gerektiriyor.

Sözgelimi, göçmenlerin, Avrupa deneyiminin havarileri rolüne soyunmayı istemeleri için, bu deneyime tamamen ortak olmaları; ne zaman "kendilerine özgü" yüzlerini gösterseler, adlarını dile getirseler ya da anadillerinin şivesini açığa vursalar, ayrımcılıklara, aşağılamalara, babacılığa, küçümsemeye maruz kalmamaları; tersine, göç ettikleri ülkenin toplumuyla zorlama olmaksızın kendilerini özdeşleştirebilmeleri, bedensel ve ruhsal anlamda o topluma karışmaya davet edildiklerini hissedebilmeleri gerekiyordu.

Ama bir göçmenin, göç ettiği ülkenin toplumuyla kendisini özdeşleştirebilmesi yetmez; anayurdundaki toplumu etkileyebilmesi için, aynı zamanda, o toplumun hâlâ onu tanıyabilmesi, kendisini onda görebilmesi zorunludur. Dolayısıyla, göçmenin tamamen ve olabildiğince serinkanlılıkla ikili aidiyetini üstlenebilmesi şarttır. Bugün söz konusu olan durum bu değil. İki simgesel örneği alırsak, ne Fransızların ne de İngilizlerin soruna yaklaşımı bu yönde.

Fransa'da, göçmen sorununun ele alınışı, eskiden sömürge halklarıyla olan ilişkilerde de olduğu gibi, her insanın Fransız olabileceği ve bunun için insanlara yardım edilmesi gerektiği düşüncesini temel alıyor. Bu, Aydınlanma Çağı'nda ortaya çıkmış ve Çinhindi, Cezayir ya da Madagaskar gibi farklı farklı bölgelerde dürüstçe uygulanabilseydi büyük olasılıkla dünyanın çehresini değiştirebilecek yüce gönüllü bir düşünce. Özü açısından hâlâ saygıdeğer, hatta hiç olmadığı kadar vazgeçilmez bir düşünce. Bir insan doğup büyüdüğü ülkeden başkasına yerleşmeye karar verdiğinde, yakın bir gelecekte, kendisinin ve çocuklarının bütünüyle göç edilen ülkenin ulusuna dahil olacağını bilmesi önemli. Fransızların yaklaşımı, bu açıdan evrensel bir değer taşıyor benim gözümde; kendi adıma, bu mesajı, göçmene kültürünü, geleneklerini koruyabileceğini ve yasa tarafından korunacağını, buna karşın ona ev sahipliği yapan ulusun dışında kalacağını söyleyen mesaja her şekilde yeğlerim.

Gelgelelim, uygulamada, bu yaklaşımların hiçbiri, içinde bulunduğumuz yüzyıla uygunmuş gibi gelmiyor bana; hiçbirinin, insanların uyumlu biçimde birlikte yaşaması sorununa uzun süreli bir çözüm getirebileceğini sanmıyorum. Çünkü farklılıklarına karşın, bu iki politika da aynı önvarsayımdan hareket ediyor: Bir insanın bütünüyle iki kültüre birden bağlı olamayacağı varsayımından.

Oysa, bu yeni yüzyılda, göçmenin, tam da bunun tersi bir mesajı duymaya ihtiyacı var. Sözlerle, davranışlarla, siyasal kararlarla kendisine şunun söylenmesine ihtiyaç duyuyor o: "Kendiniz olmaktan çıkmadan, tamamen bizden biri olabilirsiniz." Bu da şu anlama geliyor: "Dilimizi derinlemesine öğrenmek sizin hakkınız ve göreviniz. Ama aynı zamanda anadilinizi unutmamak da hakkınız ve göreviniz, çünkü bizler, size ev sahipliği yapan ulus olarak, değerlerimizi paylaşan, kaygılarımızı anlayan ve dünyadaki bütün halkların seslerini bizlere duyuracak şekilde Türkçeyi, Vietnamcayı, Rusçayı, Arapçayı, Ermeniceyi, Svahili dilini ya da Urducayı kusursuz biçimde konuşabilen insanlara ihtiyaç duyuyoruz aramızda. Sizler, her alanda –kültür, siyaset, ticaret– o halklarla aramızdaki yeri doldurulamaz arabulucular olacaksınız."

Bir göçmenin açlığını çektiği şey, öncelikle saygınlıktır. Hatta, daha açık olmak gerekirse, kültürel saygınlıktır. Din de bunun bir öğesidir ve inananlar huzur içinde ibadet etmek istemekte haklıdırlar. Ama kültürel kimlik söz konusu olduğunda, onu oluşturan parçalardan yeri en zor doldurulacak olan şey, dildir. Bir göçmen, genellikle, dili sadece başkaları tarafından değil, kendisi tarafından da kullanılmaz hale geldiği için ve kültürü sadece başkalarının değil, kendisinin de gözünden düştüğü için, kendi inancının simgelerini sürekli olarak açığa vurma gereksinimi duyar. Her şey onu buna iter: küresel ortam, köktenci militanların eylemleri ve aynı şekilde göç ülkelerinin tutumu; yetkililerin göçmenlerin dinsel aidiyetlerine takılıp kalarak onların kültürel açıdan kabul görme ihtiyaçlarını göz ardı etmeleri.

Hatta kimi zaman, daha da beteri yapılır: Genelde hiçbir zararı bulunmayan dilsel çoğulculuğa, bütün çoğul toplumlarda sürekli bir fanatizm, zorbalık ve parçalanma etkeni olarak ortaya çıkan dinsel cemaatçilikten daha fazla kuşkuyla bakılır.

Bir durumu tanımlarken, bana göre olumsuz bir yananlam taşıyan "cemaatçiliği"; öteki durumu tanımlarken de, olumlu bir yananlam taşıyan "çoğulculuğu" kullandım özellikle. Çünkü gerçekten de, kimliğe ilişkin, din ve dilden oluşan bu iki güçlü etken arasında özleri bakımından bir fark var: Dinsel aidiyet tekelci bir görünüm sergilerken, dilsel aidiyet öyle değil; her insan birçok dilsel ve kültürel geleneğe birden sahip olabilir.

Dinsel cemaatçiliğe karşı kuşkuyla yaklaşmam, kısmen kökenlerimden kaynaklanan bir durum, bunu yadsımayacağım. Doğduğum ülke olan Lübnan, "mezhepçiliğin" paramparça ettiği ülkeler arasında ilk akla gelenlerden biri büyük olasılıkla ve bu yüzden, bu tehlikeli sistemden hiç ama hiç hoşlanmıyorum. Belki bir zamanlar bir hastalığa ilaç olmuş olabilir, ama uzun vadede hastalığın kendisinden daha zararlı bir hale gelmiş; acılarını dindirmek için bir hastaya verilen, ama onda geri döndürülemez bir bağımlılık yaratan, her geçen gün bedenini ve aklını güçsüzleştiren, kendisini geçici olarak kurtardığı acıları yüze katlayıp "yeniden canlandıran" bir uyuşturucu gibi tıpkı.

Gençliğimde, bu sorunun üstünde durmakta daha ihtiyatlı davranıyordum çünkü cemaatçilik bir Ortadoğu kalıntısı gibi görünüyordu gözüme. Bugünse olay, küresel çapta ve ne yazık ki yalnızca bir kalıntı olmaktan çok öte bir durumda. Bütün insanlığın geleceğini kirletebilir bu iğrenç düşünce.

Çünkü küreselleşmenin en uğursuz sonuçlarından biri, cemaatçiliği de küreselleştirmesidir. İletişim araçlarının küreselleştiği bir zamanda dinsel aidiyetlerin yükselişi, insanların "küresel kabileler" halinde gruplaşmalarını sağladı, "küresel kabile" deyişi çelişkili görünse de gerçekliği olduğu gibi yansıtıyor. Cemaatçi özellikler, özellikle İslam âleminde, daha önce eşine rastlanmamış biçimde zincirinden boşanmış halde, bunun en kanlı örneğine Irak'taki Sünniler ile Şiiler arasındaki çatışmalarda rastlanıyor; ama aynı zamanda bir Cezayirlinin Afganistan'da, bir Tunuslunun Bosna'da, bir Mısırlının Pakistan'da, bir Ürdünlünün Çeçenistan'da ya da bir Endonezyalının Somali'de savaşıp ölmesine neden olan uluslararası bir durum da söz konusu. Bu ikili bölünme-birleşme hareketi, içinde yaşadığımız dönemin en önemli çelişkilerinden biri.

Dolayısıyla bence, ideolojilerin kimlik teyitlerinin ve onları övenlerin yükselmesini sağlayacak şekilde çöküşünün; insanlar arasında, denizleri, çölleri, dağları, bütün sınırları aşabilen sağlam ve dolaysız bağlar kuran bilgi-işlem devriminin; bloklar arasındaki dengenin bozularak iktidar ve onun dünya çapındaki meşruiyet sorununu ciddi biçimde açığa çıkarmasının etkisiyle açıklanabilecek, kaygı verici bir değişim bu. Üstelik, uzun süre, tek bir "kabile"nin sözcüsü olduğu düşünülen bir metbu süper gücün ortaya çıkışı da, stratejik rekabetlerin kimliklere ilişkin güçlü bir yananlam kazanmasını sağladı.

İşte bir yandan sıkıntıyla anayurdum Lübnan'ı düşünerek, bütün bu öğelerin ışığı altında homurdanıyorum: Sonuç olarak, cemaatçilik bir açmazdı, babalarımız asla bu işe kalkışmamalıydılar! Ardından, aynı şekilde, ama bu kez göç ettiğim Fransa'yı ve bugün son umudum olan Avrupa'yı düşünerek, şunu söylüyorum ek olarak: Göçmenlerin içinde yaşadıkları toplumla bütünleşmelerini kolaylaştırmak ve kendini belli eden "çatışmalardan" kurtulmak isteniyorsa, bu, onları "cemaatleştirerek" değil, herkesin toplumsal onurunu, kültürel onurunu, dilsel onurunu onlara yeniden kazandırarak, göçmenleri serinkanlılıkla ikili kimliklerini benimsemeye ve köprü görevi görmeye teşvik ederek yapılabilir.

9

Birkaç kez, yeri geldiğinde, "medeniyetler çatışması" düşüncesini eleştirdim; belki daha dengeli, daha doğru bir değerlendirme yapmak için bu konunun üstünde biraz daha durmam gerekiyor.

Fazlasıyla medyatikleştirilen bu kuramdaki asıl sorun, onun "klinik tanı"sı değil. Onun yorumu, gerçekten de Berlin Duvarı'nın yıkılmasından sonra meydana gelen olayların daha iyi anlaşılmasını sağlıyor. Kimlikler, ideolojilerin pabucunu dama attığından beri toplumlar, siyasal olaylara genelde dinsel aidiyetleri uyarınca tepki verir oldular; Rusya yeniden açıkça Ortodoks oldu; Avrupa Birliği kendini üstü kapalı biçimde bir Hıristiyan uluslar topluluğu olarak görüyor; aynı savaş naraları Müslüman ülkelerin tümünde de çınlıyor; o yüzden, bugünün dünyasını çatışma halindeki "uygarlık alanları"na dayanarak betimlemek akla yatkın geliyor.

Kanımca, bu kuramın yandaşlarının yanıldıkları nokta, genel bir tarih kuramı oluşturmak için gözlemlerine, şimdiden hareketle başlamaları. Örneğin, dinsel aidiyetlerin bugünkü üstünlüğünün insan ırkının olağan durumu olduğunu, evrenselci ütopyalar peşinde uzunca bir zaman geçirildikten sonra, bu duruma geri dönüldüğünü; ya da "uygarlık alanları" arasındaki çatışmanın, geçmişin şifrelerini çözmemizi ve gelecekte neler olacağını kestirmemizi sağlayan anahtar olduğunu söylüyorlar bizlere.

Bütün tarih kuramları kendi zamanının ürünüdür; şimdiyi anlamak için son derece öğreticidir; geçmişe uyarlandığında tahmini ve yanlı bir hal alır; geleceğe yöneltildiğindeyse tehlikeli, hatta kimi zaman yıkıcı sonuçlar doğurur.

Bugünün çatışmalarını, altı ya da yedi büyük "uygarlık alanı" –Batı, Ortodoks, Çin, Müslüman, Hint, Afrika, Latin Amerika– arasında yaşanan bir gerilim olarak görmek, bu konudaki sayısız tartışmanın da kanıtladığı gibi, insanları düşünmeye sürükleyen bir bakış açısıdır. Ama bu anahtar, insanlık tarihinin büyük çatışmalarını, sözgelimi, temel olarak Batılılar arasındaki anlaşmazlıklardan doğan Birinci ve İkinci Dünya Savaşı'nı anlamamıza çok da yardımcı olmaz; aynı şekilde, solcu ya da sağcı totalitarizmler ve Yahudi soykırımı gibi çağdaş manevi bilince etki eden korkunç olayları açıklamamıza da yardım etmez; bütün "uygarlık alanları"na ait toplumları derinlemesine bölen, dünyaya yayılan –İspanya'dan Sudan'a, Çin'den Yunanistan'a, Şili'ye, Endonezya'ya– kapitalizm ile komünizm arasındaki gerilimi saymıyorum bile.

Daha genel anlamda, uzak ya da yakın geçmişin çeşitli dönemlerine bakıldığında, her süreçte, Haçlı Seferleri gibi, gerçekten de uygarlıklar arası bir çatışmadan ileri gelmiş gibi gözüken olaylar olduğu görülür; ama bunların dışında, Batı kültürel alanında, Arap-Müslüman alanında, Afrika alanında ya da Çin alanında meydana gelen, bir o kadar anlamlı, bir o kadar da ölümcül daha pek çok olayın gerçekleştiği fark edilir.

Bütün halinde, uygarlıklar arası çatışma şemasına uyduğu düşünebilecek şu zamanda bile, Irak Savaşı gibi bir olayın farklı farklı yüzleri vardır: Batı ile İslamiyet arasındaki kanlı bir çatışma; İslam âleminde, Şiiler, Sünniler ve Kürtler arasında daha da kanlı bir çatışma; küresel hegemonya konusunda güçler arasında yaşanan rekabet vb.

Eşi benzeri olmayan sayısız olayla örülmüş tarih, genellemelere uymaz pek. Tarih içinde doğru yolu bulabilmek için birçok anahtara ihtiyaç vardır; bir araştırmacının kendi yaptığı anahtarı öteki anahtarların arasına katmak istemeye hakkı varsa da, bütün anahtarların yerine bir anahtar koymak, sözüm ona bütün kapıları açacak bir "maymuncuk" ortaya koymak akıllıca değildir.

Yirminci yüzyıl, Marx'ın önerdiği aracı, fazlasıyla kullandı ve şimdi artık bunun nelere mal olabileceğini biliyoruz. Sınıf mücadelesi her şeyi açıklamıyor, uygarlık mücadelesi de aynı şekilde. Çünkü sözcüklerin kendileri bile anlaşılmaz ve yanıltıcı. Her insanın içinde, bazı "sınıf" dayanışmalarına ve aynı zamanda bazı "sınıf" düşmanlıklarına neden olan bir toplumsal aidiyet duygusu varsa da, bu kavramın ana hatları belirsizdir. Sanayi devrimi sırasında, yeni doğmakta olan proletaryanın kimliğinin bilincine varacağı, ayrı bir varlık, bir "sınıf" gibi "işleyeceği" ve sonsuza dek tarihte belirleyici bir rol üstleneceği düşünülebilirdi haklı olarak.

Yeni "anahtar" konusunda da buna benzer sözler söylenebilir. Her insanın içinde, bazı "uygarlık" dayanışmalarına olduğu gibi düşmanlıklara da neden olan etnik ya da dinsel bir aidiyet duygusu varsa da, bu kavramın ana hatları da en az "sınıf" kavramınınkiler kadar belirsizdir. Günümüzde, "zamanın ruhu", bu "uygarlıklar"ın, gitgide kendine özgülüklerinin daha çok bilincine varan ve insanlık tarihinde belirleyici rol oynayacak, tanımlanmış varlıklar olduğunu düşünmeye sevk ediyor bizi.

Elbette, bunda bir gerçeklik payı var. Batı uygarlığının Çin uygarlığıyla ya da Arap-Müslüman uygarlığıyla karışmadığını kim yadsıyabilir ki? Ama bu uygarlıkların hiçbiri etkilenemez ya da değişmez değildir ve bugün, onların sınırları dış etkilere geçmişe oranla daha fazla açıktır.

Binyıllardan beri, uygarlıklarımız doğar, gelişir, değişir; yan yana yaşar, karşı karşıya gelir, birbirlerine öykünür, farklılaşır, başkalarının onları taklit etmesine izin verir; ardından, yavaş yavaş ya da aniden yok olur ya da birbirleriyle kaynaşırlar. Roma uygarlığı günün birinde Yunan uygarlığıyla birleşmişti; her biri kendi kişiliğini korumuş, ama bunun yanı sıra Avrupa uygarlığının önemli bir öğesi haline gelen özgün bir bireşim gerçekleştirmişlerdi; ardından Hıristiyanlık çıkageldi –Yahudiliğin ağır bastığı, bir yandan da Mısır, Mezopotamya, daha genel olarak Ortadoğu etkilerinin hissedildiği bambaşka bir uygarlığın içinde doğmuştu– ve o da Batı uygarlığının temel öğelerinden birine dönüştü. Sonrasında Asya'dan barbar olarak adlandırılan halklar, Franklar, Alamanlar, Hunlar, Vandallar, Gotlar, bütün

Germen halkları, Altaylılar, Slavlar gelip Latinlerle ve Keltlerle karışarak Avrupa uluslarını oluşturdular.

Arap-İslam uygarlığı da aynı şekilde oluştu. Aralarında benim atalarımın da bulunduğu Arap kabileleri çölümsü ve işlenmemiş yarımadalarından çıktıklarında, İran'a, Hindistan'a, Mısır'a, Roma'ya ve Konstantinopolis'e gidip oraları kendilerine örnek almaya başladılar. Derken, Çin sınırından Türk boyları geldi, onların önderleri, benim babamın doğumundan sonrasına dek, bizlerin sultanları ve halifeleri olarak kaldılar; ardından, halkıyla Batı uygarlığı arasında sağlam bir ilişki kurmak isteyen, modernlik yanlısı bir ulusalcı hareket tarafından devrildiler.

Bunları, gerçeği anımsatmak için söylüyorum: Uygarlıklarımız, ezelden beri, karma öğelerden oluşmuştu, değişkendi, etkilere açıktı. Bugün, daha önce olmadıkları kadar birbirine karışmış durumda olmalarına karşın, bizlere bu uygarlık meselelerinin altından kalkılamayacağını ve her zaman da böyle olacağını söylemelerine şaşıyorum doğrusu.

Bugün derken, aynı günden söz ediyoruz değil mi? Binlerce Çinli memurun Kaliforniya'da yetiştiği, binlerce Kaliforniyalının da Çin'e yerleşme düşü kurduğu günden mi söz ediliyor gerçekten de? Dünyayı gezerken, insanın sabah Chicago'da mı, Şanghay'da mı, Dubai'de mi, Bergen'de mi, yoksa Kuala Lumpur'da mı uyandığını anlaması için çaba göstermesi gerekmiyor mu bugün? Peki nasıl oluyor da, bugün birileri çıkıp olmadık birtakım tutumlara bakarak, uygarlıkların her zaman farklı olacağını ve onlar arasındaki çatışmanın sonsuza dek tarihin devindirici gücünü oluşturacağını söyleyebiliyorlar bize?

Uygarlıklarımızın kendi özelliklerini bağıra çağıra açığa vurma gereksinimi duyması, tam da bu özelliklerin silikleşip belli belirsiz duruma gelmesinden kaynaklanıyor.

Bugün tanık olduğumuz şey, farklı uygarlıkların alacakaranlığıdır, yoksa onların yükselişi ya da zaferi değil. Miadlarını doldurdular ve hepsini aşmanın vakti geldi artık; şimdi onların getirilerini zamana uyarlamalı, her birinin yararlarını bütün dünyaya yaymalı, olası zararlarını da ortadan kaldırmalı; yavaş

yavaş, temel değerlerin evrenselliği ve kültürel ifadelerin çeşitliliği gibi iki dokunulmaz ve birbirinden ayrılmaz ilkeyi temel alacak, ortak bir uygarlık kurabilmek için böylesi gerekiyor.

Hiçbir yanlış anlama olmasın diye açıkça söylüyorum: Benim için, bir kültüre saygı duymak, o kültürün taşıyıcısı olan dilin eğitimini teşvik etmek, edebiyatının, tiyatro, sinema, müzik, resim, zanaat, mutfak vb. geleneklerinin bilinmesini sağlamak demektir. Bunun tersine, zorbalığa, baskıya, hoşgörüsüzlüğe ya da kast sistemine, zoraki evliliklere, kadın sünnetine, "namus" suçlarına ya da kadınların kul köle edilmesine, bilgisizliğe, savrukluğa, kayırıcılığa, rüşvetin yaygınlaşmasına, yabancı düşmanlığına ya da ırkçılığa, bunların farklı bir kültüre ait oldukları bahanesiyle göz yummak, saygı göstermek değildir, bence üstü kapalı biçimde o kültürü aşağılamaktır, bir *Apartheid* davranışıdır; isterse iyi niyetle yapılmış olsun. Bunu daha önce de söyledim, ama benim için kültürel çeşitliliğin ne olduğu ve ne olmadığı konusunda akıllarda soru işareti kalmaması için yinelemek istedim.

Öylesine yoğun bir sözcük olan "uygarlığı" kullanmayı sürdüreceğim ben de, hem çoğul hem de tekil olarak. Bana öyle geliyor ki, aslında, hem "çeşitli" insan uygarlıklarından hem de "tek bir" insan uygarlığından söz edilebilir. Ulusların, etnik grupların, dinlerin, imparatorlukların tarih boyunca kendilerine özgü güzergâhları olmuştur. Bir de birey ve grup olarak, hepimizin topluca atıldığımız bir insanlık serüveni vardır.

Bu ortak serüvene inanılırsa ancak özel yolculuklarımız bir anlam kazanır. Bütün kültürlerin eşit ölçüde saygıdeğer olduğuna inanılırsa ancak onları değerlendirme, hatta yargılama yetkisine sahip olunur; işte bu ortak yazgıyla bağlantılı ve bütün uygarlıklarımızın, bütün geleneklerimizin, bütün inançlarımızın üstündeki değerlere bakılarak değerlendirilmelidir onlar da. Çünkü insana olan saygıdan, onun maddi manevi bütünlüğünü korumaktan, düşünce ve ifade yetisini korumaktan; ayrıca onu sırtında taşıyan gezegeni korumaktan daha kutsal bir şey yoktur.

Bu olağanüstü serüvenin sürmesini istiyorsak, uygarlıklar konusundaki, aynı zamanda dinler konusundaki kabileci düşüncelerimizi aşmamız, birilerini etnik zincirlerinden kurtarmamız, birilerini de onların özünü değiştiren, kokuşturan, ruhsal ve etik yönelimlerini yoldan çıkaran kimlik illetinden arındırmamız gerekiyor.

Bu yüzyılda, geleceğe yönelik iki bakış açısından birini seçmemiz gerekecek.

Bunlardan ilki birbirleriyle savaşan, birbirlerinden nefret eden, ama küreselleşmenin etkisiyle, birbirlerini her gün aynı kültürel bulamaçla biraz daha besleyen küresel kabilelere bölünmüş bir insanlık düşüncesidir.

İkincisiyse, ortak yazgısının bilincinde olan ve bu yüzden aynı temel değerler çevresinde toplanmış, ama en çeşitli, en zengin kültürel ifadeleri her zamankinden de fazla geliştirmeyi sürdüren, bütün dillerini, sanatsal geleneklerini, tekniklerini, duyarlılığını, belleğini, bilgisini koruyan bir insanlık düşüncesidir.

Dolayısıyla, bir yanda, birbiriyle çatışma halindeki, ama kültürel açıdan birbirine öykünen ve birbirine benzeyen birçok "uygarlık"; öte yanda, sayısız çeşitliliğe açılan, tek bir insan uygarlığı.

Bu iki yoldan ilkini izlemek için, bugün yaptığımız gibi, kendimizi dalgalara bırakıp tembel tembel koyvermeyi sürdürmemiz yeter. Yok ikinci yol seçilecekse, bir atılım gerçekleştirmemiz gerekiyor, bunu başarabilecek miyiz acaba?

10

Öteki konularda olduğu gibi bu konuda da aşırı endişeyle umut arasında gidip geliyorum. Kimi zaman insanlığın, en karanlık dönemlerde, ağır fedakârlıklar pahasına da olsa, sorunları çözmek için her zaman gereken kaynakları bulduğunu söylüyorum kendime. Kimi zaman da her seferinde bir mucize beklemenin sorumsuzluk olacağını düşünüyorum.

Bugün, çözüm yollarının tartışma götürmez biçimde daraldığına ama hâlâ tıkanmadığına inanıyorum. Dolayısıyla, umutsuzluk vaazları verilmemeli, ama işin ivediliğine dikkat çekilmeli. Öte yandan, bu kitabı yazmamdaki amaç da bu. Geç kalındığını, ama çok geç kalınmadığını söylemek. Çöküşü ve gerilemeyi önlemek amacıyla bütün gücümüzle harekete geçmemenin bir intihar, bir suç olacağını söylemek. Hâlâ harekete geçilebileceğini, hâlâ olayların akışının değiştirilebileceğini, ama bunun için kararsız, korkak, bayağı değil, cesur ve yaratıcı olmak gerektiğini söylemek. Düşünce ve davranış alışkanlıklarımızı kökünden değiştirme, hayali gerçekliklerimizi kökünden değiştirme ve öncelikler ölçeğimizi yeniden oluşturma cesaretinin gösterilmesi gerektiğini dile getirmek.

Bu yüzyılda bizleri tehdit eden bütün tehlikeler arasında bugün en çok öne çıkan, üstünde en çok araştırma yapılan ve en çok belge toplanan konu, küresel ısınmanın yarattığı tehlike; her şey bunun, gelecek on yıllarda, henüz büyüklükleri tam olarak ölçülemeyen felaketlere yol açacağını düşünmeye sevk ediyor bizi;

denizlerin seviyesi metrelerce yükselip yüz milyonlarca insanın yaşadığı birçok liman kentini ve kıyı bölgesini sular altında bırakabilir; buzulların yok olması ve yağış düzeninin değişmesi nedeniyle, önemli nehirler kuruyabilir, ki bu da ülkelerin çölleşmesine yol açar. İklimde yaşanacak böylesi bir değişikliğin yol açacağı trajediler, toplu göçler, kanlı savaşlar akla geliyor ister istemez.

Üstelik bu değişim, uzak ve belirsiz bir gelecekte gerçekleşecekmiş gibi de durmuyor. Çocuklarımızın ve torunlarımızın yaşamının bundan dramatik biçimde etkileneceğini şimdiden biliyoruz; 20. yüzyılın ikinci yarısında doğmuş olan kuşakların da bunun sıkıntısını çekmeleri olası.

Ben, mizacım gereği, kuşkucuyum. Ne zaman telaşe müdürü çığlıkları duysam, bunlara kendimi kaptırmamaya çalışır, geri çekilir ve bütün çağdaşlarımla birlikte bir entrikayla karşı karşıya olup olmadığımızı serinkanlılıkla anlamaya çalışırım. Sık sık kıyamet tellallığı yapılır bizlere; derken, bu kehanetler, birkaç ayın ya da haftanın sonunda, Tanrı'ya şükür, arkalarında hiçbir iz bırakmaksızın yok olup giderler! Küresel ısınma için de aynı şey olmayacak mı? Bundan olsa olsa yirmi-otuz yıl önce, dünyanın yeni bir buzul çağı yaşayacağı söylenmiyor muydu? Hatta yazarlar ile sinemacılar neredeyse sevinçle, dört elle sarılmışlardı bu konuya.

Demek istediğim şu: Bu kez küresel bir soğumayla değil de, ısınmayla ilgili uyarılar duymaya başladığımda, konu doğal olarak ilgimi çekmiş ama kuşkuculuğuma etki etmemişti.

Bilim adamlarının çalışmalarının sayısı arttıkça, çoğu aynı şeyi söylemeye başladıkça ve söylemleri gitgide daha ısrarcı bir hal aldıkça, daha fazla şey öğrenmek istedim.

Hakkıyla bilimsel bir temele sahip olmadığımdan, neden söz edildiğini anlayabilmek için öncelikle temel kitaplara başvurmam gerekti. Üstüne onca konuşulan "sera etkisi"nin ne olduğunu, bunun ne gibi sonuçlar doğurduğunu ve insanların birkaç yıldır bu konuda neden bu kadar endişelendiklerini anlamak için. Atmosferdeki karbon gazı oranının artışının ne anlama geldiğini, bunun neden kaynaklanabileceğini ve sonuçlarının ne olabileceğini anlamak için. Ayrıca neden Grönland'daki ve Antarktika'daki buzulların erimesinden kaygılanılırken, Kuzey Buz Denizi'ndekilerin erimesine o kadar endişelenilmediğini anlamak için; kaldı ki Kuzey Buz Denizi binyıllardan beri ilk kez, yaz aylarında, gemiyle bir ucundan ötekine geçilebiliyor.

Araştırmalarımın sonucunda, bu olayın gerçekten çok ciddi olduğunu ve insan uygarlığı için bir tehdit oluşturduğunu söyleyebilir miyim? Nihayetinde, gerçekten de buna inanıyorum; ama böyle bir konuda, benim yargımın pek bir değeri yok, bunu da bütün içtenliğimle söyleyeyim. Bilimsel bir sorunda, benim gibi bir aceminin fikri dikkate alınmaya değmez. İncelemelerimde sık sık karşılaştığım bir terimi kullanmak gerekirse, bu alanda, hiçbir entelektüel meşruiyete sahip değilim. Öte yandan, gönülden bağlı olduğu insanların refahına önem veren biri olarak, insanlık serüveninde karşılaşılan sorunları dert eden sorumlu bir yurttaş olarak ve çağdaşlarımın tartışmalarına kulak kabartan bir yazar olarak, omuz silkip gereksiz bir telaşa kapılıp kapılmadığımızı ya da tersine, fazla kuşkucu, fazla korkak davranıp davranmadığımızı bize yalnızca geleceğin kanıtlayabileceğini ve otuz yıl içinde kimin haklı kimin haksız olduğunu göreceğimizi söylemekle yetinemem.

Geleceğin yargısının ne olacağını beklemek, başlı başına büyük bir risk almak demektir. Otuz yıl içinde, iklim değişikliklerinin yol açtığı zararların artık onarılamaz bir hal alacağı doğruysa; "Dünya dediğimiz taşıtımız"ın artık kumanda edilemeyeceği, tamamen rastlantısal ve denetimdışı biçimde işleyeceği doğruysa, geleceğin kararını beklemek saçmadır, intihardır, hatta suçtur.

Ne yapmalı öyleyse? Tehdidin gerçek olup olmadığından emin değilken bile harekete mi geçmeli? Otuz yıl sonra, Kassandraların yanıldığı görülecekse bile harekete mi geçmeli? Benim buna yanıtım –çelişkili olduğunu kabul ediyorum– evet, harekete geçmeli; hâlâ tehdidin gerçekliğinden kuşku duyuluyorsa bile kuşku duyulmuyormuş gibi davranmalı.

Saçma görünebilecek bir tutum bu. Ama ilk kez, duraksamadan söylüyorum bunu. Üstünde çalışıp olgunlaştırdığım, ama yalnızca beni bağlayan inancım değil böyle söylememin nedeni. Ne de sadece bilim adamlarının ezici çoğunluğunun bugün küresel ısınmanın gerçek olduğuna, onun nedenlerinin, insanların etkinliklerine bağlı olduğuna ve aynı zamanda bu değişimin, gezegenin ve sakinlerinin geleceğini etkileyebilecek ölümcül sonuçlar doğuracağına inanması. Bilim adamları arasındaki bu söz birliği yadsınamaz, bunu ister istemez göz önünde bulunduruyorum, ama benim gözümde, harekete geçmeye karar verilmesini gerektiren esas kanıt bu değil. Gerçekliğin içinde çoğunluk diye bir şey yoktur ve bilim adamlarının da yanıldığı olmuştur.

Bununla birlikte, iklim değişiklikleri konusunda, onlara inanılması ve sonuç olarak da onların haklı olup olmadığından emin olunmasa da harekete geçilmesi gerektiğini düşünüyorum.

Bu tavrımı açıklamak için, eskiden, bambaşka bir alanda, eşsiz Blaise Pascal'in ortaya attığı iddiadan esinlenen bir iddia dile getireceğim. Öte yandan, bu iki iddia arasında bir boyut farkı bulunuyor: Pascal'in iddiasının sonucu ancak öte dünyada görülebilirdi oysa bizimki burada, bu dünyada ve kısmen yakın bir gelecekte görülecek; zira bugün bu dünyada yaşayan insanların çoğu o zaman hâlâ hayatta olacak.

Dolayısıyla, küresel ısınma konusunda benimsenebilecek iki temel tutumu –yetersiz tepki, ardında da uygun karşılık– değerlendireceğim ve her birinin sonuçlarını hayal etmeye çalışacağım.

İlk varsayımımız: Gerçek anlamda hiçbir atılımın gerçekleşmeyeceği yönünde. Birtakım ülkeler sera etkisi yaratan gazların yayılımını sınırlandırmak için çaba gösterecek; kimileri, sınıfın haylaz öğrencileri gibi gözükmemek için bazı "göstermelik" önlemler alarak bu konuda daha uyuşuk davranacak; kimileri de ekonomik etkinliklerine bir zarar gelmesin diye ya da tüketim alışkanlıklarını değiştirmekten korkarak hiçbir şey yapmayacak ve şen şakrak halde havayı kirletmeyi sürdürecekler. Bu yüzden de dünya atmosferindeki karbon oranı yükselmeyi sürdürecek.

Bu varsayıma göre, otuz yıl içinde dünyanın hali ne olur? Durmaksızın alarm çanlarını çalan bilim adamlarının çoğuna, Birleşmiş Milletler'e ve uluslararası örgütlere inanılacak olursa, kıyametin eşiğine gelinecek, çünkü yeryüzünün "çılgına dönmesi" ondan sonra engellenemeyecek. Ayrıntıya girmeden, bana özellikle endişe verici gelen iki tahmine değinmekle yetineceğim.

İlki, sera etkisinin bir sonucu olan Dünya sıcaklığındaki artışın, okyanus sularının buharlaşmasına neden olacağı, bunun da sera etkisini daha da fazlalaştıracağı yönünde; başka bir deyişle, küresel ısınma konusunda, artık insan etkinliği kaynaklı karbon gazı yayılımına bağlı olmadan, kendiliğinden hızlanan ve fiilen bir daha önüne geçilemeyecek bir kısırdöngü yaşanabilir. Bu geri dönüşü olmayan eşiğe ne zaman varılabilir? Farklı farklı fikirler var; bazıları bunun yüzyılın ilk çeyreğinde meydana gelebileceğini söylüyorlar. Kesin olan şu ki, harekete geçmekte ne kadar gecikilirse, gösterilmesi gereken çabalar da o kadar zorlu olacak ve bir o kadar da masaf gerektirecek.

Aynı çerçevedeki ikinci tahmine göreyse, iklim değişiklikleri şimdiye dek düşünülenden çok daha ani biçimde gerçekleşecek. Örneğin, en son olarak bundan yaklaşık 11.500 yıl önce yaşanan buzul döneminden ılıman döneme geçişin, yüzyıllık ya da binyıllık gibi ağır bir süreçle değil, en fazla bir on yıl içinde, ansızın oluverdiği tahmin ediliyor bugün. Kaldı ki, birkaç yıldan beri, iklimle ilgili olup biten her şeyle yakından ilgilenen birçok bilim adamı, değişimlerin çoğunlukla akla yatkın öngörüleri aşan hızı karşısında sürekli şaşkına dönüyor. Bu da, sözü edilen şeylerin sonuçlarına, bu yüzyılın sonunda ya da önümüzdeki yüzyıllarda tanık olunacağını düşünmemek gerektiğini gösteriyor. Hiçbir şey bilinmiyor bu konuda, dolayısıyla en feci olasılıklara şimdiden hazırlanmak akıllıca olur.

Otuz yıl içinde –insan ömrü ölçeğinde bir anlam taşıyan ve benim kuşağımın hâlâ "biz" demesini sağlayan bir sürece işaret ettiği için otuz yıl deyip duruyorum– kendilerini şimdiden belli eden düzen bozukluklarının hepsine tanık olmayacağız kuşkusuz, ama bunların bazı yıkıcı örnekleriyle karşı karşıya kalacağız; daha da önemlisi, o zaman bütün insanlık için onlarca yıllığına olağanüstü durum ilan etmek ve insanlardan katlanılması güç, büyük fedakârlıklar istenmesi gerekecek, üstelik bu şekilde de Ölüler Ülkesi'ne gidişin engelleneceğinin güvencesi olmayacak.

Peki ya çoğunluğun fikri yanlışsa? Ya farklı görüşleri savunan, bu felaket tahminlerine karşı çıkan, diğerlerinin telaşıyla alay eden, çevreye yaydığımız gazlar ile Dünya'nın ısınması arasında bir ilişki olduğundan kuşku duyan; kimi zaman bu tür bir ısınmanın olduğuna bile inanmayan, doğal ısı döngülerine tanık olunduğunu düşünen, sıcaklığın insan etkinliğinden çok, güneşin etkinliğine bağlı türlü türlü nedenlerden ötürü bir azalıp bir yükseldiğini, sonra yeniden azalacağını ileri süren azınlık haklı çıkarsa gelecekte?

Bir kez daha şunu söylemeliyim ki, ben bu savları çürütebilecek konumda değilim, ancak burada onların doğru olabileceğini varsaymak istiyorum. Gerçekten doğruysa, buna sevinmekten başka bir şey yapılamaz. Birçok insanın, bilim adamlarının, siyasetçilerin, uluslararası görevlilerin ve aynı zamanda hâlâ hayatta olursam, ben de dahil olmak üzere onlara inanan, korkularını paylaşan herkesin, az çok kibarca, farklı görüştekiler karşısında "şapka çıkarması" gerekir.

Şimdi, öteki varsayımı ele alalım: İnsanlık seferber olursa ne olur, ona bakalım. Bu durumda, ABD'de meydana gelen siyasal değişimler sayesinde, gerçek bir atılıma tanık oluruz. Fosil yakıt tüketimini ve atmosfere karbon gazı yayılımını ciddi ölçüde azaltmak üzere sert önlemler alınır. Küresel ısınma yavaşlar, denizlerin seviyesi artık yükselmez, iklim değişikliklerine bağlı önemli felaketlerden hiçbiri yaşanmaz.

Bu perspektifte, iki bilim adamı arasında otuz yıl sonra gerçekleşecek bir tartışma hayal ediyorum; bilim adamlarından biri, "çoğunluğun fikri"ni paylaşıyor ve bu yüzden de insanlığın, varlığını tehlikeye atan dünya çapındaki felaketten bu atılım sayesinde kurtulduğunu savunuyor; ötekiyse, "farklı görüşe sahip azınlığı" temsil ediyor ve riskin çok abartıldığını, hatta tamamen hayali olduğunu inatla savunmayı sürdürüyor. Elbette bir orta yol bulmaları sağlanamıyor. Çünkü "hasta" hâlâ hayatta, ölüm tehlikesiyle karşı karşıya olduğu nasıl kesin olarak kanıtlanabilir ki? Yatağının başındaki iki "doktor" bu konuda sonsuza dek tartışabilirler.

Ne var ki, tartışma sırasında bir ara, ilk bilim adamı ötekine şöyle diyebilir: "Eskiden yaptığımız tartışmaları unutalım ve kendimize sadece şunu soralım: Gezegenimiz gördüğü tedaviden sonra daha iyi bir duruma gelmedi mi? Ben onun ölüm tehlikesiyle karşı karşıya bulunduğunu söylemeye devam edeceğim, siz de bundan kuşku duymaya; ama ülkelerimiz fosil yakıt tüketimini azaltmakla, fabrikaların ve termik santrallerin havayı daha az kirletmelerini sağlamakla iyi etmediler mi?"

Küresel ısınma konusunda ortaya attığım iddianın temeli bu işte: Tutumlarımızı değiştiremezsek ve tehlike gerçekse, her şeyi kaybederiz; tutumlarımızı kökünden değiştirebilirsek, buna karşılık tehlike gerçek değilse, hiçbir şey yitirmeyiz. Çünkü küresel ısınma tehlikesine karşı alınacak önlemler, aslında, biraz düşünüldüğünde, her şekilde alınması gereken önlemlerdir: Hava kirliliğini ve bu kirliliğin kamu sağlığı üstündeki zararlı etkilerini azaltmak için; kıtlık ve kıtlıkların yol açacağı toplumsal kargaşa tehlikelerini azaltmak için; petrol bölgelerinin, maden bölgelerinin, aynı şekilde akarsuların denetimi konusunda yaşanan şiddetli çatışmaların önüne geçmek için; ayrıca, insanlığın daha huzurlu bir biçimde ilerlemeyi sürdürebilmesi için.

Bu nedenle, bilim adamlarının çoğunun tehlikenin gerçek olduğunu kanıtlaması değil önemli olan. Asıl farklı görüşteki azınlığın, itiraz kabul etmeyecek biçimde, tehlikenin bütünüyle gerçekdışı olduğunu kanıtlaması gerekiyor. Hukukçuların dediği gibi, ispat yükü onlara düşmüş durumda. Ancak bu ölümcül tehdidin var olmadığından kesinkes emin olunursa, manevi açıdan gard indirilebilir ve yaşama alışkanlıklarında hiçbir şey değiştirilmeden aynı yolda devam edilebilir.

Tabii ki, bundan emin olmak gibi bir şey söz konusu değil. Ortadaki iddia öyle büyük ki, kimse –hiçbir araştırmacı, hiçbir sanayici, hiçbir ekonomist, hiçbir siyasetçi, hiçbir entelektüel, sağduyulu hiç kimse– bilim adamlarının büyük çoğunluğunun düşüncesine karşı çıkıp küresel ısınmaya bağlı riskin var olmadığını ve bunun görmezden gelinmesi gerektiğini ileri sürme sorumluluğunu alamaz.

Bu konuya ilişkin olarak, öteki konularda olduğundan da fazla, şu soru geliyor akla korkuyla: İnsanlar hangi yolu seçecekler, atılım yapmayı mı, yoksa ne olursa olsun demeyi mi?

İçinde bulunduğumuz dönemde çelişkili işaretler bulunuyor. Bir yandan, ortada gerçek bir bilinçlenme olduğu doğru ve "fazlasıyla uzun zamandır" terazinin zararlı kefesinde ağırlığını hissettiren ABD, artık ağırlığını öteki tarafa vermek durumunda. Bununla birlikte, umulan atılım çeşitli uluslar arasında, belli düzeyde bir dayanışma, hatta derin bir işbirliği gerektiriyor, bunu da sağlamak kolay iş değil. Üstelik fedakârlıklarda bulunmak da zorunlu. Kuzey ülkeleri yaşam tarzlarını kökünden değiştirmeye hazırlar mı? Başta Çin ve Hindistan olmak üzere, yükselmekte olan ülkeler, yüzyıllardan beri az gelişmişlikten kurtulmak için ellerine geçen ilk fırsatı, ekonomik kalkınma atılımlarını tehlikeye atmaya hazırlar mı? Bütün bunlar, en azından, herkesin kendine çıkar sağlayacağı, kimsenin kendisini mağdur hissetmeyeceği bir şekilde ortaklaşa yönetilen, küresel bir hamle gerektiriyor.

Böylesi bir atılımın gerçekleşebileceğine inanmak istiyorum, ama dünyamıza şöyle bir baktığımda içimdeki kaygılardan da öyle kolay kolay kurtulamıyorum; bu öyle bir dünya ki, uluslararası ilişkilere ciddi bir bakışımsızlık egemen; öyle bir dünya ki, kimliğe dayalı kabileciliğin ve kutsal bencilliğin pençesinde, içindeki manevi inandırıcılıksa, az bulunan bir besin maddesi adeta; öyle bir dünya ki, büyük bunalımlar ulusları, toplumsal grupları, şirketleri ve bireyleri genel olarak dayanışma ya da gönül yüceliği sergilemekten çok, şiddetle kendi çıkarlarını korumaya itiyor.

SONSÖZ

Çok Uzun Bir Tarihöncesi

1

Bu yüzyılın başında gözlerimizin önünde olup biten şeyler sıradan bir sarsıntı değil. Soğuk Savaş'ın yıkıntılarından doğan küreselleşmiş dünya için, bilincimizi, aklımızı silkeleyip çok uzun bir tarihöncesinden en sonunda çıkmamızı sağlayacak yapıcı bir sarsıntı belki de; ama aynı zamanda yıkıcı, bölücü, korkunç bir gerilemenin habercisi de olabilir.

Din, renk, dil, tarih, gelenek bakımından birbirlerinden farklı olan ve dünyanın gelişiminin, sürekli olarak yan yana yaşamak durumunda bıraktığı bütün bu toplulukları, huzurlu ve uyumlu biçimde bir arada yaşatmayı becerebilecek miyiz? Bu sorun her ülkede, her kentte, aynı şekilde dünya çapında geçerli. Yanıtsa, bugün, hâlâ belirsiz. Yüzyıllardan beri farklı toplulukların birlikte yaşadıkları bölgelerde olsun, son birkaç on yıldır çok sayıda göçmen grubunu ağırlayan bölgelerde olsun, güvensizlik ile anlayışsızlığın, bütünleşme ya da sadece birlikte yaşama politikalarının tamamını tehlikeye düşürecek denli geliştiği açık. Bugün, kimlik gerilimlerine ve yabancı düşmanlığına yol açan, bu içinden çıkılması güç konu üstüne o kadar çok oylama, o kadar çok tartışma yapılıyor ki! Özellikle de en hoşgörülü toplumlardan bazılarının öfkelendiğine, hırçınlaştığına ve katılaştığına tanık olunan Avrupa'da. Ama aynı zamanda öteki algısında çağdaşlarımızın ruhundaki görünmez ilerlemeyi yansıtan şaşırtıcı değişimlere de rastlanıyor, bunun en öne çıkan ve en göz alıcı örneği ise Barack Obama'nın başkan seçilmesi.

Birlikte yaşama üstüne sürüp giden bu küresel tartışma asla bitmeyecek. Gürültülü ya da sessiz, açık ya da üstü kapalı biçimde bütün bu yüzyıl boyunca ve gelecek yüzyıllarda bize eşlik edecek. Dünyamız, her biri kimlik bilincine sahip, kendisine nasıl bakıldığının, elde edilmesi ya da korunması gereken hakların bilincinde olan, başkalarına ihtiyaç duyduğuna ve aynı şekilde onlardan kendisini koruması gerektiğine de inanan farklı insan topluluklarından oluşmuş sıkı bir ağdır. Bu topluluklar arasındaki gerilimlerin akıp giden zamanın etkisiyle hafifleyeceği beklenmemelidir. Ne birbirlerine karşı saygı göstermeyi ne de uyumlu biçimde birlikte yaşamayı başarabilmiş, buna karşın, yüzyıllar boyunca yan yana yaşamış bazı topluluklar olmadı mı? Önyargılarını, tiksintilerini aşmak, insanın doğasında bulunan bir şey değil. Ötekini kabul etmek, onu reddetmekten ne daha doğal ne de daha az doğal. Uzlaştırmak, birleştirmek, benimsemek, yakınlık kurmak, yatıştırmak bilinçli hareketlerdir, uygarlık hareketleridir, aklı başındalık ve sebat gerektirir; sonradan elde edilen, öğretilen, geliştirilen hareketlerdir bunlar. İnsanlara birlikte yaşamayı öğretmek asla bütünüyle kazanılmayan upuzun bir savaştır. Serinkanlı bir düşünce, usta bir eğitim, elverişli yasalar ve eksiksiz kurumlar gerektirir. Avrupa'ya göç etmeden önce Ortadoğu'da yaşadığım için, böylesi bir savaşın kararlılık ve ustalıkla yürütülmesi ile yadsınması ya da beceriksizce ve tutarsızca yönetilmesi arasında bir toplum için nasıl bir fark bulunduğunu birçok kez gözlemleme fırsatı yakaladım.

Bugün, bu savaş hem bütün insanlık ölçeğinde hem de her topluluğun içinde verilmelidir. Açıkça şu söylenebilir ki, henüz söz konusu olan, bu değildir, olanlar da yeterli değildir. Sürekli olarak "küresel köy"den söz edip duruyoruz; bu olguya göre, iletişim alanındaki gelişmeler sayesinde, gezegenimiz tek bir ekonomik uzama, tek bir siyasal uzama, tek bir medya uzamına dönüşmüş durumda. Ama karşılıklı tiksintiler de daha aşikâr bir hal aldı.

Özellikle Batı ile Arap-İslam âlemi arasındaki kopma son yıllarda daha da ciddileşti, o kadar ki, şu anda aralarındaki ilişkinin onarılması güç gözüküyor. Ben her gün bu duruma yanıp yakılanlardanım, ama pek çok insan buna alıştı, hatta kimi zaman gerilimin bizler için içerdiği ve herkesin geleceğini karartan inanılmaz şiddet potansiyelini göz önünde bulundurmaksızın bu halden hoşlanıyor bile. Şu son yıllara damgasını vuran kanlı saldırılarda bunun örnekleri görüldü. 11 Eylül 2001 saldırıları yeni yüzyılın tarihine adını canavarca yazdırdı bile. Nairobi'den Madrid'e, Bali'den Londra'ya, Cerbe'de, Cezayir'de, Kazablanka'da, Beyrut'ta, Amman'da, Taba'da, Kudüs'te, İstanbul'da, Beslan'da ya da Bombay'da, bütün anakentlerde buna benzer dürtülerle gerçekleştirilen saldırılar oldu.

Bu tür saldırıların, ne kadar şiddetli olurlarsa olsunlar, Soğuk Savaş dönemindeki Sovyet ve Amerikan termonükleer silahları gibi insanlığı ortadan kaldırma tehlikesi taşımadıkları bir gerçek. Ne var ki aşırı derecede ölümcül olabiliyorlar, hele bir de yarın öbür gün "konvansiyonel olmayan" –kimyasal, biyolojik, nükleer vb.– silahlar işin içine karışırsa; üstüne üstlük, bu saldırıların neden olduğu toplumsal, siyasal ve ekonomik karışıklıkların da yıkıcı etkileri olabilir.

Ama ben büyük çapta yeni bir saldırının önlenebileceğini düşünmeyi yeğliyorum; bu da neyse ki hâlâ makul görünüyor. Tehlikenin büyük olduğu ülkelerde, yetkililer, soğukkanlılıkla ve etkin biçimde hareket ediyorlar; bir daha asla gafil avlanmamak için en ufak riski önceden saptayıp onun önüne geçmeye çalışıyorlar. Bununla birlikte, doğal olarak, hiçbir şeyden çekinmeyen düşmanlara karşı kendini sürekli olarak korumak zorunda hisseden bir toplum, ister istemez, yasalara ve ilkelere saygıdan uzaklaşıyor. Bu yüzden, terörizm tehdidinin sürmesi, önünde sonunda demokrasilerin işleyişini devamlı sekteye uğratıyor.

Gün gelecek, Londra metrosunda, dünyanın en uygar polisinin, tek suçu esmer olmak olan genç bir Brezilyalı gezgini yere yatırıp kafasına yedi kurşun sıktığı günler gibi anacağız bu lanetli günleri de.

Medeniyetler çatışması, Erasmus ile İbn Sina'nın, içki ile başörtüsünün ya da kutsal metinlerin karşılıklı değerleri üstüne bir tartışma değildir; yabancı düşmanlığına, ayrımcılığa, etnik hakaretlere ve karşılıklı kıyımlara, yani insan uygarlığının manevi onurunu oluşturan her şeyin aşınmasına yol açan küresel bir sapkınlıktır.

Böylesi bir ortamın egemen olduğu dünyada, barbarlığa karşı savaş verdiklerini düşünenler bile bir de bakarlar ki kendileri barbar olmuşlar. Terörist şiddet, antiterörist şiddeti doğurur, bu da hıncı besler, adam toplamaya bakan fanatiklerin işini kolaylaştırır ve gelecekteki saldırıları hazırlar. Falanca topluluğa, bir yerlere bomba yerleştirdiği için mi kuşkuyla bakılır, yoksa falanca topluluk, kendisine kuşkuyla bakıldığı için mi bomba yerleştirir? Bu, ezelden beri süregelen yumurta-tavuk hikâyesidir ve doğru yanıtı aramanın artık hiçbir anlamı yoktur; herkes kendi korkularına, önyargılarına, kökenlerine, belleğindeki yaralara göre yanıt verir bu soruya. Aslında bu kısırdöngüyü kırmak gerekir; ne var ki, çark işlemeye başladığında, işin içinden çıkmak güçleşir.

Bu bağlamda, gerileme korkusu yaşamayalım da ne yapalım? Bugün çeşitli küresel "kabileler" arasındaki düşmanlık daha sürecekse ve her alanda yaşanan kargaşalar devam edecekse, bu yüzyılda demokrasinin, hukuk devletinin ve bütün toplumsal ölçütlerin aşındığına tanık olunacak demektir.

Kendi adıma, bu yoldan çıkışı kaçınılmaz olarak görmeyi reddediyorum ama şurası da açık ki, onu engelleyebilecek birtakım fırsatlar elde edebilmek için fazlasıyla içten, fazlasıyla anlayışlı, fazlasıyla kararlı olmak gerekiyor.

2

Kitabım için çalışmaya başlayalı beri, aklıma alegorik bir imge geliyor durmadan: Bir yalıyara tırmanan ve bir sarsıntı yüzünden dengelerini yitirmeye başlayan bir grup dağcı. Bu adamların neden "düştüklerini" ve yeniden tırmanmayı sürdürebilmek için duvara nasıl "tutunabileceklerini" anlamaya çalışıyorum, derken çok geçmeden uçurumdan yuvarlanırlarsa başlarına ne geleceği geliyor gözümün önüne.

Bir dağ kazası gibi söz ediyorum bundan, ama dünyanın gidişatını düşündüğümde hissettiğim de biraz buna benziyor. Tarihte, "kaza" kavramının çoğunlukla yanıltıcı olduğunu biliyorum. Ne var ki, onu bütünüyle de yadsımıyorum. Dünün ve bugünün ahlakçıları ne derlerse desinler, insanlık gelecek yılların kendisine vereceği cezayı hak etmiyor. Onun masum, talihsiz ya da kader kurbanı olduğunu da savunmuyorum. Ama başımıza gelen şeyin, başarısızlıklarımız ve kusurlarımızdan önce başarılarımızın, gerçekleştirdiklerimizin, meşru tutkularımızın, bir o kadar meşru özgürlüğümüzün ve türümüze ait eşsiz dehanın sonucu olduğuna inanıyorum.

Öfkelerime ve kaygılarıma karşın, insanlık serüvenine hâlâ hayranım; canu gönülden seviyorum, kutlu sayıyorum ve meleklerin ya da hayvanların yaşamına hayatta değişmem onu. Bizler Prometheus'un çocuklarıyız, yaratıyı devam ettiren emanetçileriz, evreni yeniden biçimlendirme işine giriştik ve yukarıda yüce bir Yaradan varsa, onun öfkesini olduğu kadar, övüncünü de hak ediyoruz.

Tam da bu Prometheusçu gözüpekliğin, çılgın gibi doruklara koşmanın bedelini ödemiyor muyuz? Kuşkusuz; ama pişmanlık duymamıza gerek yok; ne en kaçık icatlarımız için ne de elde ettiğimiz özgürlükler için. Geçmişte olduğundan daha ciddi ve daha ivedi biçimde kendimize "Böyle hızlı hızlı nereye gidiyoruz?" sorusunu sorma vakti geldiyse, bunu vicdan azabı çekerek ya da kendimizi yererek sormamalıyız; "Çok hızlı gidiyoruz!", "Yolumuzdan saptık", "İşaret noktalarını yitirdik" demek değil dert, gerçekten bir soru sorup ona yanıt aramak.

Bu yüzyılda, geçmiş hayranlığı moda oldu; ezelden beri, insanın, hele hele kadının özgürlüğünden tiksinenlerin, bilime, sanata, edebiyata, felsefeye kuşkuyla bakanların, yolunu şaşırmış kalabalığımızı, uysal bir sürü gibi, çok eski ahlaki zorbalıkların güven verici hapishanelerine tıkmak isteyenlerin öç saati yaklaşıyor olabilir. Öte yandan, yolu şaşırdıysak da, atalarımızın çizdiği yol değil söz konusu olan; çocuklarımız için çizmemiz gereken yoldur asıl sorun, bizden önceki hiçbir kuşağın öngöremediği ve bununla birlikte, hiçbiri için yaşamsal bir gereksinim olmayan bir yoldur bu.

Bu sonsözde, ilk sayfalardan beri yaptığım gibi, bunu vurgulamak istiyorum, çünkü içinde yaşadığımız dönemin sarsıntılarına verilebilecek tepkiler farklı farklı eğilimlere göre belirlenebilir. Bunlardan üçünü birbirinden ayıracağım ve yine dağcılar alegorisini sürdürmek için onları "uçurum eğilimi", "duvar eğilimi" ve "doruk eğilimi" olarak adlandıracağım.

"Uçurum eğilimi" çağımıza damgasını vurmaktadır. İnsanlar her geçen gün, birbirine halatla bağlı grubun tümünü de beraberlerinde götürmeyi düşleyerek, boşluğa atıyorlar kendilerini, tarihte daha önce bir örneğine daha rastlanmayan bir olay bu. Bu insanlar, sayıları ne kadar çok olursa olsun, umutsuzluğun doldurduğu koskocaman bir barut fıçısının yanan fitilini temsil ediyorlar yalnızca. İslam âleminde ve başka yerlerde, çağdaşlarımız arasından yüz milyonlarca kişi bu eğilimi sergiliyor, neyse ki ezici çoğunluk hâlâ ona direnmesini biliyor.

Onların üzüntüsüne yol açan şey yoksulluktan daha çok,

aşağılanmaları ve kendilerini değersiz hissetmeleri, içinde yaşadıkları dünyada onlara bir yer olmadığını düşünmeleri, burada kendilerini yenik, ezilmiş, dışlanmış görmeleri; bir de tabii, davet edilmedikleri şöleni berbat etmek istemeleri var.

"Duvar eğilimi" ise, günümüzün özellikleri arasında daha az ön plana çıkıyor, ama zamanımıza yeni bir anlam kazandırıyor. Fırtınanın geçmesini bekleyerek dayanmaya, sığınmaya, kendini korumaya yönelik eğilimi bu şekilde adlandırıyorum. Başka koşullar altında, en sakınımlı tutum bu olurdu. Ama bizim kuşağımızın ve ondan sonra gelecek olanların dramı şu ki, bu fırtına geçmeyecek. Tarihin rüzgârı gitgide daha şiddetli, daha hızlı biçimde esmeyi sürdürecek; hiçbir şey, hiç kimse onu dindiremeyecek, yavaşlatamayacak.

Bu tutumu benimseyenler, insanlığın belli bir kesimi değil sadece, çünkü bu eğilim hepimizin içinde var. Dünya üstüne yeni bir gözle düşünülmesi, geleceğe giden yolun bizim tarafımızdan çizilmesi gerektiğini kabul etmemiz güç; örneğin, sıradan, basit, önemsiz davranışlarımızın bir iklim felaketine yol açabileceğini ve bunun, insanın kendini boşluğa atmasıyla eşdeğer olabileceğini kabul etmemiz güç; kökü çok eskilere dayanan kimliksel bağlılıklarımızın insan ırkının ilerlemesini tehlikeye düşürebileceğini kabul etmemiz de çok güç. Dolayısıyla, dünya üstünde, hiçbir şeyin bütünüyle yeni olmadığına inandırmaya çalışıyoruz kendimizi ve alışılagelen işaret noktalarına, atalarımızdan kalma aidiyetlerimize, durmadan tekrarlanan kavgalarımıza, aynı şekilde dayanıksız gerçekliklerimize tutunmayı sürdürüyoruz.

"Doruk eğilimi"ne gelince, o bunun tam tersi bir düşünceyi temel alır: İnsanlığın, evrimi içinde, artık eski çarelerin bir işe yaramadığı, dramatik şekilde yeni olan bir aşamaya girdiği düşüncesini. Komünizmin çöküşü sırasında vakitsiz biçimde ilan edildiği gibi tarihin sonu değildir bu, büyük olasılıkla belli bir tarihin sonu, aynı zamanda da –buna inanmak, bunu ummak istiyorum– yeni bir tarihin başlangıcı.

Miadı dolan ve artık ortadan kalkması gereken şey, insanlığın kabile tarihidir; uluslar, devletler, etnik ya da dinsel topluluklar, ayrıca "uygarlıklar" arasındaki çatışmaların tarihidir. Şu anda sona eren şey, insanlığın tarihöncesidir. Evet, bütün kimlik gerginliklerimizle, bütün kör edici etnik merkeziyetçiliklerimizle; gerek yurtseverliğe gerek topluluklara, kültürlere, gerekse ideolojiye vb. ilişkin, "kutsal" diye ün salmış bencilliklerimizle örülü çok uzun bir tarihöncesidir bu.

Amacım, tarihte çok eskilere dayanan bu mekanizmalar üstüne etik bir yargıya varmak değil, yalnızca yeni gerçekliklerin, bu tarihöncesinden olabildiğince çabuk çıkılmasını gerektirdiğini göstermek. İnsanlık serüveninde bambaşka bir döneme, Öteki'yle –rakip ulusla, rakip uygarlıkla, rakip toplulukla– artık savaşılmadığı, buna karşılık bütün insanlığı tehdit eden çok daha önemli, çok daha korkutucu düşmanlara karşı savaş verilen bir döneme geçebilmek için bu yapılmalı.

Bu "tarihöncesi" süreçte elde edilen, insanları güçten düşüren alışkanlıklar bir kenara bırakıldığında, gelecek yüzyıllarda uğruna savaşılmasını hak eden şeylerin sadece bilim ve etik olduğu kolaylıkla anlaşılır. Bütün hastalıkları yenmek, yaşlanma sürecini yavaşlatmak, doğal ölümü on yıllarca, hatta belki günün birinde yüzyıllarca ötelemek; insanları yoksulluktan ve cahillikten kurtarmak; sanat ve bilgi sayesinde, kültür ve iç zenginliği sayesinde, onların uzayan yaşamlarını "donatmaları"nı sağlamak; sabırla engin evreni kuşatmak, bir yandan da üstünde yaşadığımız, adına dünya denen aracın ayakta kalmasına dikkat etmek, işte çocuklarımızın ve onların çocuklarının uğruna seferber olmaları gereken fetihler yalnızca bunlardır. Kanımca, bütün yurt sevgisi için yapılan savaşlardan daha heyecan verici, en az gizemci deneyimler kadar ruhu coşturabilecek girişimler bunlar. Artık böylesi tutkulara yönelmeli insanlık.

Olmayacak bir dua, denecektir. Hayır, hayatta kalmak istiyorsak bir zorunluluk; o yüzden de tek gerçekçi seçenek. İnsanlık, böylesine üst düzey bir küresel bütünleşmenin damgasını vurduğu, evriminin bu ileri aşamasına vardıktan sonra, ya kendi kendini yok edecek ya da başkalaşacak.

3

Az önce sözünü ettiğim "evrim aşaması" soyut bir kavram değil. İnsanlık, çevresini saran birçok tehlikeye karşı koymak için gerçek bir dayanışmaya ve birlikte hareket etmeye hiç bu kadar ihtiyaç duymamıştı; bilimin, teknolojinin, ekonominin gelişmesinden ve nüfusun artmasından kaynaklanan ve şu yeni yüzyıl içinde, binyıllardan beri insanların kurduğu her şeyi yıkabilecek çok büyük tehlikeler söz konusu. Nükleer silahların ve başka ölüm araçlarının artışını düşünüyorum bunu söylerken. Doğal kaynakların tükenişini ve büyük kıtlıklara geri dönüşü düşünüyorum. Elbette, insanlığın ilk uygarlıklarımızın kuruluşundan bu yana karşılaştığı en ciddi tehlike olan iklim değişikliklerini de unutmayalım.

Ama bütün bu tehditler, gözlerimizi açmamızı, karşımızdaki sorunların büyüklüğünü ve davranışlarımızı değiştirmememiz, eriştiğimiz bu evrim aşamasının gerektirdiği düzeye, düşünsel ve özellikle de manevi anlamda ulaşamamamız halinde doğacak riskin ölümcüllüğünü anlamamızı sağlarsa, bizler için bir fırsat olarak da görülebilir.

Ortaklaşa hayatta kalma içgüdümüze bütünüyle güvendiğimi söylersem, yalan söylemiş olurum. Böylesi bir içgüdü bireylerde varsa da, türler söz konusu olduğunda kesin değildir. Ama en azından bizi canevimizden vuran bunalımlar karşısında, "karar bize kalmış" durumda. Bu yüzyıl insanlık için ya gerileme yüzyılı olacak ya da atılım yüzyılı, kurtarıcı başkalaşımın yüzyılı. Silkelenmemiz, en iyi özelliklerimizi seferber etmemiz için bir "olağanüstü durum" gerekiyordu ya, buyurun işte.

Kendi adıma, hâlâ endişeli bir bekleyiş içindeyim; ama aynı zamanda umutlanmamı sağlayacak birtakım nedenler de görüyorum. Bunların hepsinin yapısı aynı değil, etkileri de farklı farklı; ne var ki, bunlara bütün halinde bakıldığında, geleceğin başka türlü hayal edilmesini sağlıyorlar.

Bu nedenlerden ilki, gerilimlere, bunalımlara, çatışmalara, sarsıntılara karşın, bilimsel gelişmelerin sürmesi ve hızlanması. Zaten kuşaklardır gözlenen bir tarihsel eğilimi, bugün görülen olumlu işaretler arasında saymak yersiz gelebilir kimilerine. Öte yandan, ben de bilimin, bu şekilde sürekli olmasıyla, şu yüzyılda karşılaşacağımız karışıklıkları aşmamıza yardım edeceğine inanıyorum. Bilimsel gelişmenin, gerilemenin panzehiri olduğunu söylemeye kadar vardırmayacağım işi, ama panzehirin harcında bulunduğuna da kuşku yok. Tabii ki, onu iyiye kullandığımız ölçüde.

Sözgelimi, bilim adamlarının bize, önümüzdeki on yıllarda, küresel ısınmanın kısırdöngüsünden kurtulmamızı sağlayacak şekilde, atmosfere karbon gazı yaymamızı kısıtlayabilecek bir yığın "temiz teknik" sunabileceği pekâlâ varsayılabilir. Bununla birlikte, sorunu tamamen onların "başına saracağız", biz de vicdanımız rahat biçimde her zamanki gibi davranmaya devam edeceğiz anlamına gelmiyor bu. Bilim adamlarımızın bu yüzyılın ilk yarısında Dünya'yı etkisi altına alabilecek iklim değişikliklerini engelleyebilecek zamanları büyük olasılıkla yok artık; öncelikle bizlerin bu zorlu dönemeci "eldeki olanaklarla" dönmeyi başarmamız gerekiyor; işte ancak o zaman bilim, uzun vadede çözümler sunabilir bize.

Bilime olan güvenim hem sonsuz hem de kısıtlı. Bilimin, kendi alanıyla ilgili sorulara, yavaş yavaş bütün yanıtları verebileceğine ve böylece bize de en olmadık düşlerimizi gerçekleştirme olanağı kazandıracağına inanıyorum. Bu hem baş döndürücü hem de korkutucu bir şey. Çünkü insanlar her şeyi, en iyiyi de en kötüyü de düşleyebilir, ikisi arasında seçim yapma konusundaysa bilime bel bağlanamaz. Bilim ahlaki açıdan tarafsızdır, insanların bilgeliğinin olduğu kadar çılgınlıklarının da hizmetindedir. Bilim, dün ya da bugün olduğu gibi yarın da, zorbalık, açgözlülük ya da arkaiklik lehine ayartılabilir, yoldan çıkarılabilir.

Umutlanmama yol açan ikinci neden de içimde birtakım endişeler uyandırmıyor değil. Daha önce de sözünü ettim, kastettiğim, dünyadaki en kalabalık ulusların az gelişmişlikten kesin olarak çıkmak üzere olmaları. Önümüzdeki yıllarda, bir durgunlaşmaya, ciddi kargaşalara, hatta silahlı çatışmalara tanık olunabilir. Bir yandan da az gelişmişliğin kaçınılmaz bir şey olmadığını, yoksulluk, açlık, yerel hastalıklar ya da eğitimsizlik gibi binyıllık yaraların ortadan kaldırılmasının, bundan böyle safça bir düş olarak görülemeyeceğini artık biliyoruz. Üç dört milyar kişi için yapılabilen şey, birkaç on yılda altı, yedi ya da sekiz milyar kişi için de yapılabilir.

Geleceğe dönük, dayanışma halindeki bir insanlık perspektifinde, bunun çok önemli bir evre olduğu anlaşılacaktır.

Bana umut veren üçüncü nedense, çağdaş Avrupa'nın yaşadığı deneyimden kaynaklanıyor. Çünkü bu deneyim, gönülden dilediğim, şu "tarihöncesinin sonu"na işaret edebilecek bir başlangıcı somut biçimde simgeliyor: Birbirine eklenen nefretleri, bölgesel çatışmaları, yüzyıllık düşmanlıkları geride bırakmak; birbirlerini öldüren kişilerin kızları ile oğullarının el ele tutuşmalarını ve gelecek üstüne kafa kafaya verip düşünmelerini sağlamak; altı ulus için, ardından dokuz, on iki ya da on beş, sonra otuz ulus için ortak bir yaşam kurmakla uğraşmak; asla kültürleri ortadan kaldırmaya çalışmadan onları aşmak; ta ki günün birinde, birçok etnik yurttan hareketle, etik bir yurdun doğması için çalışmak, işte budur benim dileğim.

Tarih boyunca, ne zaman biri kalkıp, dünyadaki ulusların birbirleriyle uzlaşmaları, yakınlaşmaları, içinde yaşadıkları uzamı dayanışma halinde yönetmeleri, geleceği birlikte düşünmeleri gerektiğini söylese, böylesi ütopyaları salık verdiği için her zaman saflıkla suçlanmıştır. Oysa Avrupa Birliği tam da gerçeğe dönüşen bir ütopyanın örneğini veriyor bize. Bu yüzden de, öncü bir deneyim, uzlaşmış insanlığın yarın ne olabileceğinin ilk işaretini ve en iddialı düşüncelerin ille de saf olmadığının kanıtını oluşturuyor.

Gelgelelim, bu girişimin de eksiklikleri yok değil. Girişime katılan herkes bazen kuşkularını dile getiriyor. Benim de bu konuda bazı sabırsızlıklarım var. Avrupa'nın, birliğin kurucu ülkeleri arasında olduğu kadar, ev sahipliği yaptığı göçmenlere karşı da, birlikte yaşamaya örnek olmasını istiyorum; onların kültürel gereksinimleriyle daha fazla ilgilensin, dilsel çeşitliliğini daha iyi düzenlesin istiyorum; Hıristiyan, beyaz ve zengin uluslardan oluşan bir "kulüp" olma eğilimine karşı koysun ve kendini bütün insanlar için bir model olarak görme cesaretini sergilesin istiyorum; ayrıca kurumsal açıdan, kültürel özgülüklere sahip, onları korumaya ve başkalarına tanıtmaya çabalayan devletlerden kurulu, ama bütün Kıta Avrupası'nda aynı gün seçilecek ve yetkeleri herkesçe tanınacak federal yöneticilerin yönettiği, Amerika Birleşik Devletleri'nin Avrupalı eşdeğeri, tek bir demokratik varlık oluşturma cesaretini göstersin istiyorum; evet, tanık olduğum korkaklıklar ve bazı ahlaki dar görüşlülükler beni de endişelendiriyor.

Ama dile getirdiğim bu çekinceler, gözümde, Avrupa Birliği'nin insanlığın şu an içinde bulunduğu çok önemli aşamada örnek bir "laboratuvar" değeri taşımasına engel değil.

Dördüncü umut etkeni de, şaşırtıcı 2008 yılının başlangıcından beri Yeni Dünya'da olup bitenler; simge ve insan olarak Barack Obama'nın yükselişi; Abraham Lincoln'ün, Thomas Jefferson'ın ve Benjamin Franklin'in unutulmuş Amerika'sının dönüşü; başka bir deyişle, yaşadığı ekonomik kriz ve askeri açıdan batağa saplanması sonucunda, büyük bir ulusun sıçrayarak uyanışı.

Başkan Franklin Roosevelt 1929'da başlayan ve şimdikiyle büyüklük açısından karşılaştırılabilecek tek krize çözüm olarak, *New Deal*'i ortaya atmıştı, bugün ABD ve bütün dünyanın gerçekten ihtiyaç duyduğu şey de bir "yeni düzen". Ama bunun, otuzlu yıllardakinden çok daha geniş kapsamlı, çok daha iddialı olması gerekiyor. Bu kez, söz konusu olan, sadece ekonomiye yeni bir atılım kazandırmak ve bazı toplumsal kaygılara yeniden değer kazandırmak değil; şimdi yeni bir küresel gerçekliğin oluşturulması, uluslar arasında yeni ilişkilerin kurulması, dünyaya stratejik, mali, etik ve iklim konusunda yaşanan düzensizliklere son verecek yeni bir işleyiş tarzı kazandırılması gerekiyor; süper gücün de bu büyük göreve koyulabilmesi için, her şeyden önce, ön koşul olarak, dünya çapındaki meşruiyetini yeniden kazanması lazım.

Daha önce de, halkın, kendi mücadelesine katılan liderleri benimsediğini söylemiştim. Aynı şeyi küresel bakımdan da yineleyeceğim. Çeşitli ulusların aralarından birinin üstünlüğünü kabul etmesi için, bu üstünlüğün onların zararına değil, yararına olduğuna inanmaları gerekir.

Tabii ki, ABD'nin her zaman rakipleri, hasımları, hatta dünyanın isteye isteye onun çevresinde toplandığını gördükçe, daha büyük bir hırsla kendisine saldıracak amansız düşmanları olacaktır. Ama Avrupa, Afrika, Asya ve Latin Amerika halkları ve liderlerinin çoğu ABD'yi yaptığı işlere göre değerlendirecektir. Uluslararası sahnede ustalıkla ve hakkaniyetle hareket ederse, öteki uluslara bir şeyleri zorla kabul ettirmektense saygıyla onlara danışmayı ilke edinirse, başkalarından istediği şeyi öncelikle kendisine uygulamayı gurur meselesi haline getirirse, dünya içindeki tutumunu sık sık lekeleyen ahlakdışı uygulamaları ortadan kaldırırsa ve ekonomik krize, küresel ısınmaya, salgınlara, yerel hastalıklara, yoksulluğa, adaletsizliklere, bütün ayrımcılıklara karşı küresel seferberliğin başına geçerse, işte o zaman dünya üstündeki en büyük güç olma rolü kabul görür ve alkışlanır. Hatta askeri güç kullanımı bile, bir işleyiş tarzına dönüşmediği sürece, istisnai olarak kaldığı ve kabul edilebilir ilkelere uyduğu sürece, kan "lekeleriyle" kirlenmediği sürece, şimdiki gibi sert tepkiler uyandırmaz.

Dünyanın Amerika'ya her zamankinden fazla ihtiyacı var, ama burada söz konusu olan, hem dünyayla hem de kendisiyle uzlaşmış bir Amerika, dünya çapındaki rolünü –doğrulukla, hakkaniyetle, yüce gönüllülükle; hatta incelikle, zarafetle– başkalarına ve başkalarının değerlerine saygı çerçevesi içinde üstlenen bir Amerika.

Hâlâ umutlanmamı sağlayan birtakım etkenleri saydım. Ama yerine getirilmesi gereken görev çok ama çok büyük; istediği kadar aklı başında ve inandırıcı olsun, tek bir lidere; istediği kadar güçlü olsun, tek bir ulusa; hatta tek bir anakaraya bile bırakılamaz.

Çünkü yapılması gereken şey, yeni bir ekonomik ve mali işleyiş tarzı, yeni bir uluslararası ilişkiler sistemi oluşturmak, bazı aşikâr düzensizlikleri gidermek tek başına yeterli değil. Geç kalmadan, bambaşka bir siyaset, ekonomi, iş, tüketim, bilim, teknoloji, ilerleme, kimlik, kültür, din, tarih görüşü yaratılması ve bunun insanlara kabul ettirilmesi şart; kim olduğumuz, ötekilerin kim olduğu ve ortak dünyamızın yazgısı konularında, en sonunda yetişkince davranmamızı sağlayacak bir görüş gerek bize. Özetle, yalnızca atalarımızdan kalma önyargılarımızın çağdaş bir yorumu olmayacak ve kendini şimdiden belli eden gerilemeyi önlememizi sağlayacak bir dünya anlayışı "icat etmemiz" gerekiyor.

Hepimiz bu tuhaf yüzyıl başlangıcında yaşıyoruz, bize düşen görev –bu konuda önceki kuşaklardan çok daha fazla olanağa sahibiz– bu kurtarma girişimine katkıda bulunmak; bunu da bilgelikle, bilinçle, ama aynı zamanda tutkuyla, hatta bazen de öfkeyle yapmalıyız.

Evet, haklı olanların yaman öfkesiyle.

Not

Bu kitapta incelediğim konuları başka birçok yazar da ele almıştı. Bunlardan bazılarını son yıllarda okudum, kitabı yazmayı bitirdikten sonra da daha başkalarını okuyacağım. Dolayısıyla, kaynaklarımı, notlarımı ve okuma önerilerimi bu kitabın içine almak yerine, İnternet'e, yayıncımın sitesine koymayı daha uygun buldum, bu şekilde kaynakça sürekli olarak güncellenebilir ve aktarılacak belgelerle, raporlarla, konferans metinleriyle, makalelerle bütünüyle zenginleşebilir.

Bu notta, sadece, ben de dahil olmak üzere okurlarına araştırmalarının ve düşüncelerinin meyvelerini sunan, fikirleri benimkilere yakın olsun olmasın, herkese teşekkür etmek istiyorum. Onlara çok şey borçluyum, ama bir yandan da her kaynağın bu kitaba katkısını tam olarak belirtebilmem güç; yine de bu kitapta ortaya koyduğum düşüncelerin ve yargıların sorumluluğu bana ait.

Amin Maalouf

www. bibliographiemaalouf.com